Ni

LES exercices de Grammaire

Anne Akyüz
Bernadette Bazelle-Shahmaei
Joëlle Bonenfant
Marie-Françoise Gliemann

www.hachettefle.fr

Avant-propos

Ce premier ouvrage de la collection « Les Exercices » s'adresse à des étudiants adolescents ou adultes, débutants complets en Français Langue Etrangère, pour un travail en classe ou en autonomie. Il propose **des exercices d'entraînement** correspondant au niveau **A1 du Cadre européen commun de référence.**

Cet ouvrage comporte **19 chapitres**, regroupés autour des notions suivantes : le nom et le pronom, le verbe, l'expression des circonstances et les différents types de phrases.

Chaque chapitre se divise en plusieurs sous-parties. Chacune d'elles s'ouvre sur des corpus très courts qui permettent à l'étudiant d'**observer**, dans un premier temps, le fonctionnement de la langue, puis de répondre à quelques questions pour vérifier sa compréhension et formuler la règle, dans une démarche **inductive**.

Dans un deuxième temps l'étudiant peut alors **s'entraîner** à l'aide d'exercices aux **consignes simples** et qui s'appuient sur des **situations de communication courantes**. La plupart des exercices sont **contextualisés** afin de s'inscrire dans une situation de communication authentique. On trouvera des exercices plus créatifs étiquetés **À vous !** dont certains peuvent être travaillés en mini-groupes.
À l'intérieur de chaque chapitre, les notions sont abordées de façon **progressive**.

L'unité lexicale des exercices aide à mémoriser un vocabulaire peu compliqué, utile au niveau débutant. Il permet surtout à l'étudiant de se focaliser sur le point de langue étudié, sans buter sur des difficultés lexicales.

Un bilan, à la fin de chaque chapitre, reprend les principaux éléments abordés.

Un précis grammatical, **un index** et **les corrigés** des exercices se trouvent à la fin de l'ouvrage.

Les auteurs

Tous les remerciements de l'éditeur à Évelyne Rosen pour sa précieuse collaboration.

Couverture : Amarante
Maquette intérieure : Médiamax
Réalisation : Créapass
Secrétariat d'édition : Sandra Bosc
Illustrations : Claude Bour

Pour découvrir nos nouveautés, consulter notre catalogue en ligne, contacter nos diffuseurs ou nous écrire, rendez-vous sur Internet : www.hachettefle.fr

ISBN 978-2-01-155432-1

SOMMAIRE

Ire PARTIE

Le groupe du nom et les pronoms

I Le nom

Les noms animés : formation du féminin

Observez

- **un** artiste / **une** artiste
- **un** ami / **une** amie
- **un** marchand / **une** marchande
- **un** avocat / **une** avocate
- **un** Anglais / **une** Anglaise

a. Les noms masculins terminés par *e* changent au féminin. **Vrai** ☐ **Faux** ☐
b. Généralement, pour former le féminin, on ajoute *e* au nom masculin. **Vrai** ☐ **Faux** ☐
c. *Un* est utilisé avec un nom masculin. **Vrai** ☐ **Faux** ☐
d. *Une* est utilisé avec un nom féminin. **Vrai** ☐ **Faux** ☐

Entraînez-vous

1 Écrivez le féminin.

1. un élève → *une élève*
2. un stagiaire → une ......
3. un libraire → une ......
4. un pianiste → une ......
5. un photographe → une ......
6. un architecte → une ......
7. un collègue → une ......
8. un journaliste → une ......

2 Écrivez le masculin.

1. une amie → *un ami*
2. une employée → un ......
3. une salariée → un ......
4. une invitée → un ......
5. une inconnue → un ......
6. une mariée → un ......
7. une retraitée → un ......
8. une apprentie → un ......

3 Transformez.

1. C'est un Finlandais. → C'est une *Finlandaise.*
2. C'est un ...... → C'est une Chinoise.
3. C'est un Mexicain. → C'est une ....
4. C'est un ...... → C'est une Américaine.
5. C'est un Tchèque. → C'est une ....
6. C'est un ...... → C'est une Espagnole.
7. C'est un Sénégalais. → C'est une ....
8. C'est un ...... → C'est une Russe.

Observez

- **un** bijout**ier** / **une** bijout**ière**
- **un** Europé**en** / **une** Europé**enne**
- **un** chant**eur** / **une** chant**euse**
- **un** forma**teur** / **une** forma**trice**
- **un** contrôl**eur** / **une** contrôl**euse**
- **un** frère / **une** sœur

a. Quand le nom masculin se termine en *–er*, le nom féminin se termine en ....
b. Quand le nom masculin se termine en *–en*, le nom féminin se termine en ....
c. Quand le nom masculin se termine en *–teur*, le nom féminin se termine en ...... ou en ....
d. Quand le nom masculin se termine en *–eur*, le nom féminin se termine en ....
e. Certains noms sont complètement différents au masculin et au féminin. Vrai ☐ Faux ☐

Entraînez-vous

4 **Ces noms sont au masculin. Cochez les noms qui ont la même forme au masculin et au féminin. Pour les autres, écrivez le féminin.**

1. *journaliste* ☑ ......
2. *banquier* ☐ *banquière*
3. interprète ☐ ......
4. vendeur ☐ ......
5. concierge ☐ ......
6. secrétaire ☐ ......
7. directeur ☐ ......
8. boulanger ☐ ......
9. avocat ☐ ......
10. gardien ☐ ......

5 **Choisissez la forme qui convient.**

1. Mon père est (*informaticien* – informaticienne).
2. Ma mère est (pharmacienne – pharmacien).
3. Ma sœur est (assistant – assistante).
4. Mon frère est (musicien – musicienne).
5. Ma femme est (infirmier – infirmière).
6. Mon mari est (traducteur – traductrice).
7. Ma fille est (caissier – caissière).
8. Mon fils est (serveur – serveuse).
9. Mon cousin est (boulanger – boulangère).
10. Ma cousine est (acteur – actrice).

6 **Choisissez et écrivez.**

réalisatrice – *ingénieur* – costumière – décorateur – assistante – actrice – danseuse – photographe – chanteur – spectateur – compositeur – musicienne

Noms masculins : *ingénieur*, ...

Noms féminins : ......

7 **Transformez les noms du masculin au féminin et inversement.**

1. Il est ouvrier. Elle est *ouvrière*.
2. Elle est directrice. Il est ....
3. Vous êtes coiffeur ? Vous êtes ...... ?
4. Tu es cuisinière ? Tu es ...... ?
5. Il est dessinateur. Elle est ....
6. Tu es commerçant ? Tu es ...... ?
7. Il est comédien. Elle est ....
8. Vous êtes étudiante ? Vous êtes ...... ?

8 **Complétez le tableau.**

Masculin	Féminin
1. *coiffeur*	*coiffeuse*
2. épicier	......
3.	éducatrice
4. dentiste	......
5. architecte	......
6.	couturière
7.	opticienne
8. peintre	......
9.	fermière
10. fleuriste	......
11.	danseuse
12. libraire	......

9 **Associez.**

Masculin	Féminin
fils •	• tante
grand-père •	• sœur
frère •	• femme
neveu •	• *fille*
oncle •	• grand-mère
père •	• mère
mari •	• nièce

10 **Complétez.**

La famille de Pierre :

1. Mon neveu est le *fils* de ma sœur.
2. La mère de ma mère est ma ....
3. Le fils de mon père est mon ....
4. Le père de ma ...... est mon grand-père.
5. Ma nièce est la ...... de mon frère.
6. La ...... de ma mère est ma tante.

11 **À vous !** **Quelle est la profession, la nationalité de vos amis ou des membres de votre famille ?**

Le genre des noms inanimés

Observez

- **Une** rue, **une** gare, **une** ville, **une** route, **une** voiture, etc. <u>mais</u> **un** fleuve.
- **Un** train, **un** pont, **un** carrefour, **un** accid**ent**, **un** avion etc. <u>mais</u> **une** sta**tion**.

a. Un nom qui se termine par *e* est souvent féminin. Vrai ☐ Faux ☐
b. Un nom qui ne se termine pas par *e* est souvent masculin. Vrai ☐ Faux ☐

Entraînez-vous

12 **Regardez l'article *(un* ou *une)* et dites si le nom est masculin *m* ou féminin *f*.**

1. Une maison *f*, un appartement ......, une porte ......, un toit ....
2. Un journal ......, une carte ......, un dictionnaire ......, un livre ....
3. Un pantalon ......, un imperméable ......, une chaussure ......, un anorak ....
4. Un corps ......, une tête ......, un cou ......, une main...... .
5. Un abricot......, une carotte ......, un kiwi ......, un concombre ....

Écrivez les noms masculins qui se terminent par *e* : *un dictionnaire*, ...
Écrivez les noms féminins qui ne se terminent pas par *e* : *une maison*, ...

13 **Observez les noms de la colonne de gauche et écrivez le genre du nom avec *m* pour masculin et *f* pour féminin dans la colonne de droite.**

1. télé**phone** (m)	a. difficulté : *f*
2. bur**eau** (m)	b. département : ......
3. arrondisse**ment** (m)	c. couteau : ......
4. universi**té** (f)	d. système : ......
5. fourch**ette** (f)	e. population : ......
6. probl**ème** (m)	f. étage : ......
7. direc**tion** (f)	g. interphone : ......
8. vill**age** (m)	h. baguette : ......

14 **Barrez l'intrus et complétez le tableau.**

1. Les noms en *–ie* : une mairie, une craie, un incendie, une partie, une vie, une sortie.
2. Les noms en *–age* : une page, un fromage, un mariage, un visage, un message, un paysage.
3. Les noms en *–eur* : une peur, une valeur, une chaleur, une longueur, une horreur, un cœur.
4. Les noms en *–eau* : un panneau, une eau, un bateau, un bureau, un château, un cadeau.
5. Les noms en *–on* : un marron, une chanson, un savon, un bouton, un citron, un bouchon.
6. Les noms en *–ée* : une arrivée, une cheminée, une allée, un musée, une cheminée, une gelée.
7. Les noms en *–ion* : une région, une opinion, un avion, une traduction, une occasion, une invitation.

			masculins	féminins
Les noms	1. en *–ie*	sont **souvent**	☐	☐
	2. en *–age*		☐	☐
	3. en *–eur*		☐	☐
	4. en *–eau*		☐	☐
	5. en *–on*		☐	☐
	6. en *–ée*		☐	☐
	7. en *–ion*		☐	☐

Le pluriel des noms

Observez

- un ami – **des** ami**s**
  une amie – **des** amie**s**
  un problème – **des** problème**s**
  une chanson – **des** chanson**s**
- un pays – **des** pays
  une voix – **des** voix
  un gaz – **des** gaz
- un bat**eau** – **des** bat**eaux**
  un chev**eu** – **des** chev**eux**
- un trav**ail** – **des** trav**aux**
  un journ**al** – **des** journ**aux**
- un œil – **des yeux**
- monsieur – **messieurs**
  madame – **mes**dames

a. Généralement, pour former le pluriel d'un nom, on ajoute un *s* à la forme du singulier. **Vrai** ☐ **Faux** ☐

b. Les noms terminés au singulier par *–s*, *–z* et *–x* changent au pluriel. **Vrai** ☐ **Faux** ☐

c. Les noms terminés au singulier par *–eau* et *–eu* se terminent au pluriel par ....

d. Les noms terminés au singulier par *–al* ou par *–ail* se terminent au pluriel par ....

e. Certains noms changent complètement au pluriel. **Vrai** ☐ **Faux** ☐

Entraînez-vous

15 **Associez le singulier et le pluriel et répondez.**

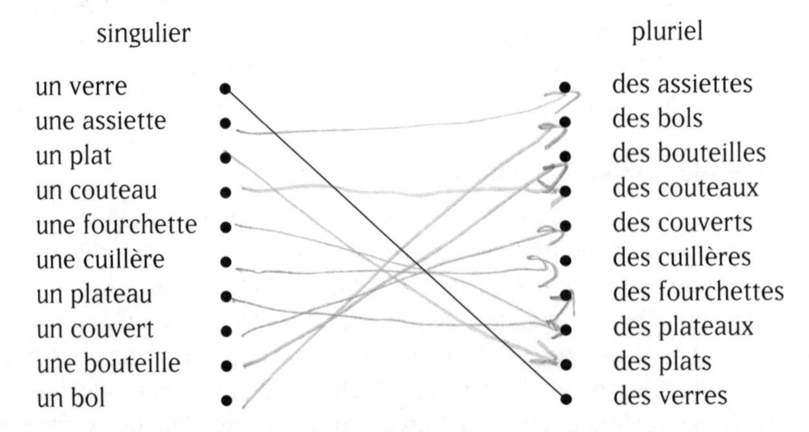

Quels sont les deux noms qui ne se terminent pas par *s* au pluriel ? ......, ...

16 **Transformez.**

1. une lettre → des *lettres*
2. une enveloppe → des ......
3. un timbre → des ......
4. une carte → des ......
5. un nom → des ......
6. une adresse → des ......

17 **Ces noms sont au singulier. Soulignez les noms qui ont la même forme au pluriel.**

souris – chat – métro – tapis – nez – paix – kilo – poids – bus – guerre – prix – voix

18 **Soulignez la réponse qui convient.**

– Je vais mettre la **tables** – ***table*** si tu veux. Tu peux me dire où sont les **assiettes** – **assiette** ?
– Dans le **placard** – **placards** de droite avec les **verres** – **verre**. Et puis les **fourchettes** – **fourchette**, les **couteau** – **couteaux** et les **cuillères** – **cuillère**, dans le **tiroirs** – **tiroir** du milieu.
– Je mets une **nappes** – **nappe** ?
– Oui, tu trouveras les **nappes** – **nappe** dans la petite **armoires** – **armoire** de ma **chambre** – **chambres**. Prends des **serviettes** – **serviette** aussi.
– Tu as une **carafe** – **carafes** d'eau ?
– Non, j'achète toujours des **bouteille** – **bouteilles**.
– Bon, je crois qu'on peut passer à table.

19 **Ces noms sont au singulier. Cochez les noms qui ont la même forme au singulier et au pluriel. Et pour les autres, écrivez le pluriel.**

1. *dos*	☑	5. œil	☐	9. pied	☐ ......
2. *jambe*	☐ *jambes*	6. bras	☐	10. cheveu	☐ ......
3. tête	☐	7. doigt	☐	11. dent	☐ ......
4. main	☐	8. nez	☐	12. oreille	☐ ......

20 **Transformez.**

1. Un hôpital → des *hôpitaux.*
2. Un ...... → des canaux.
3. Un lieu → des ......
4. Un ...... → des châteaux.
5. Un feu → des ......
6. Un ...... → des oiseaux.
7. Un autobus → des ......
8. Un signal → des ......

21 **Mettez les noms à la forme qui convient.**

– Excusez-moi, monsieur, il y a des *travaux* (travail) dans le ...... (boulevard) Camille-Claudel. Par où est-ce que je peux passer pour aller sur les ...... (quai) ?
– Prenez à droite du ...... (château), vous allez voir des ...... (panneau) « déviation ». Vous allez passer trois ...... (feu) rouges. Vous longez l'...... (hôpital), et tout au bout, il y a le ...... (canal). C'est le plus rapide !
– Merci beaucoup, monsieur.

22 **De qui parle-t-on ? De *Nicole* (féminin), de *Christian* (masculin) ou de *Christian et Nicole* (pluriel) ? Cochez la (les) réponse(s) qui convient (conviennent).**

	Nicole	Christian	Christian et Nicole
1. *accompagnateur de montagne*	☐	☐	☐
2. réceptionnistes	☐	☐	☐
3. postière	☐	☐	☐
4. marchands de journaux	☐	☐	☐
5. technicienne	☐	☐	☐
6. inspectrice	☐	☐	☐
7. vétérinaires	☐	☐	☐
8. dessinatrice	☐	☐	☐
9. comptables	☐	☐	☐
10. professeurs	☐	☐	☐
11. couturier	☐	☐	☐
12. coiffeur	☐	☐	☐

23 **Transformez au pluriel.**

Madame, Monsieur, bienvenue !
Je suis votre guide, Gaëlle. Aujourd'hui, nous allons visiter le château de Versailles. Nous allons prendre le bus ici. Voici le billet pour l'entrée tout de suite. Et voici le journal de l'exposition avec une explication en anglais.

Mesdames (1), ... (2), bienvenue !
Nous sommes vos ...... (3), Gaëlle et Marion. Aujourd'hui, nous allons visiter les ...... (4) de Versailles et Fontainebleau. Nous allons prendre les...... (5) ici. Voici les ...... (6) pour les...... (7) tout de suite. Et voici les ...... (8) des ...... (9) avec des ...... (10) en anglais.

24 **Transformez au féminin pluriel.**

1. Mon copain est infirmier. → *Mes copines sont infirmières.*
2. Mon voisin est dessinateur. → ....
3. Mon cousin est vendeur. → ....
4. Mon frère est étudiant. → ....
5. Mon fils est danseur. → ....
6. Mon ami est cuisinier. → ....

2 Les articles

Les articles définis

Observez

Enquête sur **les** loisirs (mp).
Les habitants (mp) de notre ville aiment beaucoup **le** cinéma (ms), **la** danse (fs) et **les** visites (fp) de musées. Ils n'aiment pas **l'**art (ms) moderne mais adorent **l'**architecture (fs) classique.

Remarque :
ms = masculin singulier - fs = féminin singulier - mp = masculin pluriel - fp = féminin pluriel

a. Quelles sont les formes de l'article défini ? Complétez le tableau.

	Devant une consonne	Devant une voyelle ou un *h* muet
au masculin singulier	......	......
au féminin singulier	......	......
au masculin et au féminin pluriel	......	

b. Mettez dans l'ordre : aiment / moderne / l' / n' / Ils / pas / art → ......

Entraînez-vous

1 **Classez et complétez avec *le, la, l'* ou *les*.**

lit (ms)	table (fs)	armoire (fs)	chaussures (fp)
collants (mp)	pantalon (ms)	manteau (ms)	canapé (ms)
chemise (fs)	fauteuil (ms)	écharpe (fs)	robe (fs)
chaises (fp)	étagère (fs)	placards (mp)	commode (fs)

1. Meubles : *le lit*, ...
2. Vêtements : ......

2 **Complétez avec *le, la, l'* ou *les*.**

Quel temps fait-il ?

1. *Le* brouillard (ms) est très épais.
2. ...... chaleur (fs) est très forte.
3. ...... froid (ms) est très vif.
4. ...... neige (fs) couvre ...... sommets (mp).
5. ...... nuages (mp) arrivent.
6. ...... temps (ms) est mauvais.
7. ...... orage (ms) est violent.
8. ...... pluie (fs) tombe fort.
9. ...... soleil (ms) brille.
10. ...... tempête (fs) est terminée.
11. ...... tonnerre (ms) fait peur.
12. ...... vent (ms) souffle fort.

3 **Complétez avec *le, la, l'* ou *les*.**

Excusez-moi, je cherche...
1. *la* mairie (fs) principale.
2. ...... école (fs) Flaubert.
3. ...... château (ms) de Ferrières.
4. ...... place (fs) Jean-Jaurès.
5. ...... magasins (mp) du centre.
6. ...... cimetière (ms) de Montmartre.
7. ...... chemin (ms) des Dames.
8. ...... hôtel (ms) Splendid.
9. ...... boulangerie (fs) Hubert.
10. ...... route (fs) des Grands-Sables.
11. ...... épicerie (fs) Fauchon.
12. ...... bureau (ms) de tabac de la gare.

4 **Répondez à la forme négative.**

– Vous habitez seul, alors vous devez...
1. faire le ménage ? – Non, je *ne fais pas le ménage.*
2. faire le repassage ? – Non, je ......
3. faire la cuisine ? – Non, je ......
4. faire la lessive ? – Non, je ......
5. faire les courses ? – Non, je ......
6. faire la vaisselle ? – Non, je ......

– Mais alors, qui fait tout ça ?

5 **Associez.**

1. J'aime beaucoup l'
2. Je n'aime pas la
3. Je préfère le
4. Je n'aime vraiment pas les

a. *orthographe* (fs).
b. mathématiques (fp).
c. sciences (fp).
d. histoire (fs).
e. latin (ms).
f. géographie (fs).
g. sport (ms).
h. philosophie (fs).
i. langues (fp).
j. examens (mp).

1	2	3	4
a, ...			

6 **À vous !** **Quels sont vos goûts ?**

Le sport ? La lecture ? Le théâtre ? Le vent ? Les orages ? Les frites ? La salade ? La salsa ? L'athlétisme ?...

Exemple : J'aime la musique classique. Je n'aime pas le rock.

Observez

Je m'appelle Stéphane, je suis cuisinier **à l'**hôtel (ms) **des** Sports (mp). Chaque jour, je vais **au** marché (ms) et **à la** boulangerie (fs). Quand je reviens **du** marché (ms), je prépare les menus **de la** journée (fs). J'aime faire plaisir **aux** clients (mp) **de l'**hôtel (ms).

Avec les prépositions *à* et *de* :

a. On ne dit pas ~~*à le*~~ mais on utilise l'article contracté .... au

b. On ne dit pas ~~*à les*~~ mais on utilise l'article contracté .... aux

c. On ne dit pas ~~*de le*~~ mais on utilise l'article contracté .... du

d. On ne dit pas ~~*de les*~~ mais on utilise l'article contracté .... des

Entraînez-vous

7 Choisissez la forme qui convient.

Avant d'acheter, tout est important :

1. La marque (de l' – du) ordinateur (ms).
2. La taille (de la – de l') écran (ms).
3. La hauteur (de la – du) colonne (fs).
4. Les cartouches (du – de l') imprimante (fs).
5. La puissance (des – de la) haut-parleurs (mp).
6. Le branchement (du – de la) souris (fs).
7. Le choix (de l' – du) traitement de texte (ms).
8. La vitesse (des – de la) connexion Internet (fs).

8 Complétez avec *du, de la, de l'* ou *des*.

À Paris

1. La gare *du* Nord (ms).
2. La place ...... Concorde (fs).
3. La place ...... Étoile (fs).
4. Le musée ...... Louvre (ms).
5. L'avenue ...... Champs-Élysées (mp).
6. Le pont ...... Arts (mp).
7. La basilique ...... Sacré-Cœur (ms).
8. Le parc ...... Buttes-Chaumont (fp).
9. Le jardin ...... Luxembourg (ms).
10. L'île ...... Cité (fs).
11. Le jardin ...... Tuileries (fp).
12. La gare ...... Est (ms).

9 Écrivez comme dans l'exemple.

Exemple : Les horaires – le RER B → *Les horaires du RER B.*

En voyage

1. Le départ – le train pour Marseille → ....
2. Le prix – le billet → ....
3. Le tarif – les péages → ....
4. Les guichets – la gare → ....
5. Le hall – l'aéroport → ....
6. Le quai – le métro → ....
7. Le bureau – les renseignements → ....
8. L'arrêt – le bus 63 → ....
9. L'enregistrement – les bagages → ....

10 Complétez.

1. – Où est *le* vase (ms) blanc ?
   – Sur ...... table (fs) ...... salon (ms).
2. – Où sont ...... livres (mp) de Samia ?
   – Sur ...... étagères (fp) ...... bibliothèque (fs).
3. – Où est ...... clé (fs) ...... boîte (fs) à lettres ?
   – Dans ...... tiroir (ms) ...... meuble (ms) ...... entrée (fs).
4. – Où sont ...... serviettes (fp) de toilette ?
   – Dans ...... armoire (fs) ...... salle (fs) de bains.
5. – Où sont ...... billets (mp) ...... concert (ms) RapTop ?
   – Dans ...... poche (fs) gauche ...... costume (ms) bleu de ton père.

11 Associez.

Renseignements

Demandez

1. au
2. aux
3. à la
4. à l'

a. hôtesses (fp).
b. *voisin* (ms).
c. agent de police (ms).
d. employée (fs).
e. enfants (mp).
f. monsieur (ms).
g. contrôleurs (mp).
h. vendeuse (fs).
i. dame (fs).
j. concierge (ms).

1	2	3	4
b, ...	......	......	......

12 Complétez avec *au, à la, à l'* ou *aux*.

1. C'est juste *à la* sortie (ms), tu verras.
2. On se retrouve ...... guichets (mp), si tu veux.
3. Bon alors, je passe ...... théâtre (ms) pour réserver les places.
4. Rendez-vous ...... entrée (fs) de la salle, d'accord ?
5. Attends-moi ...... accueil (ms).
6. Allez ...... bureau (ms) des renseignements.
7. Vous êtes allé ...... Point (ms) Rencontre ?
8. Demandez ...... caisse (fs), les employés savent peut-être.

13 Choisissez la forme qui convient.

1. Le matin, je sors (*de l'* – de la) appartement (fs) sans faire de bruit.
2. Tu rentres (de l' – des) école (fs) à quelle heure ?
3. Quand tu descends (du – de l') autobus (ms), fais bien attention !
4. C'est à droite quand vous venez (de la – des) cabines (fp) téléphoniques.
5. Nous sommes partis (du – des) bureau (ms) un peu tard.
6. – Tu as l'air fatigué. – Oui, je sors (de la – du) piscine (fs).
7. Ils rentrent (de la – du) lycée (ms) à pied : il y a une grève des transports.

Les articles indéfinis

Phrase affirmative

Observez

Dans ma chambre, il y a **un** lit (ms), **une** armoire (fs) , **un** bureau (ms), **une** lampe (fs), **des** étagères (fp) avec **des** livres (mp), **des** rideaux (mp) bleus et **un** grand miroir (ms).

Quelles sont les trois formes de l'article indéfini ?
a. au masculin singulier : ......
b. au féminin singulier : ......
c. au pluriel : ......

Entraînez-vous

14 **Associez.**

Dans mon sac à main :

J'ai
1. un
2. une
3. des

a. mouchoirs (mp).
b. *téléphone* (ms).
c. clés (fp).
d. agenda (ms).
e. porte-monnaie (ms).
f. trousse (fs) de maquillage.
g. petit dictionnaire (ms).
h. bouteille d'eau (fs).
i. stylos (mp).
j. étui (ms) à lunettes.

1	2	3
b, ...	......	......

15 **Complétez avec *un* ou *une*.**

Dans mon village, il y a...
1. *une* mairie (fs).
2. ...... école (fs).
3. ...... château (ms).
4. ...... place (fs).
5. ...... cimetière (ms).
6. ...... église (fs).
7. ...... restaurant (ms).
8. ...... hôtel (ms).
9. ...... boulangerie (fs).
10. ...... route (fs) très calme.
11. ...... épicerie (fs).
12. ...... bureau (ms) de tabac.

16 **Complétez avec *un, une* ou *des*.**

À la terrasse du café :
1. *Des* fillettes (fp) mangent ...... glace (fs).
2. ...... serveur (ms) parle avec ...... cliente (fs).
3. ...... touristes (mp) prennent ...... photos (fp).
4. ...... musicien (ms) joue du violon.
5. ...... homme (ms) âgé commande ...... café (ms).
6. ...... jeune femme (fs) lit ...... livre (ms).

Phrase négative

Observez

- – C'est joli, ça. Qu'est-ce que c'est ? **C'est une** photo ?
  – Non, **ce n'est pas une** photo, **c'est un** dessin.
  – Et ça, **ce sont des** photos ?
  – Non, **ce ne sont pas des** photos, **ce sont des** peintures !!
  – Elles sont très belles.
- Chez nous, il y a **un** jardin mais il n'y a **pas de** balançoire. Nous avons **des** fleurs mais nous n'avons **pas d'**arbres, **pas de** fruits. L'été, nous mettons **une** table, **des** chaises mais nous ne mettons **pas de** piscine.

a. À la forme négative, l'article indéfini change quand il est utilisé avec le verbe *être*.
Vrai ☐ Faux ☐
b. À la forme négative, l'article indéfini change quand il est utilisé avec un autre verbe.
Vrai ☐ Faux ☐
c. Devant une voyelle, *de* devient ....
d. Complétez le tableau.

Forme affirmative	Forme négative
C'est une photo.	....
C'est un dessin.	....
....	Ce ne sont pas des peintures.
Il y a un jardin.	....
....	Nous n'avons pas de fleurs.
....	Il n'y a pas d'arbres.
Nous mettons des chaises.	....

Entraînez-vous

17 Répondez.

Sur le dessin
1. – Et ça ? C'est un torrent ? – Non, *ce n'est pas un torrent*, c'est un chemin.
2. – Ce sont des vaches ? – Mais non, ..., ce sont des moutons.
3. – Et les grands arbres, ce sont des sapins ? – Oui, ...
4. – Et en bas, c'est une voiture ? – Non, ..., c'est une cabine téléphonique.
5. – Ça, c'est une piste de ski ? – Oui, ..., bien sûr.
6. – Les petits points noirs, ce sont des oiseaux ? – Non, ..., ce sont des skieurs.

18 Complétez avec *un, une, des, de* ou *d'*.

1. Dans ma maison, il y a *des* fleurs (fp) mais pas ...... plantes (fp). Il y a ...... ordinateur (ms) mais pas ...... télévision (fs). Il y a ...... balcon (ms) mais il n'y a pas ...... terrasse (fs). J'ai ...... chienne (fs) et ...... chat (ms) mais pas ...... oiseaux (mp).

2. Dans mon école, il y a ...... petite bibliothèque (fs) mais pas ...... médiathèque (fs). Il y a ...... escaliers (mp) mais pas ...... ascenseur (ms). Il y a ...... gymnase (ms) mais pas ...... stade (ms).
3. Dans ma rue, il y a ...... boulangerie (fs) mais pas ...... boucherie (fs), il y a ...... épicerie (fs) mais pas ...... supermarché (ms), il y a ...... kiosque (ms) à journaux mais pas ...... librairie (fs), il y a ...... galeries (fp) de peinture mais pas ...... musée (ms).

19 **À vous !** **Décrivez votre environnement.**

Qu'est-ce qu'il y a dans votre école ? dans votre ville ? dans votre rue ? dans votre maison ou votre appartement ? Qu'est-ce qu'il n'y a pas ?

L'article défini ou indéfini

Observez

- – Tu as **une** robe longue pour **la** soirée ?
  – Oui, j'ai **la** robe de ma mère.
- – **Les** acteurs de cinéma sont riches en général.
  – Je ne suis pas d'accord. Je connais **des** acteurs qui ne sont pas riches.

a. Pour désigner des personnes ou des choses indéterminées, on utilise :
☐ **les articles définis** ☐ **les articles indéfinis**

b. Pour désigner des personnes ou des choses précises, on utilise :
☐ **les articles définis** ☐ **les articles indéfinis**

c. Pour désigner une généralité, on utilise :
☐ **les articles définis** ☐ **les articles indéfinis**

Entraînez-vous

20 **Répondez comme dans l'exemple.**

Exemple : – Tu as une valise ? – Oui, j'ai la valise de mon frère.

Départ en voyage

1. – Vous avez des chaussures de marche ? – Oui, j'ai ...... chaussures de mon père.
2. – Tu as un appareil photo ? – Oui, j'ai .... appareil photo de mon copain.
3. – Vous avez une tente de camping ? – Oui, j'ai ...... tente de mon cousin.
4. – Tu as une voiture ? – Oui, j'ai ...... voiture de mes parents.
5. – Tu as des skis ? – Oui, j'ai ...... skis de ma sœur.
6. – Vous avez un sac à dos ? – Oui, j'ai .... sac de mon père.

21 **Mettez les mots dans l'ordre.**

Exemple : marguerite / est / La / fleur / une → La marguerite est une fleur.

Définitions

1. oiseau / Le / un / est / perroquet
2. plantes fragiles / Les / rosiers / des / sont
3. un / saumon / poisson / est / Le
4. est / érable / arbre / un / L'
5. citron / est / Le / fruit / un
6. poireau / un / est / Le / légume
7. des / Le chien et le chat / animaux domestiques / sont
8. bambou / une / Le / est / herbe

22 **À vous !** **Regardez les objets qui vous entourent et proposez des définitions.**

Les articles partitifs

Phrase affirmative

Observez

• C'est gentil à toi de faire les courses : alors, s'il te plaît, tu achètes **du** riz (ms), **de l'**eau (fs), **de la** viande (fs) et **de l'**huile (fs), … et tu prends **de l'**argent (ms) dans mon sac.

a. Quelles sont les formes de l'article partitif ?

	Devant une consonne	Devant une voyelle ou un *h* muet
au masculin singulier	……	……
au féminin singulier	……	

b. Les articles partitifs désignent des quantités non comptables. Vrai ☐ Faux ☐

Entraînez-vous

23 Complétez et associez.

Où peut-on acheter…

1. *du* poivre (ms) ?
2. .... jambon (ms) ?
3. .... huile (fs) ?
4. .... parfum (ms) ?
5. .... fromage (ms) ?
6. .... crème fraîche (fs) ?
7. .... pâté (ms) ?
8. .... bière (fs) ?
9. .... vinaigre (ms) ?
10. .... rouge (ms) à lèvres ?
11. .... saucisse (fs) ?
12. .... sucre (ms) ?
13. .... eau de toilette (fs) ?
14. .... beurre (ms) ?

a. À la charcuterie.
b. À l'épicerie.
c. À la parfumerie.
d. À la crèmerie.

24 Choisissez la forme qui convient.

Le matin, je prends (*du* – de l') café (ms) ou (du – de l') thé (ms) et les enfants prennent (de la – du) lait (ms) chaud. À midi, à la cantine, je choisis souvent (de la – de l') salade (fs) ou (de la – de l') omelette (fs). Le soir, je prépare (de la – du) soupe (fs), surtout l'hiver. Nous mangeons souvent (du – de la) viande (fs) froide ou (du – de l') poisson (ms).

Phrase négative

Observez

- Je suis au régime, alors je ne mange **pas de** pain (ms), **pas de** viande (fs), et bien sûr, je ne bois **pas d'**alcool (ms).
- – Vous pouvez me passer le sel, s'il vous plaît ?
  – Mais **ce n'est pas du** sel ! **C'est du** sucre !

a. À la forme négative, l'article partitif change quand il est utilisé avec le verbe *être*. Vrai ☐ Faux ☐
b. À la forme négative, l'article partitif change quand il est utilisé avec un autre verbe. Vrai ☐ Faux ☐

c. Devant une voyelle, *de* devient ....
d. Complétez le tableau.

Forme affirmative	Forme négative
Je mange du pain.	......
Je mange de la viande.	......
Je bois de l'alcool.	......
......	Ce n'est pas du sel.

Entraînez-vous

25 **Complétez les réponses.**

1. – Je vous donne du gâteau (ms) ? – Non, merci, *pas de gâteau*, je n'ai plus faim.
2. – Tu prends du fromage (ms) ? – Non, je ne prends ....
3. – Vous ajoutez de l'eau (fs) dans le champagne ? – Non, non !! Je n'ajoute ...... dans le champagne, quelle idée !!!
4. – Elle met du sucre (ms) dans son thé ? – Non, elle ne met ......, je crois.
5. – Il boit du café (ms) ? – Non, il ne boit ....
6. – Je vous sers de l'omelette (fs) ? – Non, je ne mange ......, merci.
7. – Vous voulez de la bière (fs) ? – Non, merci, je ne bois ....
8. – Tu fais de la crème (fs) pour le dessert ? – Non, je ne fais .... Je n'ai pas le temps.

26 **Répondez comme dans l'exemple.**

Exemple : – C'est de l'eau gazeuse ? ***eau plate (fs)*** *– Non, ce n'est pas de l'eau gazeuse, c'est de l'eau plate.*

Qu'est-ce que c'est ?

1. – C'est du sucre ? **sel (ms)** – Non, ...
2. – C'est de la crème anglaise ? **crème Chantilly (fs)** – Non, ...
3. – C'est du parfum ? **eau de toilette (fs)** – Non, ...
4. – C'est de la mayonnaise ? **sauce tomate (fs)** – Non, ...
5. – C'est du poivre ? **cumin (ms)** – Non, ...
6. – C'est de l'huile ? **vinaigre (ms)** – Non, ...

27 Complétez les phrases avec *de la, du, pas de* ou *pas d'*.

Qui a préparé le pique-nique ?

1. Il y a *du* jambon (ms) mais il n'y a *pas de* beurre (ms).
2. Il y a .... vinaigrette (fs) mais il n'y a .... sauce tomate (fs).
3. Il y a .... vin (ms) mais il n'y a .... eau (fs).
4. Il y a .... poivre (ms) mais il n'y a .... sel (ms).
5. Il y a .... moutarde (fs) mais il n'y a .... mayonnaise (fs).
6. Il y a .... café (ms) mais il n'y a .... sucre (ms).
7. Il y a .... confiture (fs) mais il n'y a .... pain (ms).

Bilan

28 Complétez avec *un, une, des, au, à la, à l'* ou *aux*.

Dans une boulangerie-pâtisserie, on peut acheter :

1. *des* choux (mp) *à la* crème (fs).
2. ...... tarte (fs) ...... framboises (fp).
3. ...... éclair (ms) ...... café (ms).
4. ...... croissants (mp) ...... amandes (fp).
5. ...... pain (ms) ...... céréales (fp).
6. ...... biscuits (mp) ...... orange (fs).
7. ...... tartelettes (fp) ...... citron (ms).
8. ...... gâteau (ms) ...... chocolat (ms).
9. ...... chausson (ms) ...... pommes (fp).
10. ...... glace (fs) ...... vanille (fs).
11. ...... bonbons (mp) ...... menthe (fs).
12. ...... sorbet (ms) ...... ananas (ms).

29 Complétez avec *le, la, l', les, du* ou *des*.

1. Elle aime bien *la* danse (fs), surtout *la* danse (fs) moderne.
2. Il déteste ...... films (mp) en noir et blanc, il préfère ...... films (mp) en couleurs.
3. Tu ne comprends pas ...... allemand (ms), c'est pour ça que tu prends ...... cours (mp) ?
4. Vous n'aimez pas ...... musique (fs) classique, mais vous avez ...... disques (mp) de Mozart, c'est bizarre !
5. Nous adorons ...... jazz (ms), nous avons ...... CD (mp) ...... groupe (ms) Jazzfun.

30 Complétez avec *le, la, l', un, une* ou *des*.

À la recherche d'un appartement

– Bonjour monsieur. Je vous téléphone à propos de votre annonce. Vous pouvez me décrire *l'* appartement (ms) ?
– Oui, c'est ...... appartement (ms) dans ...... immeuble (ms) ancien, avec ...... petit balcon (ms). Il y a : ...... salle (fs) de séjour, ... chambre (fs), ... salle (fs) de bains, ... W.-C. (mp) séparés et ...... cuisine (fs).
– ...... cuisine (fs) est équipée ?
– Oui, il y a ...... cuisinière (fs) à gaz, ... lave-linge (ms) et ...... réfrigérateur (ms), bien sûr.
– Il est à quel étage ?
– Au cinquième, mais il y a ...... grand ascenseur (ms). Et il y a aussi ...... parking (ms).
– ...... parking (ms) est au sous-sol ?
– Oui.
– Je peux le visiter quand ?
– Attendez, je prends mon agenda.

31 Complétez avec *un, une, des, de la, pas de* ou *pas d'*.

– Je vais faire *un* dessert (ms), j'ai ...... recette (fs) facile.
– C'est quoi ?
– Je coupe ...... pomme (fs), ... poire (fs) et ...... fraises (fp).
– Et ...... orange (fs) ?
– Non, je ne mets ...... oranges (fp). Je mélange et j'ajoute ...... crème (fs) parfumée à la vanille, et je ne mets ...... sucre (ms).
– C'est sûrement très bon et c'est léger, il n'y a presque ...... calories (fp) !
– Et tu vois, c'est simple !

3 L'adjectif qualificatif

La formation du féminin

Observez

- Je cherche un homme **jeune**, **grand**, **brun** et **distingué**. Contacter le journal.
- Je cherche une femme **jeune**, **grande**, **brune** et **distinguée**. Contacter le journal.
- **Charmant** appartement (ms) de 50 m² à louer dans passage (ms) **privé** très **tranquille**. Tél : 01 60 05 39 23
- À vendre : **charmante** villa (fs) 90 m², proximité plage (fs) **privée**, très **tranquille**.

Remarque :
ms = masculin singulier - fs = féminin singulier - mp = masculin pluriel - fp = féminin pluriel

a. Complétez le tableau.

Masculin	Féminin
brun	......
charmant	......
distingué	......
grand	......
jeune	......
privé	......
tranquille	......

b. Les adjectifs masculins terminés par *e* changent au féminin. Vrai ☐ Faux ☐
c. Généralement, pour former le féminin, on ajoute *e* à l'adjectif masculin. Vrai ☐ Faux ☐

Entraînez-vous

1 **Ces adjectifs sont au masculin. Écrivez la forme du féminin.**

1. fragile → *fragile*
2. charmant → *charmante*
3. solide → ......
4. lourd → ......
5. confortable → ......
6. petit → ......
7. joli → ......
8. original → ......
9. agréable → ......
10. content → ......
11. calme → ......
12. connu → ......
13. moderne → ......
14. fort → ......
15. large → ......
16. propre → ......

2 Choisissez la forme qui convient.

Dans la cuisine

1. C'est un repas (*froid* – froide).
2. Attention, l'assiette (fs) est (chaud – chaude).
3. Cette viande est très (salé – salée).
4. C'est une sauce (sucré – sucrée) ?
5. Le gâteau est trop (cuit – cuite).
6. La cuisson est (parfait – parfaite).
7. Le jus d'orange est (glacé – glacée).
8. Voici une salade (vert – verte).
9. C'est un plat (épicé – épicée).
10. Cette recette est (excellent – excellente).

3 Choisissez la forme qui convient.

J'ai dessiné...

1. une maison (gris – *grise*),
2. le ciel (bleu – bleue),
3. la pelouse (vert – verte),
4. un oiseau (noir – noire),
5. un arbre très (haut – haute)
6. et un (grand – grande) soleil.

4 Choisissez la forme qui convient.

1. une journaliste (espagnol – *espagnole*)
2. un artiste (japonais – japonaise)
3. un photographe (allemand – allemande)
4. une rédactrice (chinois – chinoise)
5. un dessinateur (polonais – polonaise)
6. une correspondante (mexicain – mexicaine)
7. un reporter (argentin – argentine)
8. une actrice (américain – américaine)

5 Transformez au masculin singulier comme dans l'exemple.

Exemple : *une rue étroite* → *un chemin étroit*

1. une place animée → un parc ......
2. une grande avenue → un ...... boulevard
3. une entrée large → un trottoir ......
4. une place tranquille → un jardin ......
5. une petite impasse → un ...... passage
6. une rue agréable → un quartier ......

6 Transformez comme dans l'exemple.

Exemple : *un garçon blond* → *une fille blonde*

1. une femme brune → un homme ......
2. une voisine bruyante → un voisin ......
3. un enfant bavard → une dame ......
4. une jeune fille charmante → un monsieur ......
5. un professeur passionnant → une personne ......
6. un homme âgé → une femme ....

Observez

affaire (fs)
drapeau (ms)
prix (ms)
lampe (fs)
union (fs)
parapluie (ms)
vélo (ms)
télévision (fs)

a. Complétez le tableau.

Masculin	Féminin
exceptionn**el**	......
che**r**	......
europé**en**	......
merveill**eux**	......
neu**f**	......

b. Quand un adjectif masculin se termine en *-el*, l'adjectif féminin se termine en ....
c. Quand un adjectif masculin se termine en *-er*, l'adjectif féminin se termine en ....
d. Quand un adjectif masculin se termine en *-en*, l'adjectif féminin se termine en ....
e. Quand un adjectif masculin se termine en *-eux*, l'adjectif féminin se termine en ....
f. Quand un adjectif masculin se termine en *-f*, l'adjectif féminin se termine en ....

Entraînez-vous

7 **Complétez le tableau.**

	un homme	une femme
1.	sérieux	*sérieuse*
2.	......	agressive
3.	......	amoureuse
4.	actif	......
5.	généreux	......
6.	......	légère
7.	sportif	......
8.	fier	......
9.	......	intellectuelle
10.	iranien	......
11.	......	brésilienne

8 **Choisissez toutes les réponses qui conviennent.**

actuel – culturelle – mensuelle – professionnel – trimestriel – traditionnelle – annuel – sérieuse

1. un journal *actuel,* ......
2. une émission ......

9 **Transformez le texte au féminin.**

Mon ami est étranger. Il est égyptien. C'est un homme joyeux, actif, curieux, assez fier, très généreux.

Mon amie est *étrangère.* Elle est .... C'est une femme ......, ..., ..., assez ......, très ....

Observez

Regarde, sur la photo, mon amie porte une **belle** robe **blanche** et un **beau** manteau **blanc.** À côté, on voit son grand-père, un **vieux** monsieur très **gentil** et sa grand-mère, une **vieille** dame très **gentille** aussi.

Certains adjectifs sont très différents au masculin et au féminin. Complétez le tableau.

Masculin	Féminin
blanc	......
......	vieille
beau	......
gentil	......

Entraînez-vous

10 **Associez.**

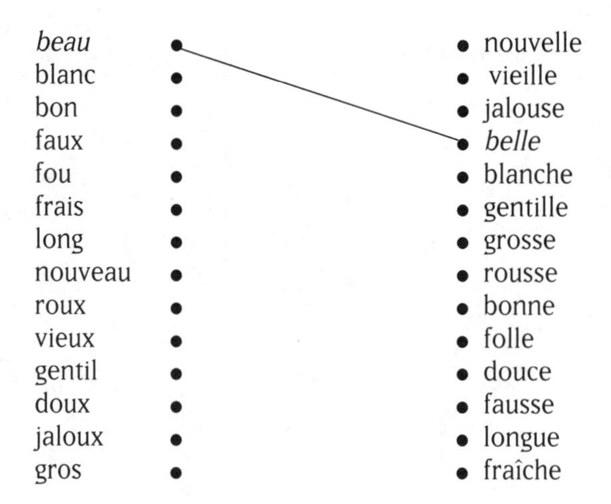

11 **Soulignez la forme qui convient.**

1. C'est une (vieux – *belle* – nouveau) table.
2. Je dois acheter un (bonne – belle – nouveau) stylo.
3. Ce tableau est (nouvelle – faux – belle).
4. C'est une idée (folle – faux – nouveau).
5. Vous avez un (nouvelle – vieille – beau) chapeau.
6. Cet homme est (douce – fou – vieille) !
7. La température est vraiment (fraîche – doux – bon).
8. C'est une jolie femme (doux – rousse – jaloux).
9. Son mari est vraiment (gentille – douce – jaloux).
10. Ce voyage a été très (belle – folle – long).

12 **Complétez le tableau.**

Masculin	Féminin	Masculin	Féminin
1. joli	*jolie*	9. ……	connue
2. content	……	10. ……	sportive
3. ……	importante	11. ……	fraîche
4. heureux	……	12. gros	……
5. facile	……	13. ……	comique
6. ……	folle	14. gentil	……
7. ……	fine	15. ……	bonne
8. difficile	……	16. cultivé	……

13 **À vous ! Comment êtes-vous ? Décrivez votre physique, votre caractère.**

Êtes-vous blond ? grand ? sportif ? roux ? patient ? généreux ? …
Exemple : Je suis grand(e), brun(e)…

La formation du pluriel

Observez

- Charles (ms) est **grand** et **élégant**. Ses frères (mp) sont également **grands** et **élégants**.
- Caroline (fs) est **sportive** et **intelligente**. Ses sœurs (fp) ne sont pas du tout **sportives** mais elles sont très **intelligentes**.
- Je suis **heureux** quand tous mes amis sont **heureux** !
- Joyeux anniversaire ! Voici un **gros** cadeau et de **gros** bisous !

a. Complétez le tableau.

Singulier	Pluriel
grand	......
élégant	......
sportive	......
intelligente	......
heureux	......
gros	......

b. Pour former le pluriel d'un adjectif, on ajoute *s*, sauf si l'adjectif se termine par ...... ou par ....

Entraînez-vous

14 Choisissez la forme qui convient.

En vacances

1. Le temps est (*agréable* – agréables).
2. Le soleil est (chaud – chauds).
3. Le pays est (magnifique – magnifiques).
4. Les gens sont (gentil – gentils).
5. Les enfants sont (bruyant – bruyants).
6. L'appartement est (confortable – confortables).
7. La nourriture est (bonnes – bonne).
8. Les vacances sont (courte – courtes).

15 À vous ! Vous êtes en vacances. Comment sont les gens, les activités, les visites... ?

Exemple : Les habitants sont accueillants...

16 **L'adjectif est-il masculin singulier, masculin pluriel ou les deux ? Cochez.**

	Masculin singulier	Masculin pluriel	Masculin singulier ou pluriel
1. *vieux*	☐	☐	☑
2. gros	☐	☐	☐
3. grand	☐	☐	☐
4. joyeux	☐	☐	☐
5. sportifs	☐	☐	☐
6. maigre	☐	☐	☐
7. forts	☐	☐	☐
8. malheureux	☐	☐	☐
9. triste	☐	☐	☐
10. petits	☐	☐	☐
11. jaloux	☐	☐	☐

17 **Mettez les adjectifs au pluriel.**

1. Le texte est difficile. → Les textes sont *difficiles*.
2. C'est un document ancien. → Ce sont des documents ....
3. Cette lettre est intéressante. → Ces lettres sont ....
4. C'est un exercice sérieux. → Ce sont des exercices ....
5. Voilà une carte originale. → Voilà des cartes ....
6. Ce billet est faux. → Ces billets sont ....
7. La photo est nette. → Les photos sont ....
8. C'est un dictionnaire épais. → Ce sont des dictionnaires ....
9. C'est un message personnel. → Ce sont des messages ....
10. Ce manuscrit est très précieux. → Ces manuscrits sont très ....

Observez

- J'adore son chapeau (ms), il est très **original.** Il a toujours des vêtements (mp) **originaux.**
- J'ai un **nouveau** numéro (ms) de téléphone et de **nouveaux** voisins (mp).

a. Les adjectifs terminés par *-al* au singulier se terminent par ...... au pluriel.
b. Les adjectifs terminés par *-eau* au singulier se terminent par ...... au pluriel.

Entraînez-vous

18 **Choisissez la forme qui convient.**

1. Pour Casablanca, vous avez le vol (*normal* – normaux) du mardi mais en ce moment, nous offrons des prix (spécial – spéciaux) le jeudi.
2. – Je cherche un journal (national – nationaux).
   – Ah, je regrette, nous avons seulement des magazines (régional – régionaux).
3. Nous vous proposons ce produit, il est (nouveau – nouveaux). Et ces modèles qui sont vraiment très (beau – beaux).
4. Ce réalisateur est vraiment (original – originaux), tous ses films sont des succès (international – internationaux).

La place des adjectifs qualificatifs

Observez

- – À qui est ce **gros** sac **noir** ? Il est à vous, mademoiselle ?
  – Non, j'ai une **vieille** valise **bleue.** Elle est à côté du **grand** monsieur à la veste **grise**.

- – Qu'est-ce que vous préférez ? Les **petites** voitures **modernes** ou les **grosses** voitures **anciennes** ?
  – Je préfère les **belles** voitures **anglaises** !

a. Cochez. Les adjectifs :
☐ sont toujours devant le nom.
☐ sont toujours derrière le nom.
☐ peuvent être devant ou derrière le nom.

b. Les adjectifs de couleur et de nationalité sont placés derrière le nom. Vrai ☐ Faux ☐

Entraînez-vous

19 **Complétez le tableau.**

1. Je cherche une *vieille* maison *confortable.*
2. J'aime les gros chiens affectueux.
3. J'ai perdu mon petit chat blanc.
4. Je n'aime pas les grands appartements froids.
5. J'ai vu une jolie voiture japonaise.
6. J'aimerais un nouveau caméscope numérique.
7. J'adore les bons restaurants traditionnels.
8. J'aime beaucoup la belle musique classique.
9. J'ai vu un mauvais film comique.
10. Je prépare mon projet avec un jeune étudiant singapourien.
11. J'ai réussi ma première année universitaire.

Les adjectifs placés devant le nom	Les adjectifs placés derrière le nom
vieille, ...	*confortable, ...*

20 **Mettez les mots dans l'ordre qui convient.**

Exemple : mauvais / policier / roman → un mauvais roman policier

1. basse / petite / table → une ......
2. américain / bon / musicien → un ......
3. bâtiment / grand / moderne → un ......
4. chanson / italienne / jolie → une ......
5. livre / passionnant / vieux → un ......
6. chaud / gros / manteau → un ......
7. bilingue / jeune / secrétaire → une ......
8. gris / nouveau / tapis → un ......

21 **À vous !** **Comment sont les objets, les gens, les animaux qui vous entourent ?**

Exemple : J'ai un joli poisson rouge...

22 **Mettez les adjectifs à la place correcte.**

1. belle – petit – gris – bleue
   une *belle* chemise ......
   un ...... chapeau ......

2. noir – vieille – joli – verte
   un ...... pantalon ......
   une ...... robe ......

3. bon – grosse - italien – norvégienne
   une ...... omelette ......
   un ...... gâteau ......

4. libanais – grecque – bonne – grand
   un ...... restaurant ......
   une ...... salade ......

Les adjectifs ordinaux

Observez

a. Pour former un adjectif ordinal, on ajoute ...... au nombre.

b. Pour le chiffre *1*, on dit ...... au masculin et ...... au féminin.

Entraînez-vous

23 **Associez.**

a. 1
b. 2
c. 3
d. 4
e. 5
f. 6
g. 7
h. 8
i. 9
j. 10
k. 11
l. 12
m. 13
n. 14
o. 15
p. 16

1. septième
2. douzième
3. premier, première
4. quatorzième
5. quinzième
6. deuxième
7. huitième
8. troisième
9. onzième
10. treizième
12. sixième
13. neuvième
14. quatrième
15. seizième
16. cinquième
17. dixième

24 **Écrivez en toutes lettres.**

1. Vous tournez après le *troisième* (3e) feu rouge.
2. Prenez la ...... (2e) rue à gauche.
3. J'habite au ...... (1er) étage.
4. L'appartement est dans le ...... (14e) arrondissement.
5. Frappez à la ...... (4e) porte.
6. C'est la ...... (1re) salle à droite.

Bilan

25 **Associez.**

Dans ma valise, il y a :
1. *une robe*
2. un chapeau
3. des gants (mp)
4. des chaussures (fp)

a. bleus
b. blanches
c. *noire*
d. vert

Dans mon sac, il y a :
5. un pantalon
6. une casquette
7. des chaussettes (fp)
8. des chemisiers (mp)

e. blancs
f. vertes
g. gris
h. bleue

26 Barrez l'intrus et corrigez.

1. La salle à manger : claire – ~~lumineux~~ – jolie → *lumineuse*
2. La cuisine : équipée – fonctionnelle – petit → ......
3. Le salon : confortable – élégant – blanche → ......
4. La chambre : bleue – beau – rangée → ......
5. La maison : haute – neuf – orientée au sud → ......
6. Le jardin : grande – magnifique – fleuri → ......

27 Choisissez la forme qui convient.

Au petit déjeuner, je prends un café (*serré* – serrée), avec des croissants (chauds – chaud). Ma femme préfère une orange (pressé – pressée), des tartines (beurrées – beurrée) et un yaourt bien (sucré – sucrée) ou parfois un verre de lait (froid – froide).

28 Complétez le tableau.

Masculin singulier	Féminin singulier	Masculin pluriel	Féminin pluriel
1. âgé	*âgée*	*âgés*	*âgées*
2.	normale	......	......
3.	heureuse	......	......
4.	......	......	belles
5. gros	......	......	......
6. timide	......	......	......
7.	......	originaux	......
8. gris	......	......	......
9. joli	......	......	......
10.	......	jeunes	......
11.	......	......	sportives
12.	nouvelle	......	......

29 Ces adjectifs sont au masculin singulier. Cochez les adjectifs qui ont la même forme au masculin pluriel. Et pour les autres, écrivez le pluriel.

1. *mauvais* ☑ ......
2. *égoïste* ☐ *égoïstes*
3. épais ☐ ......
4. doux ☐ ......
5. gras ☐ ......
6. original ☐ ......
7. courageux ☐ ......
8. nouveau ☐ ......
9. oral ☐ ......
10. confiant ☐ ......
11. sûr ☐ ......
12. haut ☐ ......
13. bon ☐ ......
14. généreux ☐ ......
15. fin ☐ ......
16. brutal ☐ ......
17. maigre ☐ ......
18. ordinaire ☐ ......
19. peureux ☐ ......
20. ancien ☐ ......
21. écrit ☐ ......
22. jaloux ☐ ......
23. dangereux ☐ ......
24. bas ☐ ......

30 Mettez les adjectifs au singulier.

1. des affaires régionales → une affaire *régionale*
2. des organismes nationaux → un organisme ......
3. des problèmes culturels → un problème ......
4. des histoires exceptionnelles → une histoire ......
5. des sites merveilleux → un site ....
6. des propositions sérieuses → une proposition ......
7. des journaux français → un journal ......
8. des journalistes françaises → une journaliste ......

31 Choisissez la forme qui convient.

Le garçon de café : Vous désirez ?
La cliente : Je vais prendre une salade (*composée* – composé).
Le client : Et moi, une salade (vert – verte) avec une tarte (salé – salée).
Le garçon de café : Comme boisson ?
La cliente : Une eau (minérale – minéral).
Le garçon de café : (Gazeuse – Gazeux) ?
La cliente : Non, (plate – plat).
Le client : Et une bière (blond – blonde) pour moi.
Le garçon de café : Et comme dessert?
Le client : Comme dessert, on va prendre une crème (brûlé / brûlée) et des fruits (mp) (frais – fraîches).
Le garçon de café : Des cafés ?
Le client : Oui, deux cafés (mp) (allongés – allongé) avec un peu d'eau (fs) (chaud – chaude), s'il vous plaît.

32 Mettez l'adjectif à la forme et à la place qui conviennent.

1. Un *grand* salon ...... (grand) avec une ...... table ...... (ovale).
2. Une ...... cheminée ...... (beau) de ...... style ...... (ancien).
3. Un ...... miroir ...... (joli) dans une ...... entrée ...... (spacieux).
4. Une ...... moquette ...... (épais) en ...... laine ...... (blanc).
5. Un ...... tapis ...... (petit) aux ...... dessins ...... (géométrique).
6. Un ...... canapé ...... (confortable) en ...... cuir ...... (bleu).
7. Des ...... livres ...... (rare) dans une ...... bibliothèque ...... (grand).
8. Une ...... pièce ...... (agréable) avec une ...... atmosphère ...... (chaleureux).

4 Les adjectifs démonstratifs et possessifs

Les adjectifs démonstratifs

Observez

– Regardez bien **ces** photos (fp), madame. Qui est **cette** femme (fs) ? Et **cet** homme (ms) ? Et **ces** enfants (mp) ?
– Je ne comprends rien à **cette** histoire (fs) ! Je ne connais pas **ce** monsieur (ms) ! Laissez-moi partir !

Remarque :
ms = masculin singulier – fs = féminin singulier –
mp = masculin pluriel – fp = féminin pluriel

Complétez le tableau des adjectifs démonstratifs.

	Devant une consonne	Devant une voyelle ou un *h* muet
au masculin singulier	......	......
au féminin singulier	......	
au masculin et au féminin pluriel	......	

Entraînez-vous

1 **Associez.**

Mets

1. ce
2. cette
3. ces

a. *couteau* (ms)
b. fourchette (fs)
c. cuillère (fs)
d. assiettes (fp)
e. verre (ms)
f. bouteille (fs)
g. tasses (fp)
h. boîte (fs)
i. serviettes (fp)
j. pot (ms)
k. ciseaux (mp)

sur la table, s'il te plaît.

1	2	3
a, ...		

2 **Choisissez la forme qui convient.**

1. (ces – *cette*) table (fs)
2. (ces – cette) étagères (fp)
3. (cette – cet) armoire (fs)
4. (ce – ces) fauteuils (mp)
5. (ces – cette) chaises (fp)
6. (cette – cet) horloge (fs)
7. (ce – cet) appareil (ms)
8. (ce – cette) tapis (ms)

3 **Transformez.**

1. le métro (ms) → *ce métro*
2. la voiture (fs) → ......
3. la moto (fs) → ......
4. le train (ms) → ......
5. l'avion (ms) → ......
6. le compartiment (ms) → ......
7. le taxi (ms) → ......
8. le wagon (ms) → ......
9. l'autobus (ms) → ......
10. la mobylette (fs) → ......

4 **Complétez avec *ce* ou *cette*.**

1. Vous préférez *ce* bonnet (ms) ou ...... casquette (fs) ?
2. J'hésite entre ...... chemisier (ms) et ...... tunique (fs).
3. Je vous propose ...... écharpe (fs) ou ...... foulard (ms).
4. Je voudrais essayer ...... jupe (fs) et ...... débardeur (ms), s'il vous plaît.
5. Vous avez ...... veste (fs) et ...... pantalon (ms) qui vont très bien ensemble.
6. Voilà, je vais prendre ...... pull (ms) et ...... chemise (fs).

5 **Complétez avec *ce* ou *cet*.**

1. *cet* appartement (ms)
2. ...... immeuble (ms)
3. ...... quartier (ms)
4. ...... hôtel (ms)
5. ...... monument (ms)
6. ...... espace (ms)
7. ...... endroit (ms)
8. ...... arrêt (ms) de bus
9. ...... passage (ms)
10. ...... arrondissement (ms)

6 **Complétez avec *ce*, *cet* ou *cette*.**

1. – *Cet* homme (ms) a l'air très sympathique, tu ne trouves pas ?
   – Quel homme ?
   – ...... monsieur (ms), là, avec la casquette grise.
2. – Je ne connais pas ...... employé (ms). Il est nouveau ?
   – Oui, il occupe ...... poste (ms) depuis 3 ou 4 jours.
3. – ...... enfant (ms) est très bruyant !
   – Ah oui, alors ! Ce n'est pas comme ...... petite fille (fs), elle est charmante.
4. – Pardon, monsieur, pour déposer ...... dossier (ms), à qui je dois m'adresser ?
   – Demandez à ...... personne (fs) là-bas, derrière le guichet.

7 **Complétez avec *ce, cet* ou *cette*.**

1. Tu commences à quelle heure *ce* matin (ms) ?
2. Tu es à la maison ...... après-midi (ms/fs) ?
3. Vous faites quelque chose ...... soir (ms) ?
4. Tu vas bien dormir ...... nuit (fs).
5. Tu vas où ...... semaine (fs) ?
6. Vous allez faire du ski ...... hiver (ms) ?
7. Tu pars en vacances ...... été (ms) ?
8. Vous avez des projets pour ...... week-end (ms) ?
9. Vous passez un examen ...... année (fs) ?

8 **Complétez avec *ce, cette* ou *ces*.**

Allons au spectacle !

1. *Ce* film (ms) n'est pas sous-titré.
2. ...... places (fp) sont numérotées.
3. C'est complet pour ...... séance (fs), monsieur.
4. ...... pièce (fs) se joue à Paris depuis plus de 40 ans !
5. Nous ne proposons pas ...... tarif (ms) le samedi.
6. Je vous conseille ...... concert (ms), il est magnifique.
7. ...... billets (mp) ne sont plus valables, je regrette mademoiselle.
8. Vous connaissez ...... actrice (fs) ?

9 **Complétez avec *ce, cet, cette* ou *ces*.**

Où est-ce ?

1. Le Quartier Latin ? *Ce* quartier (ms) est un des plus anciens de Paris.
2. L'église Saint-Luc ? Je ne connais pas ...... église (fs).
3. Le pont de Normandie ? ...... pont (ms) n'est pas ici !
4. Les jardins botaniques ? Je crois que ...... jardins (mp) n'existent plus.
5. L'hôpital Pasteur ? C'est ...... hôpital (ms) juste en face !
6. Les boulevards extérieurs ? ...... boulevards (mp) sont en travaux en ce moment !
7. La place de la République ? C'est ici, c'est ...... place (fs) !!
8. Un hôtel pas trop cher ? Il y a ...... hôtel (ms), là, à côté de la poste.

10 **Complétez avec *ce, cet, cette* ou *ces*.**

– Tu viens avec nous au cinéma *ce* soir (ms) ?
– J'ai beaucoup de travail ...... week-end (ms) ! Regarde, je dois lire ...... texte (ms), faire ...... exercice (ms) et répondre à toutes ...... questions (fp) ! Tu peux m'aider, s'il te plaît ?
– Fais voir. Oh, ce n'est pas très difficile. Regarde d'abord ...... tableau (ms) et observe tous ...... exemples (mp). Commence par ...... phrase (fs), là, en haut. C'est le modèle.
– Ah oui, d'accord. Merci.

Les adjectifs possessifs

Observez

Possesseur

- Virginie va à une compétition de natation : elle doit prendre **son** maillot (ms) de bains et **sa** serviette (fs). **Son** équipe (fs) est championne régionale.
- Paul va à **son** entraînement (ms) de tennis : il prend **son** short (ms), **sa** raquette (fs) et **ses** balles (fp).
- J'ai une sœur et deux frères. **Ma** sœur (fs) fait de la gymnastique. **Mes** frères (mp) font du football : **leur** entraîneur (ms) s'appelle… Zinédine !!
- Et vous, vous faites de la randonnée. Vous avez **vos** chaussures (fp) de marche et **votre** sac (ms) à dos ?

Remarque :
ms = masculin singulier – fs = féminin singulier – mp = masculin pluriel – fp = féminin pluriel

Complétez le tableau des adjectifs possessifs.

Possesseur	Nom masculin singulier ou nom féminin singulier qui commence par une voyelle	Nom féminin singulier qui commence par une consonne	Nom masculin ou féminin pluriel
Je	mon	m…	m…
Tu	ton	ta	tes
Il/elle	s…	s…	s…
Nous	notre	notre	nos
Vous	v…	votre	v…
Ils/elles	l…	leur	leurs

Entraînez-vous

11 **Associez.**

1. Mon
2. Ma
3. Mes

a. *ticket* (ms)
b. affaires (fp)
c. carte (fs)
d. livres (mp)
e. sac (ms)
f. billet (ms)
g. dossier (ms)
h. clé (fs)

1	*a*, ……
2	
3	

12 **Barrez l'intrus et écrivez la forme correcte.**

1. ma : ville (fs) – rue (fs) – ~~adresse~~ (fs) → *mon adresse*
2. ta : société (fs) – entreprise (fs) – compagnie (fs) → ……
3. sa : agence (fs) – boutique (fs) – maison (fs) → …… .
4. mon : association (fs) – organisation (fs) – responsabilité (fs) → ……
5. ton : idée (fs) – action (fs) – proposition (fs) → ……
6. son : origine (fs) – nationalité (fs) – identité (fs) → ……
7. sa : sœur (fs) – amie (fs) – cousine (fs) → ……

13 Choisissez la forme qui convient.

1. J'ai perdu (*ma* – mon) veste (fs) bleue et (ma – mon) écharpe (fs) en laine.
2. Je voudrais connaître (ton – ta) impression (fs), (ta – ton) opinion (fs) sur ce film.
3. Je vous présente (ma – mon) sœur (fs) Annie et (ma – mon) amie (fs) Lucie.
4. Donne-moi (ton – ta) assiette (fs) : elle est vide.
5. J'ai besoin de (ta – ton) aide (fs) pour la fête de (mon – ma) école (fs).
6. Avec (son – sa) intelligence (fs) et (son – sa) volonté (fs), il va réussir !
7. Je dois passer chez Catherine mais je n'ai pas (sa – son) adresse (fs). Tu peux me la donner ?

14 Complétez avec *mon, ton, son, ma, ta, sa, mes, tes* ou *ses.*

1. Qui m'a pris *mon* verre (ms) ? Et où sont ...... fourchette (fs) et ...... couteau (ms) ? Je n'ai plus rien !
2. – Je ne retrouve plus ...... lunettes (fp).
   – Elles sont sur ...... genoux (mp), mamie !
3. Passe-moi ...... assiette (fs) et mets ...... serviette (fs), Stéphanie, s'il te plaît !
4. – Où est Pascal ?
   – Je ne sais pas, mais ...... manteau (ms), ... casquette (fs) et ...... clés (fp) sont là.

15 Associez.

À qui est...

1. le bonnet (ms) ? – À moi.
2. la casquette (fs) ? – À M. Ladry.
3. la chemise (fs) ? – À toi.
4. la tunique (fs) ? – À Mme Blanc.
5. le petit haut (ms) ? – À toi.
6. le foulard (ms) ? – À Sophie.
7. le pantalon (ms) ? – À moi.
8. la veste (fs) ? – À Pierrot.
9. le pull (ms) ? – À Julie.
10. la robe (fs) ? – À Mlle Géry.
11. la robe (fs) ? – À moi.
12. la casquette (fs) ? – À Mme Petiot.
13. le petit haut (ms) ? – À moi.
14. la chemise (fs) ? – À M. Ladry.
15. la veste (fs) ? – À Sophie.
16. le pantalon (ms) ? – À Pierrot.
17. le pull (ms) ? – À M. Ladry.
18. la robe (fs) ? – À toi.

C'est...

a. ta chemise.
b. *mon bonnet.*
c. son foulard.
d. ta robe.
e. son pantalon.
f. sa tunique.
g. sa casquette.
h. sa chemise.
i. ton petit haut.
j. mon petit haut.
k. mon pantalon.
l. sa veste.
m. sa robe.
n. ma robe.
o. son pull.

1	2	3	4	5	6	7	8	9	10	11	12	13	14	15	16	17	18
b																	

16 **Choisissez la forme qui convient.**

Contrôle de police

1. (*Vos* – Votre) papiers (mp), s'il vous plaît.
2. Je peux voir (vos – votre) passeport (ms) ?
3. Vous avez (votre – vos) permis (ms) de conduire, madame ?
4. (Vos – Votre) carte (fs) d'identité n'est plus valable, je regrette.
5. Vous pouvez me donner (vos – votre) coordonnées (fp), c'est-à-dire (votre – vos) adresse (fs) et (vos – votre) numéro (ms) de téléphone ?
6. Posez (vos – votre) affaires (fp) sur la table, s'il vous plaît.

17 **Complétez avec *mon, ma, mes, notre* ou *nos*.**

– Moi, j'ai *ma* chambre (fs) pour moi tout seul : avec ...... lit (ms), ... armoire (fs) pour ...... vêtements (mp), ... bureau (ms) et ...... chaise (fs). J'ai toutes ...... affaires (fp) : ...... ordinateur (ms), ... imprimante (fs), ... téléphone (ms) et ...... télévision (fs).

– Chez moi, c'est différent. Mon frère et moi partageons une chambre. Il y a ...... armoire (fs) avec ...... vêtements (mp). ...... bureau (ms) est assez grand pour deux et ...... livres (mp) sont sur la même étagère. Nous mettons ...... affaires (fp) personnelles sous ...... lits (mp).

18 **Transformez comme dans l'exemple.**

Exemple : le manteau (ms) de Mme Lenoir → son manteau

1. la robe (fs) de Mme Lenoir → ......
2. les bijoux (mp) de Mme Lenoir → ......
3. le pantalon (ms) de M. Lenoir → ......
4. la chemise (fs) de M. Lenoir → ......
5. les chaussures (fp) de M. Lenoir → ......
6. la chambre (fs) des enfants Lenoir → ......
7. les jouets (mp) des enfants Lenoir → ......

19 **Complétez avec *ses, leur* ou *leurs*.**

1. les enfants de Mme Lorca → *ses* enfants (mp)
2. la sœur de Martin et Constantin → ...... sœur (fs)
3. les parents de Karim et Djibril → ...... parents (mp)
4. la cousine de Claude et Karine → ...... cousine (fs)
5. les grands-parents de Viktor et Eva → ...... grands-parents (mp)
6. les petits-enfants de M. Louis → ...... petits-enfants (mp)
7. le grand-père de Romain et Quentin → ...... grand-père (ms)
8. les cousins de Sergio → ...... cousins (mp)
9. la mère de Sofia et Goran → ...... mère (fs)
10. les frères de Maud et Jeanne → ...... frères (mp)

20 **À vous ! Quand vous partez en vacances, qu'est-ce que vous emportez ?**

Exemple : Moi, quand je pars en vacances, je prends mon sac, mes...

21 **Complétez comme dans l'exemple.**

Exemple : Ce sac (ms), c'est mon sac !
C'est à moi !
1. ...... valise (fs), c'est ...... valise !
2. ...... lunettes (fp), ce sont ...... lunettes !
3. ...... journal (ms), c'est ...... journal !
4. ...... gants (mp), ce sont ...... gants !
5. ...... album-photos (ms), c'est ...... album-photos !
6. ...... clés (fp), ce sont ...... clés !

22 **Choisissez la forme qui convient.**

1. Avec (*cet* – ce) appareil photo (ms) numérique, vous pouvez envoyer (vos – votre) photos (fp) par internet.
2. J'ai acheté (ce – cet) baladeur (ms) pour (ma – mes) fille (fs).
3. Nous avons offert (ce – cet) téléphone (ms) portable à (mon – notre) fils (ms).
4. (Mon – Ma) mari (ms) rêve de (cet – cette) caméra vidéo (fs).
5. (Mes – Mon) parents (mp) ont donné (cet – ce) ordinateur (ms) à (nos – notre) enfants (mp).
6. (Ces – Ce) gens (mp) sont généreux avec (leurs – leur) enfants (mp).

23 **Complétez avec la forme qui convient.**

Un mauvais jour
1. cet – *vos* – ces – ce – cette
   – Les enfants, je suis fatiguée de ranger *vos* affaires (fp) ! Regardez ...... désordre (ms) ! Coralie, à qui sont ...... gants (mp) ? Ils sont à toi ? Et ...... écharpe (fs) ? Elle est sur le canapé depuis ...... après-midi (ms) !
2. mon – tes – ton – mes – ce
   – Ma chérie, je suis complètement perdu ...... matin (ms) ! Je ne retrouve pas ...... clés (fp) ni ...... parapluie (ms). Tu ne sais pas où ils sont ?
   – Pour ...... parapluie (ms), je ne sais pas, mais je crois que ...... clés (fp) sont sur le meuble de l'entrée.

24 **Complétez avec un adjectif démonstratif ou un adjectif possessif.**

Ma chère Marianne (fs),

Je suis en vacances chez ...... amis (mp) Christian et Tomomi, dans ...... maison (fs) de campagne, près de Toulouse. ...... semaine (fs), il fait un temps vraiment superbe. C'est bien ! Je me repose, j'oublie complètement ...... travail (ms). Samedi dernier, j'ai vu Nadia et Bruno : tu sais que ...... fils (fs) aîné est admis à Polytechnique ? Ils sont très contents. ...... après-midi (ms/fs), je vais me promener à Toulouse : je ne connais pas du tout .... ville (fs), et toi ?

Au fait, j'ai oublié ...... carnet (ms) d'adresses à Paris. Peux-tu m'envoyer l'adresse de Sophie ?

Je t'embrasse.

Sonia

5 Les pronoms personnels

Les pronoms sujets et les pronoms toniques

Observez

- Le matin, toute la famille part tôt de la maison. Mes parents partent les premiers. **Eux, ils** ont une longue route en voiture. **Moi, je** prends le métro jusqu'à l'université. Mes deux sœurs vont au lycée. **Elles, elles** ont un bus direct. Et mon petit frère, **lui**, part le dernier : **il** a de la chance, son collège est en face de la maison.

- – Voilà une glace au chocolat pour **vous**, monsieur. Je prends la commande de la dame aussi ?
  – Oui, **elle** arrive, … pour **elle**, une glace, comme pour **moi**. Pour les enfants, je ne sais pas, on va voir avec **eux** après.

- Ce soir, mes copains et **moi**, **on** va au cinéma.

a. Complétez le tableau.

Pronom tonique	Pronom sujet
……	je
toi	tu
……	il
elle	……
nous	nous
……	vous
eux	……
……	elles

b. Le pronom tonique peut renforcer le sujet. **Vrai** ☐ **Faux** ☐
c. Le pronom tonique peut s'employer après une préposition. **Vrai** ☐ **Faux** ☐
d. Dans la langue familière, *on* est utilisé à la place de *nous*. Avec *on*, le verbe est conjugué à la 3e personne du singulier. **Vrai** ☐ **Faux** ☐

Entraînez-vous

1 **Complétez avec le pronom sujet.**

1. Moi, *je* ne voyage pas beaucoup.
2. Toi, …… vis à la campagne.
3. Lui, …… habite au bord de la mer.
4. Elle, …… part souvent en Chine.
5. Nous, …… allons parfois à la montagne.
6. Vous, …… ne venez jamais en ville.
7. Eux, …… ne restent pas en France pour les vacances.
8. Elles, …… passent l'été avec des amis.

2 **Complétez avec le pronom tonique.**

1. *Moi*, je fais du vélo.
2. ……, tu es violoniste.
3. ……, il joue de la guitare.
4. ……, elle nage beaucoup.
5. ……, nous skions tous les hivers.
6. ……, vous montez à cheval.
7. ……, ils ont un petit orchestre.
8. ……, elles courent le dimanche.

3 Transformez les phrases comme dans l'exemple.

Exemple : Nous étudions ensemble. → On étudie ensemble.

1. Nous avons beaucoup de cours.
2. Nous allons à la bibliothèque.
3. Nous prenons des livres.
4. Nous faisons des recherches.
5. Nous présentons des exposés.
6. Nous sommes très sérieux.

4 Associez.

C'est un cadeau pour
1. mes voisines.
2. mon ami.
3. ma femme.
4. mes enfants.
5. ma mère.
6. mes collègues.
7. mon père.
8. mes sœurs.

C'est un cadeau pour
a. lui.
b. elle.
c. eux.
d. *elles.*

1	2	3	4	5	6	7	8
d							

5 Complétez avec un pronom tonique.

1. – Tu viens avec nous ?
   – D'accord, je viens avec *vous.*
2. – On se retrouve chez moi samedi ?
   – Non, je ne peux pas venir chez ......, je travaille.
3. – Voici mes amis Lola et Cédric. Je parle souvent d'...... .
   – Enchanté !
4. – Je peux m'asseoir à côté de ......, madame ?
   – Oui, la place est libre.
5. – C'est à ......, monsieur, ce paquet ?
   – Non, ce n'est pas à ...... !
6. – Nous sommes invitées chez mes cousines dimanche.
   – Ah, je suis contente d'aller chez ....

6 Complétez avec un pronom sujet ou un pronom tonique.

1. *Vous,* vous parlez bien portugais, ..., je le parle mal.
2. ......, je ne fais pas de tennis, mais mon frère, ..., c'est un champion.
3. Nous, ... ne jouons pas aux jeux vidéo, mais les enfants, ... sont très forts.
4. Pierre et Jean ? Eux, ... partent en vacances, ..., nous restons ici.
5. Ma mère ? Elle, ... est née à New York, mais moi, ... suis né à Marseille.
6. ......, tu termines à 19 heures, mais les caissières, ... travaillent jusqu'à 20 heures.

7 À vous ! Quels sont les goûts, les habitudes, de vos amis ou des membres de votre famille ?

Exemple : Moi, j'aime les films de science-fiction. Mon père, lui, préfère les westerns.

Les pronoms compléments d´objet direct

Observez

- – Tu apprends ton poème ? – Oui, je **l'**apprends.
  – Tu apprends ta leçon ? – Oui, je **l'**apprends.
  – Tu apprends tes leçons ? – Oui, je **les** apprends.
  – Tu sais ton poème ? – Oui, je **le** sais.
  – Tu sais ta leçon ? – Oui, je **la** sais.
  – Tu sais tes leçons ? – Oui, je **les** sais.
- – Tu connais ce monsieur ? – Oui, je **le** connais.
  – Tu connais cette dame ? – Oui, je **la** connais.
  – Tu connais bien tes voisins ? – Oui, je **les** connais bien.

a. *Le* remplace quels noms ? ....
Le pronom *la* remplace quels noms ? ....
Le pronom *les* remplace quels noms ? ....
Le pronom *l'* remplace quels noms ? ....

– Bonjour, Juliette !
– Mais, je ne **vous** connais pas, monsieur !
– Mais si, vous **me** connaissez ! Je suis l'oncle de Séverine. Vous **m'**avez vu samedi dernier, chez ses parents.
– Ah oui, je me souviens maintenant.

b. Les pronoms compléments *me, te, nous, vous* remplacent seulement des personnes.
Vrai ☐ **Faux** ☐
c. Les pronoms compléments *le, la, les* remplacent des personnes ou des choses.
Vrai ☐ **Faux** ☐
d. Le pronom complément d'objet direct se place devant le verbe. **Vrai** ☐ **Faux** ☐
e. Complétez le tableau.

Pronoms personnels sujets	Pronoms personnels compléments d'objet direct	
	Devant une consonne	Devant une voyelle ou un *h* muet
Je	......	......
Tu	te	t'
Il	......	......
Elle	......	......
Nous	nous	
Vous	......	
Ils	......	
Elles	......	

f. Mettez dans l'ordre : pas / vous / ne / connais / Je → ......

Entraînez-vous

8 Complétez avec *me* ou *m'*.

1. Il *m'*aime.
2. Il ...... invite souvent.
3. Il ne ...... oublie pas.
4. Il ...... raccompagne chez moi.
5. Il ne ...... appelle pas tous les soirs.
6. Il ...... connaît bien.
7. Il ...... emmène en week-end.
8. Il ...... adore !

9 Complétez avec *te* ou *t'*.

1. Je *t'*observe souvent.
2. Je ...... regarde par la fenêtre.
3. Je ne ...... entends pas.
4. Je ...... écoute.
5. Je ...... vois.
6. Je ...... attends.
7. Je ne ...... comprends pas.
8. Je ne ...... oublie pas.

10 Complétez avec *nous* ou *vous*.

1. Madame Brun, je *vous* appelle quand c'est prêt.
2. S'il vous plaît, vous pouvez ...... aider ?
3. Je voudrais ...... inviter dimanche.
4. Vous ...... attendez ? Nous arrivons !
5. Vous ne ...... croyez pas ?
6. Je ...... pardonne, ce n'est pas grave !
7. Je ...... remercie, c'est gentil.
8. Je ...... conduis en voiture, si vous voulez.

11 Soulignez la réponse correcte.

1. Tu **la** regardes souvent ? (l'ordinateur – *la télévision*)
2. Tu **le** prends ? (l'ascenseur – les escaliers)
3. Tu ne **l'**oublies pas ? (les sacs – la valise)
4. Tu **la** mets où ? (le vélo – la bicyclette)
5. Tu **les** achètes ? (les magazines – le journal)
6. Tu **la** poses où ? (les lunettes – la clé)
7. Tu ne **les** ranges pas ici ? (le livre – les journaux)

12 Associez.

1. *Je la lis ou je l'écris.*
2. Je le traduis et je le comprends.
3. Je le reçois ou je l'envoie.
4. Je l'allume et je l'écoute.
5. Je les achète, je les commente.
6. Je l'entends et je l'enregistre.
7. Je l'éteins et je ne la regarde plus.

a. Les journaux
b. Le message
c. *La lettre*
d. La télévision
e. Le texte
f. La radio
g. La chanson

13 Mettez dans l'ordre.

Le matin

1. – Il prépare le petit-déjeuner ? (il / tous les matins / prépare / le)
   – Oui, *il le prépare tous les matins.*
2. – Elle écoute les informations ? (les / souvent / écoute / elle)
   – Oui, ...

3. – Tu achètes le journal ? (je / pas / régulièrement / l' / ne / achète)
   – Oui, mais ....
4. – Ils allument la radio ? (à 7 heures / l' / ils / allument)
   – Oui, ...
5. – Elles regardent la télévision ? (la / tous les soirs / elles / pas / regardent /ne)
   – Oui, mais ....
6. – Vous accompagnez les enfants ? (les / nous / tous les matins / accompagnons)
   – Oui, ...
7. – Il fait le ménage? (ne / il / fait / chaque jour / le / pas)
   – Oui, mais ....

14 **Complétez avec *le, la, l', les*.**

1. L'ordinateur, tu *le* branches là.
2. L'imprimante, tu ...... allumes ici.
3. Le papier, tu ne ...... mets pas comme ça !
4. Le mail, tu ...... envoies en cliquant.
5. Tes messages, tu ...... reçois là.
6. La souris, tu ...... bouges doucement.
7. Les caractères, tu ne ...... écris pas trop gros !

15 **Répondez avec *le, la, l', les*.**

1. – Tu connais mes parents ? – Oui, je *les connais.*
2. – Il accompagne ses voisins ? – Oui, il ....
3. – Tu appelles le directeur ? – Oui, je ....
4. – Il emmène ses enfants ? – Non, il ....
5. – Tu rencontres souvent ta voisine ? – Non, je ....
6. – Vous invitez vos collègues ? – Oui, nous ....
7. – Elle voit souvent son ami ? – Non, elle ....

16 **À vous ! À partir du dessin, faites des phrases comme dans l'exemple.**

Exemple : Ton blouson, tu le ramasses.

Les pronoms compléments d'objet indirect

Observez

- – Tu téléphones **à** ton frère ? – Oui, je **lui** téléphone assez souvent.
  – Tu écris **à** ta sœur ? – Non, je ne **lui** écris pas, je **lui** téléphone.
  – Tu téléphones **à** tes parents ? – Oui, je **leur** téléphone régulièrement.
  – Tu envoies des mails **à** tes cousines ? – Oui, je **leur** envoie des mails, c'est moins cher.

a. Le pronom *lui* remplace quels noms ? …… ……
Le pronom *leur* remplace quels noms ? …… ……

b. On utilise le pronom complément indirect quand le verbe est construit avec *à* + une personne.
Vrai ☐ Faux ☐

c. Mettez dans l'ordre : pas / lui / écris / ne / Je → ……

– Vous **m'**envoyez les billets, s'il vous plaît ?
– Non, d'abord vous **nous** envoyez votre chèque, et ensuite, nous **vous** envoyons les billets.
– D'accord, et vous **me** téléphonez s'il y a un problème ?

d. Les pronoms compléments *me, te, lui, nous, vous* et *leur* remplacent seulement des personnes.
Vrai ☐ Faux ☐

e. Le pronom complément d'objet indirect se place devant le verbe. **Vrai ☐ Faux ☐**

f. Complétez le tableau.

Pronoms personnels sujets	Pronoms personnels compléments d'objet indirect	
	Devant une consonne	Devant une voyelle ou un *h* muet
Je	……	……
Tu	te	t'
Il	……	
Elle	……	
Nous	……	
Vous	……	
Ils	……	
Elles	……	

Entraînez-vous

17 Complétez avec *me* ou *m'*.

1. Il *m'*écrit.
2. Il ...... téléphone.
3. Il ...... parle de son travail.
4. Il ...... raconte ses expériences.
5. Il ...... apprend plein de choses.
6. Il ...... demande mon avis.

18 Complétez avec *te* ou *t'*.

1. Ils *te* posent des questions.
2. Ils ...... donnent aussi des nouvelles.
3. Ils ...... expliquent les problèmes.
4. Ils ...... répondent.
5. Ils ...... montrent les possibilités.
6. Ils ...... apportent des exemples.

19 Complétez avec *nous* ou *vous*.

1. Ils *nous* demandent un chèque.
2. Tu ...... laisses un message ?
3. Je ne ...... explique pas, c'est facile.
4. Vous ...... envoyez la confirmation ?
5. Vous ...... indiquez la référence ?
6. Je ne ...... envoie pas de fax ?
7. Vous ...... dites le code, s'il vous plaît.
8. Vous ...... téléphonez lundi ?

20 Associez.

1. *On leur laisse un pourboire.*
2. On lui demande le chemin.
3. On lui présente le billet.
4. On lui achète de l'essence.
5. On leur montre le passeport.
6. On lui demande un verre d'eau.
7. On leur propose une sortie.
8. On lui paie nos achats.

a. au policier
b. à la caissière
c. aux amis
d. à l'hôtesse de l'air
e. au contrôleur
f. aux douaniers
g. *aux garçons de café*
h. au pompiste

21 Mettez les mots dans l'ordre.

1. écrit / Il / m' / tous les mois
   → *Il m'écrit tous les mois.*
2. Elle / leur / pas / ne / téléphone
3. ne / parlez / lui / Vous / pas
4. nous / demandes / Tu / notre adresse
5. Je / pas / ne / te / réponds / tout de suite
6. t' / expliquent / clairement / Ils
7. vous / posons / une question / Nous

22 Répondez avez *lui* ou *leur*.

1. – Il montre ses photos à ses amis ? – Oui, bien sûr, il *leur montre ses photos.*
2. – Vous vendez la voiture à Monique ? – Non, nous ....
3. – Elles envoient un message au professeur ? – Oui, elles ....
4. – Vous offrez un cadeau à votre directeur ? – Oui, nous ....
5. – On laisse l'appartement aux enfants ? – Non, pas question, on ....
6. – Elle donne son adresse aux étudiants ? – Oui, évidemment, elle ....
7. – Tu prêtes l'ordinateur à ton frère ? – Non, certainement pas, je ....

Le pronom *y*

Observez

- – Tu vas au bureau ?
  – Oui, j'**y** vais, mais seulement ce matin.
- – Pardon monsieur, je cherche l'ambassade d'Argentine, vous savez où c'est ?
  – Oui, c'est ici, vous **y** êtes, c'est ce bâtiment, là.
- – Tu connais le musée Guimet ?
  – Oui, c'est un beau musée ; malheureusement je n'**y** vais pas souvent.

a. Le pronom *y* remplace un lieu où on va ou un lieu où on est. Vrai ☐ Faux ☐
b. Le pronom *y* se place devant le verbe. Vrai ☐ Faux ☐
c. Mettez dans l'ordre : y / Je / pas souvent / vais / n' → ......

Entraînez-vous

23 Transformez avec le verbe *aller*.

1. J'adore les musées. → *J'y vais souvent.*
2. Il adore le cinéma.
3. Tu aimes beaucoup le théâtre.
4. Vous adorez l'opéra.
5. Ils aiment beaucoup les concerts de jazz.
6. Nous adorons les ballets.

24 Transformez avec le verbe *aller*.

1. Elle n'aime pas beaucoup la piscine. → *Elle n'y va pas souvent.*
2. Je n'aime pas beaucoup la montagne.
3. Nous n'aimons pas beaucoup la campagne.
4. Vous n'aimez pas beaucoup la plage.
5. Ils n'aiment pas beaucoup les grandes villes.
6. Tu n'aimes pas beaucoup les grands magasins.

25 Mettez les mots dans l'ordre.

1. – Il connaît les Alpes ? (y / ses parents / vivent / depuis longtemps)
   – Oui, *ses parents y vivent depuis longtemps.*
2. – Vous connaissez la Bretagne ? (nous / souvent / allons / y)
   – Oui, ...
3. – Tu connais la Corse ? (y / passe / j' / mes vacances)
   – Oui, ...
4. – Vous connaissez Paris ? (on / habite / y / depuis un an)
   – Oui, ...

5. – Elle connaît le quartier ? (souvent / y / vient / elle)
– Oui, ...

6. – Ils connaissent le Pays basque ? (ils / tous les étés / vont / y)
– Oui, ...

26 **Complétez les réponses.**

1. – Ils vont à la discothèque ? – Oui, *ils y vont* avec des amis.
2. – Tu vas à la banque ? – Oui, ... ce matin.
3. – Elle va à la gare ? – Oui, ... en bus.
4. – Vous allez à l'aéroport ? – Oui, ... en taxi.
5. – Elles vont au lycée ? – Oui, ... ensemble.
6. – Tu vas au collège ? – Oui, ... à vélo.

Le pronom *en*

Observez

- – Vous avez du café ? / de l'eau ? / de la bière ? / des sandwichs ?
  – Oui, bien sûr, nous **en** avons toujours.

- – Tu as une voiture ?
  – Oui, j'**en** ai **une**.
  – Et tu as un vélo ?
  – J'**en** ai **deux**.
  – Tu as des rollers ?
  – Non, je n'**en** ai pas.

- – Vous avez un frère ?
  – Oui, j'**en** ai **un**.
  – Des sœurs ?
  – Oui, j'**en** ai **quatre !**
  – Vous avez beaucoup d'amis ?
  – J'**en** ai **beaucoup** !

a. Le pronom *en* remplace :

– des choses ou des personnes.	**Vrai** ☐	**Faux** ☐
– un nom féminin, masculin, singulier ou pluriel.	**Vrai** ☐	**Faux** ☐
– un nom précédé d'un article partitif.	**Vrai** ☐	**Faux** ☐
– un nom précédé d'un article indéfini.	**Vrai** ☐	**Faux** ☐
– un nom précédé d'une expression de quantité.	**Vrai** ☐	**Faux** ☐
b. Le pronom *en* se place devant le verbe.	**Vrai** ☐	**Faux** ☐

c. Mettez dans l'ordre : pas / en / ai / Je / n' → ......

Entraînez-vous

27 Associez.

1. *On en choisit un pour la plage.*
2. On en met pour le jogging.
3. On en emporte une en voyage.
4. On en prend un s'il pleut.
5. On en met un quand il fait froid.
6. On en porte souvent en été.

a. des lunettes de soleil
b. un manteau
c. *un maillot de bain*
d. une valise
e. un parapluie
f. des chaussures de sport

28 Répondez.

1. – Vous avez une carte ? – Oui, *j'en ai une.*
2. – Il a une enveloppe ? – Oui, ...
3. – Tu as des timbres ? – Oui, ...
4. – Ils ont du papier ? – Oui, ...
5. – Elles ont un stylo ? – Oui, ...
6. – Tu as des ciseaux ? – Oui, ...

29 Répondez.

1. – Vous avez un passeport ? – Non, *je n'en ai pas.*
2. – Tu as une carte d'identité ? – Non, ...
3. – Il a un permis de conduire ? – Non, ...
4. – Ils ont un visa ? – Non, ...
5. – Elle a une carte de réduction ? – Non, ...
6. – Tu as une carte bancaire ? – Non, ...

30 Mettez les mots dans l'ordre.

1. Un plan ? (Elle / un / dans son sac / a / en) → *Elle en a un dans son sac.*
2. Une brochure ? (Ils / à l'agence / en / prennent / une)
3. Des musées ? (en / souvent / Nous / visitons)
4. Des cartes postales ? (toujours / en / envoies / Tu)
5. Des billets ? (achète / à l'avance / On / en)
6. Une place ? (par téléphone / Vous / réservez / une / en)

31 Répondez.

1. – Vous faites des voyages ? (beaucoup)
   – Oui, *j'en fais beaucoup.*
2. – Il a des cousins ? (quatre)
   – Oui, ...
3. – Ils lisent des bandes dessinées ? (beaucoup)
   – Oui, ...
4. – Elle boit du café ? (trop)
   – Oui, ...

5. – Vous avez une moto ? (une)
   – Oui, ...
6. – Elles prennent de la mayonnaise ? (un peu)
   – Oui, ...

32 Mettez les mots dans l'ordre.

1. Des romans policiers ? (pas beaucoup / Je / n' / lis / en) → *Je n'en lis pas beaucoup.*
2. Des expositions ? (Ils / pas beaucoup / en / voient / n')
3. Du sport ? (Je / en / pas / n' / fais)
4. Une soirée ? (pas souvent / n' / organise / en / Elle)
5. De la musique ? (pas beaucoup / On / en / n' / écoute)
6. Des magazines ? (Nous / pas / n' / achetons / en)

33 Répondez.

1. – Vous avez une piscine ? – Non, *nous n'en avons pas.*
2. – Il cherche un stage ? – Oui, ...
3. – Vous buvez du thé ? – Non, ...
4. – Elles ont un professeur de sport ? – Non, ...
5. – Ils ont trois enfants ? – Oui, ...
6. – Tu as une console de jeux ? – Oui, ...

Bilan

34 Complétez avec un pronom personnel.

Petites annonces

1. *Je* cherche des amis pour discuter et sortir avec ...... le week-end.
2. ...... cherchons une personne pour garder deux enfants le mercredi.
3. ...... avez un appartement en ville ? ......, ... ai une maison en Normandie : pour les vacances, ... pouvons faire un échange !
4. ...... vends des chaussures de ski et un anorak : ...... sont magnifiques et vraiment pas chers !
5. Vous cherchez des places pour le concert des Windows lundi prochain ? J'...... ai deux : ...... sont à 40 €.
6. ...... vendez des bijoux ? J'...... achète de tous les styles.
7. ...... aimes le cirque ? Tu ...... vas souvent ? ...... veux gagner une place gratuite ? C'est facile, appelle notre numéro !
8. Pour tester notre nouveau produit, ... cherchons des jeunes de 15 à 18 ans : .... proposons une journée complète à notre centre.

35 **Complétez avec un pronom personnel.**

– Viens déjeuner chez *moi* (1), si ...... (2) veux, dimanche. ...... (3) habite avec mon amie Rebecca, tu ...... (4) connais.
– Oui, je ...... (5) aime bien.
– Alors, écoute, je ...... (6) explique le chemin : c'est en face de la piscine de Pontoise.
– Oh, je ...... (7) connais bien, j'...... (8) vais tous les dimanches matin.
– Bon, ... (9) habite 3, rue de Poissy. Quand tu entres dans l'immeuble, il y a un premier escalier à gauche, tu ne ...... (10) prends pas. ...... (11) traverses la cour. Tu verras un autre escalier. Nous, ... (12) sommes au 7ᵉ étage.
– Il y a un ascenseur ? !
– Oui, mais jusqu'au 6ᵉ étage seulement ! Alors, on ...... (13) attend vers midi ?
– Super ! Qu'est-ce qu'...... (14) aime, Rebecca? Qu'est-ce que je ...... (15) apporte ?
– ...... (16) adorons le chocolat tous les deux.

6 Les pronoms relatifs *qui* et *que*

Le pronom relatif *qui*

Observez

1. J'ai une sœur. Elle habite en Espagne. → J'ai une sœur **qui** habite en Espagne.
2. Je connais un garçon. Il étudie en Irlande. → Je connais un garçon **qui** étudie en Irlande.
3. Je vends trois fauteuils (mp). Ils datent du XIXe siècle. → Je vends trois fauteuils **qui** datent du XIXe siècle.
4. Nous donnons trois chaises (fp) un peu cassées. Mais elles peuvent servir. → Nous donnons trois chaises un peu cassées mais **qui** peuvent servir.

Remarque :
ms = masculin singulier – fs = féminin singulier – mp = masculin pluriel – fp = féminin pluriel

a. Le pronom relatif permet de relier deux phrases. Vrai ☐ Faux ☐

b. Quel nom remplace le pronom relatif *qui* ?

Exemple 1 : ...... Exemple 3 : ......

Exemple 2 : ...... Exemple 4 : ......

c. Le pronom relatif *qui* peut remplacer :

☐ une personne ☐ une chose

d. Le pronom relatif *qui* est sujet du verbe placé après. Vrai ☐ Faux ☐

Entraînez-vous

1 Soulignez le nom remplacé par le pronom relatif *qui*.

1. Regarde ! L'*homme* qui prend le taxi, là-bas, c'est un acteur très connu.
2. Les deux musiciens qui ont gagné le prix jouent très bien.
3. Quel est le film qui a reçu la Palme d'or à Cannes ?
4. Tu connais les deux artistes qui viennent d'entrer ?
5. Ce sont deux spectacles qui ont beaucoup de succès.
6. Comment s'appelle la jeune fille qui est avec le producteur ?
7. Écoute, l'homme qui parle est un musicien célèbre.

2 Choisissez la forme correcte du verbe.

Déménagement

1. Attention, la chaise qui (*se trouve* – se trouvent) derrière toi est cassée ! Ne t'assieds pas !
2. Les paquets qui (est – sont) là sont à vous ?
3. J'adore les meubles qui (vient – viennent) de ma grand-mère.
4. Prenez le vase qui (est posé – est posée) sur la commode.
5. Je dois vendre ces deux fauteuils qui (prennent – prend) trop de place.
6. J'ai beaucoup de choses qui ne (serve – servent) à rien !

3 Associez puis complétez les phrases avec le pronom relatif *qui*.

Qu'est-ce que c'est ?

1. *Un canapé ? C'est un meuble.*
2. Un autobus ? C'est un véhicule.
3. Un chat ? C'est un animal.
4. Un stylo ? C'est un objet.
5. Une lampe ? C'est un objet.
6. Un dauphin ? C'est un animal.
7. Une voiture ? C'est un véhicule.

a. Il ronronne.
b. Il sert à écrire.
c. Il a quatre roues.
d. *Il est souvent confortable.*
e. Il vit dans l'eau.
f. Il éclaire.
g. Il transporte beaucoup de personnes.

1. Un canapé ? C'est un meuble *qui est souvent confortable.*
2. Un autobus ? C'est un véhicule ....
3. Un chat ? C'est un animal ....
4. Un stylo ? C'est un objet ....
5. Une lampe ? C'est un objet ....
6. Un dauphin ? C'est un animal ....
7. Une voiture ? C'est un véhicule ....

4 À vous ! Proposez quelques définitions en utilisant *qui* comme dans l'exercice précédent.

Exemple : Un réfrigérateur est un appareil qui garde les aliments au frais.

5 Mettez les mots dans l'ordre.

1. sur un parc / une belle chambre / J'ai / donne / qui → *J'ai une belle chambre qui donne sur un parc.*
2. explique / un professeur de maths / J'ai / qui / très bien
3. des voisins / ont / J'ai / qui / cinq enfants
4. qui / dans un gymnase / Je suis inscrit / près de la maison / se trouve
5. habitent / J'ai / qui / des amis / au même étage
6. intéressant / J'ai trouvé / qui / un travail / semble

6 Faites une seule phrase avec le pronom relatif *qui*.

1. Je lis un livre. Il parle du Canada.
   → Je lis un livre *qui parle du Canada.*
2. Tu regardes un film. Il raconte une histoire triste.
   → Tu regardes un film ....
3. Il va voir un spectacle. Il dure trois heures.
   → Il va voir un spectacle ....
4. J'écoute une chanson. Elle me plaît beaucoup.
   → J'écoute une chanson ....
5. Vous allez voir une pièce de théâtre. Elle est jouée en plein air.
   → Vous allez voir une pièce de théâtre ....
6. Je vais souvent dans une discothèque. Elle reste ouverte toute la nuit.
   → Je vais souvent dans une discothèque ....

7 Faites une phrase avec le pronom relatif *qui.*

Qu'est-ce que vous voyez ?

1. une dame / conduire son fils à l'école → Je vois *une dame qui conduit son fils à l'école.*
2. deux amoureux / s'embrasser → Je vois ....
3. le bus / arriver → Je vois ....
4. deux adolescents / sortir du métro → Je vois ....
5. une vieille dame / promener son chien → Je vois ....
6. trois enfants / s'amuser → Je vois ....
7. un homme / mange un sandwich → Je vois ....
8. des piétons / traverser la rue → Je vois ....

8 Associez puis complétez les phrases avec le pronom relatif *qui.*

1. *un boulanger*
2. un médecin
3. une hôtesse d'accueil
4. un couturier
5. un cinéaste
6. un cuisinier
7. un commandant

a. soigner les malades
b. réaliser des films
c. donner des ordres
d. créer de beaux vêtements
e. *faire le pain*
f. recevoir les clients
g. préparer de bons petits plats

1. Un boulanger est une personne *qui fait le pain.*
2. Un médecin est une personne ....
3. Une hôtesse d'accueil est une personne ....
4. Un couturier est une personne ....
5. Un cinéaste est une personne ....
6. Un cuisinier est une personne ....
7. Un commandant est une personne ....

Le pronom relatif *que*

Observez

1. Anne et Chris sont des voisins. Je connais bien ces voisins.	→ Anne et Chris sont des voisins **que** je connais bien.
2. Comment s'appelle la jeune femme ? Ils cherchent cette jeune femme.	→ Comment s'appelle la jeune femme **qu'**ils cherchent ?
3. J'ai lu le livre. Tu m'as offert ce livre.	→ J'ai lu le livre **que** tu m'as offert.
4. C'est une affiche. Elle aime beaucoup cette affiche.	→ C'est une affiche **qu'**elle aime beaucoup.

a. Quel nom remplace le pronom relatif *que* ?
Exemple 1 : ……　　Exemple 3 : ……
Exemple 2 : ……　　Exemple 4 : ……
b. Le pronom relatif *que* peut remplacer : une personne ☐ une chose ☐
c. Le pronom relatif *que* devient …… devant une voyelle.
d. Le pronom relatif *que* est complément d'objet du verbe qui suit. Vrai ☐ Faux ☐

Entraînez-vous

9 Soulignez le nom remplacé par le pronom relatif *que*.

1. L'<u>examen</u> que nous préparons n'est pas très difficile.
2. Il y a beaucoup d'exercices que nous faisons ensemble.
3. La directrice est une femme que nous respectons beaucoup.
4. Le professeur que nous préférons est Mme Rako.
5. Les résultats que nous attendons sont importants.
6. Nous avons lu avec plaisir la lettre que vous avez envoyée.
7. Les gens que nous invitons sont des amis.

10 Complétez avec *que* ou *qu'*.

1. Elle est jolie, la robe *que* tu portes aujourd'hui.
2. Montre-moi le tee-shirt ...... Monique a acheté.
3. Les vêtements ...... Anne achète sont toujours très élégants.
4. Comment tu trouves le pantalon ...... ma mère m'a offert ?
5. J'adore les chaussures ...... elle va porter pour son mariage.
6. Tu aimes le manteau ...... j'ai essayé ?
7. Je déteste l'uniforme ...... ils ont choisi dans cette école.

11 Mettez les mots dans l'ordre.

1. pour le sport / J'aime bien / que / les chaussures / tu mets
   → *J'aime bien les chaussures que tu mets pour le sport.*
2. pour voyager / C'est / que / le sac / je prends
3. on emporte demain / la valise / Ferme / qu'

4. que / J'aime beaucoup / va porter ce soir / la robe / Camille
5. Comment / que / le foulard / est / tu donnes / à ma sœur ?
6. à ma mère / Regarde / que / le collier / j'offre
7. C'est / pour mon père / j'achète / que / le journal
8. Voilà / qu' / les photos / on envoie / à Pierre

12 Transformez comme dans l'exemple.

Exemple : Je lis un livre intéressant. → Le livre que je lis est intéressant.

1. Nous regardons un film passionnant.
2. Elle prépare une sauce délicieuse.
3. J'aime un homme merveilleux.
4. Il écoute une chanson très connue.
5. Ils ont visité un appartement confortable.
6. Nous invitons des amis sud-africains.

13 Faites une seule phrase avec le pronom relatif *que* ou *qu'*.

1. La mousse au chocolat est un dessert. Je fais souvent ce dessert.
   → La mousse au chocolat est un dessert *que je fais souvent.*
2. Le soufflé au fromage est un plat. Ma mère prépare ce plat le dimanche soir.
   → Le soufflé au fromage est un plat ....
3. Les haricots verts sont des légumes. On mange ces légumes cuits.
   → Les haricots verts sont des légumes ....
4. Le chocolat chaud est une boisson. Les enfants prennent cette boisson au petit déjeuner.
   → Le chocolat chaud est une boisson ....
5. Les fraises sont des fruits. Nous aimons beaucoup ces fruits.
   → Les fraises sont des fruits ....
6. Le camembert est un fromage. On fabrique ce fromage en Normandie.
   → Le camembert est un fromage ....

Bilan

14 Complétez avec *qui* ou *que*.

Dans mon immeuble, il y a :

1. le gardien *qui* s'occupe du petit jardin
2. la gardienne ...... distribue le courrier
3. un médecin ...... je vais voir parfois
4. des amis ...... habitent à mon étage
5. la jeune fille ...... travaille à la boulangerie
6. un jeune couple ...... attend un bébé
7. des étudiants ...... je ne connais pas bien
8. un vieux monsieur ...... fume dans l'ascenseur
9. une dame âgée ...... je rencontre le matin
10. un chien ...... aboie souvent !

15 Complétez avec *qui*, *que* ou *qu'*.

1. C'est une route *qui* tourne beaucoup.
2. C'est une rue ...... je prends souvent.
3. C'est un passage ...... conduit au jardin.
4. C'est la place ...... on traverse tous les jours.
5. C'est le carrefour ...... est dangereux.
6. C'est l'avenue ...... arrive à la plage.
7. C'est le chemin ...... monte à la station de ski.
8. C'est un parc ...... nous connaissons bien.
9. C'est l'escalier ...... descend à la cave.
10. C'est l'arrêt de bus ...... se trouve en face.

16 Complétez avec *qui, que* ou *qu'*.

1. Je déteste les gens *qui* arrivent en retard.
2. Je n'aime pas l'eau de toilette ...... il porte.
3. J'aime beaucoup le livre ...... tu m'as prêté.
4. Je ne supporte pas les gens ...... crient.
5. Vous aimez le chapeau ...... il m'a offert ?
6. Elle déteste le cadeau ...... nous avons choisi.
7. Il a horreur des personnes ...... parlent fort.

17 Complétez avec *qui, que* ou *qu'*.

Le jeu des questions

1. Quelle est l'actrice *qui* joue dans le dernier film de Jeunet ?
2. Quelle est la ville ...... reçoit le plus de visiteurs au monde ?
3. Quel est le sport ...... on pratique souvent au bord de la mer ?
4. Comment appelle-t-on les oiseaux ...... on voit sur tous les bâtiments parisiens ?
5. Quelle est la boisson ...... les enfants préfèrent mais ...... n'est pas toujours très bonne pour la santé ?
6. Comment appelle-t-on les gens ...... n'ont pas de logement ?
7. Quel est le moyen de transport ...... coûte le moins cher ?
8. Comment s'appelle l'homme politique ...... tous les Français admirent ?

Il vous reste dix secondes ! Oui, c'est exact. Bravo ! Vous avez gagné ce magnifique séjour en Corse !

2e PARTIE

Le verbe

7 *Être* et *avoir* au présent de l'indicatif

Le verbe *être*

Observez

- Mesdames, messieurs, **nous sommes** à l'aéroport de Paris. **Il est** 15 heures, heure locale.
- Bonjour, **vous êtes** les bienvenus au château d'Esclimont. **Les chambres sont** à l'étage.
- – **Tu es** français ?
  – Non, **je suis** canadien.
  – Et ta copine ?
  – **Elle est** française.

a. Conjugaison du verbe *être* au présent de l'indicatif. Complétez.

Je ……
Tu ……
Il / Elle / On ……
Nous ……
Vous ……
Ils / Elles ……

b. Les six formes du verbe *être* sont différentes. Vrai ☐ Faux ☐
c. Quelles formes du verbe *être* se prononcent de la même façon ? …… / ……

Entraînez-vous

1 **Associez.**

1. Elle
2. Elles
3. Il
4. Ils
5. Je
6. Ma mère
7. Mes parents
8. Nous
9. On
10. Robert
11. Robert et Catherine
12. Tu
13. Vous

a. es
b. *est*
c. êtes
d. sommes
e. sont
f. suis

en vacances.

1	2	3	4	5	6	7	8	9	10	11	12	13
b												

2 **Choisissez la forme du verbe *être* qui convient.**

– Vous *êtes* (êtes – est) de quelle nationalité ?
– Je (sont – suis) français. Et vous ?
– Suisse. Mes parents (sommes – sont) d'origine italienne. Ma sœur (es – est) italienne.
– Moi, ma famille (est – êtes) d'origine italienne aussi mais nous (suis – sommes) tous français maintenant.

3 **Complétez avec un pronom sujet.**

1. *Elle* est française, Isabelle ?
2. ...... es de quelle nationalité ?
3. ...... sont de quelle origine ?
4. ...... êtes français ?
5. ...... sommes d'origine polonaise.
6. ...... est de quelle nationalité, John ?
7. ...... suis chinoise.
8. ...... est de quelle nationalité, Eva ?

4 **Choisissez la forme du verbe *être* qui convient et complétez.**

1. Ils *sont* mécaniciens.
2. Elle ...... infirmière.
3. Je ...... documentaliste.
4. Tu ...... vendeur.
5. Nous ...... commerçants.
6. Vous ...... programmeur informatique.
7. Elles ...... assistantes de direction.
8. Il ...... médecin.
9. Tu ...... agent de police.
10. Vous ...... professeur.
11. Je ...... chauffeur de taxi.
12. Mes voisins ...... à la retraite.

5 **Complétez avec le verbe *être* au présent.**

1. Il *est* seul.
2. Nous ...... cinq.
3. Elles ...... trois.
4. Tu ...... avec elle.
5. Vous ...... quatre.
6. Ils ...... dix.
7. On ...... deux.
8. Elle ...... seule.
9. Je ...... avec vous.
10. Il ...... avec moi.

6 **À vous ! Qui êtes-vous ? Dites votre profession, votre nationalité, l'origine de votre famille...**

7 **Complétez avec le verbe *être* au présent.**

1. Julie et moi *sommes* amies.
2. Agnès et Bernard ...... frère et sœur.
3. Marie et toi .... voisins.
4. Brigitte et Anne ...... collègues.
5. M. et Mme Moine ...... mariés.
6. Patrick, Valérie et moi ...... copains.

8 **Complétez avec un pronom sujet et la forme du verbe *être* qui convient.**

Exemple : Sandra, tu es martiniquaise ?

1. Marcel et Marc, ... français ?
2. Martine et toi, ... parisiens ?
3. Brigitte et Sébastien, ... provinciaux ?
4. Luc et moi, ... marseillais.
5. Hélène et Catherine, ... corses ?
6. Nos voisins, ... normands.

Le verbe *avoir*

Observez

– **Vous avez** une voiture ?
– Non, **nous avons** une moto.

– Et vous, mademoiselle ?
– Moi, **j'ai** une bicyclette mais **mon ami a** un scooter.

a. Conjugaison du verbe avoir au présent de l'indicatif. Complétez.

J' ......
Tu as
Il / Elle / On ......

Nous ......
Vous ......
Ils / Elles ont

b. Quelles formes du verbe *avoir* se prononcent de la même façon ? ...... / ......
c. Quelle est la forme correcte : *j'ai* ou *je ai* ? ......

Entraînez-vous

9 Choisissez la forme du verbe *avoir* qui convient et complétez.

ai – as – a – avons – avez – ont

1. Alain *a* 60 ans et Sylvie ...... 18 ans.
2. J'...... un appartement et ils ...... une maison.
3. Vous ...... un vélo, elle ...... une voiture.
4. Tu ...... un frère, il ...... une sœur.
5. Elles ...... froid, nous ...... chaud.
6. Vous ...... un enfant, j'...... trois enfants.

10 Choisissez la forme du verbe *avoir* qui convient.

1. – Tu (*as* – a) froid ? – Non, j' (ont – ai) chaud.
2. – Vous (avez – avons) soif ? – Oui, et nous (ont – avons) très faim aussi.
3. Elle (a – as) sommeil et elle (as – a) mal, la pauvre !
4. Ils (ont – as) peur.
5. Tu (a – as) envie d'aller au cinéma ? C'est d'accord !

11 Associez et écrivez les phrases.

1. Elle
2. Elles
3. Il
4. Ils
5. J'
6. Nous
7. On
8. Tu
9. Vous

a. a 15 ans.
b. ai 25 ans.
c. as 31 ans.
d. avez 18 ans.
e. avons 60 ans.
f. ont entre 40 et 50 ans.

1. *Elle a 15 ans.*
2. ....
3. ....
4. ....
5. ....
6. ....
7. ....
8. ....
9. ....

12 **Complétez avec un pronom sujet.**

1. *Tu* as une villa magnifique.
2. ...... a un beau studio.
3. ...... ont un grand logement.
4. ...... ai un petit deux-pièces.
5. ...... avez un loft magnifique.
6. ...... as un joli appartement.
7. ...... avons une maison agréable.
8. ...... avez une grande villa.

13 **À vous ! Qui êtes-vous ? Donnez des indications sur votre âge, votre famille, votre logement, etc.**

Bilan

14 **Conjuguez au présent.**

1. – Vous *êtes* (être) marié ? – Non, je ...... (être) célibataire.
2. – Tu ...... (être) étudiant ? – Non, je ...... (être) lycéen.
3. – Il ...... (avoir) des enfants ? – Oui, il ...... (avoir) trois enfants.
4. – Elle ...... (être) française ? – Oui, mais elle ...... (être) d'origine espagnole.
5. Nous ...... (être) photographes et nous ...... (avoir) une galerie à Lyon.
6. Ils ...... (avoir) 20 ans ; ils ...... (être) étudiants.
7. Elle ...... (être) très fatiguée, elle ...... (avoir) sommeil.
8. Vous ...... (être) malade ? Vous ...... (avoir) très mal ?

15 **Complétez avec *être* ou *avoir* au présent. Si nécessaire, transformez *je* en *j'*.**

1. J'*ai* des amis tunisiens.
2. Tu ...... canadien.
3. Il ...... une voiture rouge.
4. Elle ...... anglaise.
5. On ...... à Paris.
6. Nous ...... un magasin de vêtements.
7. Vous ...... journaliste.
8. Ils ...... une grande maison.
9. Elles ...... voisines.
10. Tu ...... un joli manteau.

16 **Complétez avec *être* ou *avoir* au présent. Si nécessaire, transformez *je* en *j'*.**

1. – Quelle *est* ta nationalité ? – Je ...... chinois.
2. – Quelle ...... votre profession ? – Nous ...... retraités.
3. – Vous ...... peur ? – Non, nous ...... froid.
4. – Tu ...... quel âge ? – Je ...... 12 ans.
5. Thomas et Emma ...... jumeaux. Ils ...... 5 ans. Ils ...... adorables.
6. – Je ...... lycéen. – Tu ...... en quelle classe ? Tu ...... bon élève ?
7. Mon frère ...... 35 ans, il ...... deux enfants, il ...... serveur dans un restaurant. Ma sœur ...... célibataire, elle ...... 30 ans. Elle ...... professeur de français. Et moi, je ...... commerçant, je ...... une boulangerie pâtisserie dans la région parisienne.

17 **Complétez avec *être* ou *avoir* au présent. Si nécessaire, transformez *je* en *j'*.**

– Mademoiselle, je fais un sondage. Est-ce que vous *avez* (1) des animaux chez vous ?
– Oui, je ...... (2) trois oiseaux et mes parents ...... (3) deux chiens. Je ...... (4) très envie d'acheter un boa mais mes parents ne ...... (5) pas d'accord, surtout ma mère : elle ...... (6) peur des serpents.
– Et vous, monsieur ?
– Ma femme et moi, nous ...... (7) seulement un chat. Notre appartement ...... (8) un peu petit, nous n' ...... (9) pas beaucoup de place.

8 Le présent de l'indicatif

Les verbes avec l'infinitif en *-er*

Les verbes réguliers

Observez

Aim**er**	J'aim**e** – **Je** parl**e**	**Nous** aim**ons**
Habit**er**	**Tu** habit**es**	**Vous** habit**ez**
Parl**er**	**Il/Elle/On** parl**e**	**Ils/Elles** parl**ent**

a. Quelles sont les terminaisons ?

Je/J' → *e*
Tu → ......
Il/Elle/On → ......
Nous → ......
Vous → ......
Ils/Elles → ......

b. Si le verbe commence par une voyelle ou un *h* muet, *je* devient ....

Entraînez-vous

1 **Reconstituez les conjugaisons des verbes *étudier*, *hésiter* et *chercher* au présent.**

	Étudier	**Hésiter**	**Chercher**
Je/J'	*J'étudie*	......	......
Tu	......	......	......
Il/Elle/On	......	......	......
Nous	......	......	......
Vous	......	......	......
Ils/Elles	......	......	......

2 **Choisissez la forme du verbe qui convient.**

1. Je (*chante* – chantes) dans une chorale.
2. Nous (dansent – dansons) la salsa.
3. Vous (regarde – regardez) la télévision.
4. Tu (joue – joues) du violon.
5. Vous (écoutons – écoutez) de la musique.
6. Nous (collectionnons – collectionnent) les timbres.
7. Vous (parles – parlez) trois langues.
8. Elles (crée – créent) des objets d'art.
9. J'(étudie – étudies) la médecine.

3 **Associez. (Plusieurs réponses sont possibles.)**

1. Rémi
2. Arthur et Mélodie
3. Tu
4. Le garçon
5. Nous
6. J'
7. Vous
8. Je
9. Elles
10. On

a. regardes un DVD.
b. racontent une histoire à Simon.
c. pleure.
d. discutons avec notre voisin.
e. crient.
f. travailles à la bibliothèque.
g. écoutez de la musique.
h. joue aux échecs.
i. arrive à la gare.
j. téléphone à Juliette.
k. déjeunez à quelle heure ?
l. dînons ensemble samedi.

1	2	3	4	5	6	7	8	9	10
c, ...									

4 **Complétez avec la terminaison qui convient : *-e, -es, -ent.***

1. Tu refus*es* ou tu accept...... ?
2. Elle hésit...... puis elle décid...... .
3. Je continu...... mais tu arrêt...... .
4. Elle cherch...... et ils trouv...... .
5. Ils demand...... et j'expliqu...... .
6. On pouss...... ou on tir...... ?
7. Tu coup...... et je coll...... .
8. Ils jou...... et ils gagn...... .

Les cas particuliers

➤ Verbes avec l'infinitif en *-ger, -cer*

Observez

Manger	**Commencer**
Je mange	Je commence
Tu manges	Tu commences
Il/Elle/On mange	Il/Elle/On commence
Nous man**geons**	Nous commen**çons**
Vous mangez	Vous commencez
Ils mangent	Ils commencent

Avec *nous*, la forme des verbes *manger* et *commencer* est particulière. Complétez.
Nous mang ...... nous commen...... .

Entraînez-vous

5 **Conjuguez au présent.**

1. manger → *je mange* – nous ......
2. placer → nous ...... – tu ......
3. changer → tu ...... – vous ......
4. voyager → vous ...... – nous ......
5. commencer → nous ...... – il ......
6. corriger → il ...... – nous ......

6 **Conjuguez au présent.**

1. Tu *voyages* (voyager) seul ?
2. Nous ...... (changer) d'hôtel demain.
3. Ils ...... (manger) au restaurant.
4. Nous ...... (commencer) la visite.
5. Je ...... (corriger) une erreur.
6. Vous ...... (placer) les spectateurs.

➤ Les verbes *espérer, préférer, répéter*

Observez

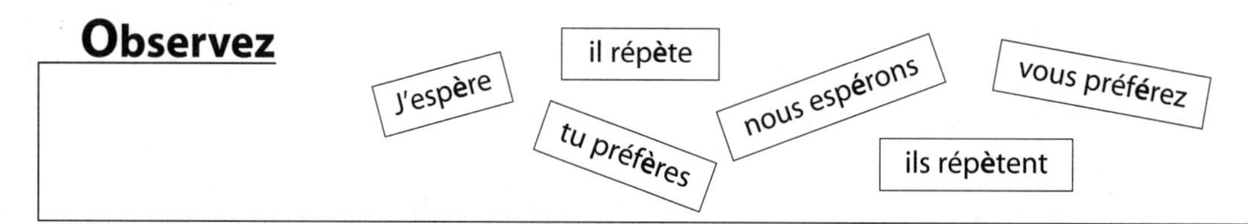

a. À quelles personnes le *é* des infinitifs *préférer, espérer, répéter* **devient è ?** ...... / ...... / ...... / ......
b. Reconstituez les conjugaisons des verbes *espérer, préférer* et *répéter* au présent.

	Espérer	Préférer	Répéter
Je/J'	......	......	......
Tu	......	......	......
Il/Elle/On	......	......	......
Nous	......	......	......
Vous	......	......	......
Ils/Elles	......	......	......

Entraînez-vous

7 **Choisissez un verbe et conjuguez au présent. Si nécessaire, transformez *je* en *j'*.**

préférer – espérer – répéter

1. – Pour l'heure du rendez-vous, vous *préférez* le matin ou l'après-midi ? – Je ...... en fin de matinée.
2. On demande Madame Moulin au téléphone, je ......, on demande Madame Moulin au téléphone.
3. – Nous ...... qu'il va venir. – Moi aussi, je...... !
4. – Tu ...... le printemps ou l'été ? – Moi ? Je ...... l'hiver !
5. Ils ...... qu'il va faire beau pour le mariage.

➤ Le verbe *acheter*

Observez

achète achetons achètent achètes achète achetez

a. Reconstituez la conjugaison du verbe *acheter* au présent.

J' ...... Nous ......
Tu ...... Vous ......
Il/Elle/On ...... Ils/Elles ......

b. À quelles personnes le *e* de l'infinitif *acheter* devient *è* ? ...... / ...... / ...... / ......

Entraînez-vous

8 Complétez avec le verbe *acheter* au présent.

– Qu'est-ce que vous *achetez* pour Noël ?
– Nous ...... (1) des livres pour Martine.
– J'...... (2) un stylo pour mon père.
– Avec Marc, on ...... (3) une bande dessinée pour Léa.
– Et toi, qu'est-ce que tu ...... (4) ?
– Rien.

➤ Le verbe *appeler*

Observez

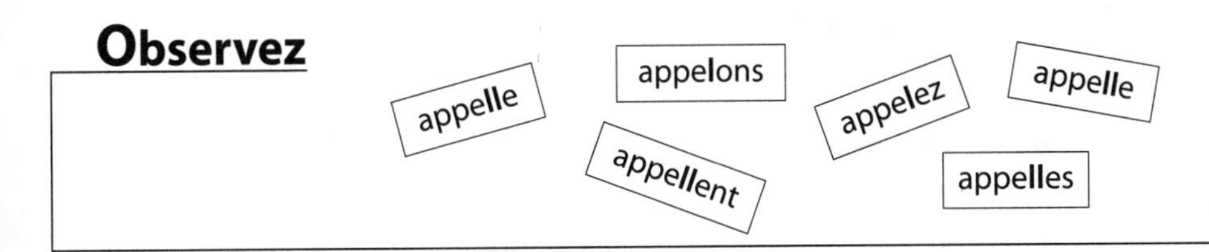

a. Reconstituez la conjugaison du verbe *appeler* au présent.

J' ...... Nous ......
Tu ...... Vous ......
Il/Elle/On ...... Ils/Elles ......

b. À quelles personnes *le l de* l'infinitif *appeler* est remplacé par *ll* ? ...... / ...... / ...... / ......

Entraînez-vous

9 **Complétez avec le verbe *appeler* au présent.**

1. Maintenant, voici le gagnant de notre jeu : nous *appelons* Monsieur Dufrennes.
2. – Quel numéro vous ...... ? C'est en France ? – Oui, j'...... à Nice.
3. On ...... Madame Piron au téléphone.
4. Je suis Julien, mes amis m'...... Juju.
5. Tu ...... ta fille tous les jours ?

➤ Le verbe *aller*

Observez

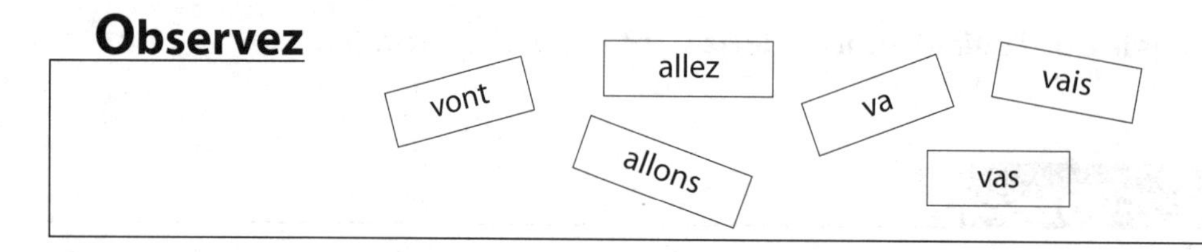

Reconstituez la conjugaison du verbe *aller*.

Je	Nous ......
Tu	Vous ......
Il/Elle/On	Ils/Elles ......

Entraînez-vous

10 **Choisissez la forme du verbe qui convient.**

1. On (allons – *va*) à l'hôpital.
2. Tu (va – vas) chez le dentiste.
3. Je (va – vais) au laboratoire.
4. Il (vont – va) chez le médecin.
5. Vous (allez – vont) chez un spécialiste.
6. Ils (va – vont) à la pharmacie.
7. Nous (allez – allons) chez le radiologue.
8. Elle (vais – va) chez l'opticien.

11 **Complétez avec le verbe *aller* au présent.**

– Vous restez chez vous à Noël ?
– Non, on *va* (1) avec nos amis à la montagne et après nous ...... (2) tous chez mon frère à Lyon.
– Vous ...... (3) souvent à la montagne ?
– Tous les hivers, on .... (4) faire du ski !
– Et tu ...... (5) souvent chez ton frère ?
– Moi, je ...... (6) à Lyon une ou deux fois par an, mais les enfants ...... (7) chez leurs cousins pendant les vacances, en général.

Les verbes avec l'infinitif en *-ir*

➤ Les verbes en *-ir* : *-is, -is, -it, -issons, -issez, -issent* (modèle : *finir*)

Observez

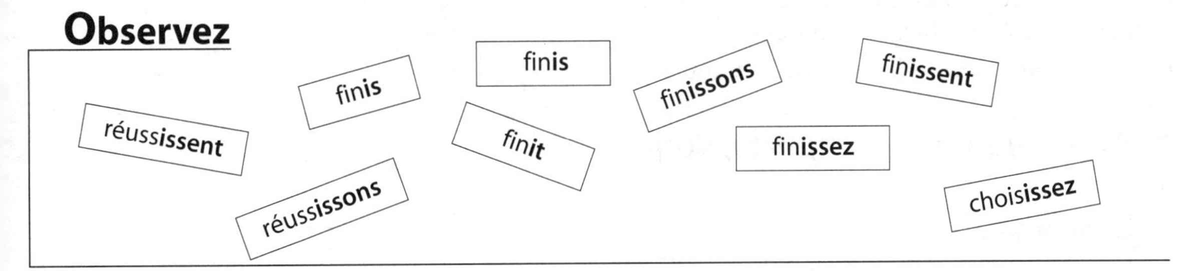

a. Reconstituez la conjugaison du verbe *finir*.

Je ......
Tu ......
Il/Elle/On ......
Nous ......
Vous ......
Ils/Elles ......

b. Ces verbes gardent le *i* de l'infinitif dans leurs conjugaisons. Vrai ☐ Faux ☐

c. Complétez les formes.

nous réussi......ons, vous choisi......ez, ils réussi......ent.

Entraînez-vous

12 Associez.

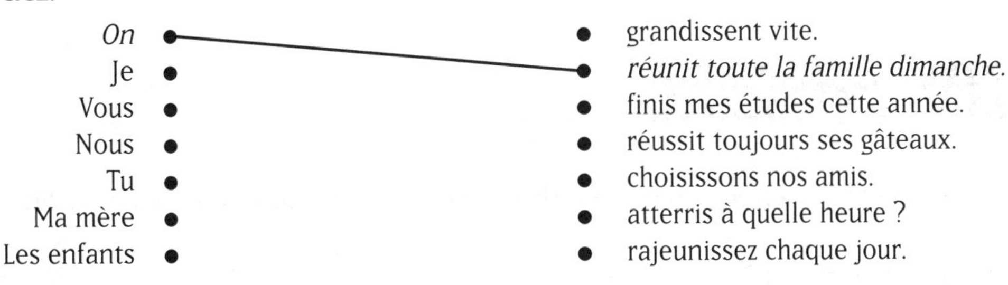

13 Choisissez la forme du verbe qui convient.

1. – Vous (*choisissez* – choisissent) quel film ? – Nous (réfléchissent – réfléchissons).
2. Je (finit – finis) mon travail et j'arrive.
3. Tu (réussissent – réussis) très bien ce gâteau.
4. L'avion (atterrit – atterris) à l'aéroport d'Orly.
5. Dans votre pays, vous (applaudissez – applaudissent) à la fin du spectacle ?
6. Vous (remplissez – remplissons) ce formulaire, s'il vous plaît.

14 **Choisissez un verbe et conjuguez au présent.**

finir – choisir – réfléchir – réussir – atterrir – *applaudir*

1. Les spectateurs *applaudissent* très fort.
2. Je ...... longtemps avant d'acheter un vêtement.
3. – Vous ...... votre travail à quelle heure ? – Je ...... toujours à 18 heures.
4. Je ne comprends pas le menu. Tu ...... pour moi ?
5. Nous ...... à Rome, la température est de 25° C.
6. Elle a de la chance : elle ...... toujours tout.

➤ Autres verbes en *-ir* (*partir, dormir...*)

Observez

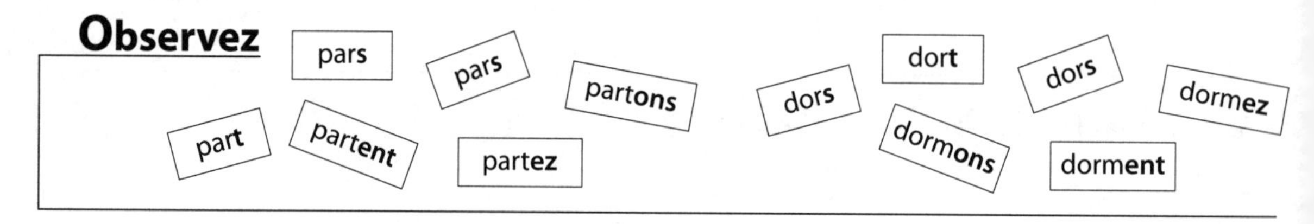

Reconstituez les conjugaisons des verbes *partir* et *dormir* au présent.

	Partir	Dormir
Je	......	......
Tu	......	......
Il/Elle/On	......	......
Nous	......	......
Vous	......	......
Ils/Elles	......	......

Entraînez-vous

15 **Écrivez les terminaisons du présent des verbes *sortir, partir, dormir, servir, sentir*.**

Samedi soir :
– Hélène, tu *sors* (1) ce soir ?
– Oui, je sor....... (2) avec Carole et Nadia.
– Tu par....... (3) à quelle heure ?
– Nous par....... (4) vers 8 heures.
– Et vous dor....... (5) où ?
– Moi, je dor....... (6) chez Vanessa. Carole et Nadia dor....... (7) chez Sophie.

Au restaurant :
– Vous ser....... (8) jusqu'à quelle heure ?
– Nous ser....... (9) jusqu'à minuit.

Dans la cuisine :
– Qu'est-ce que ça sen....... (10) ?
– La soupe.
– Ah bon ? Je sen....... (11) du fromage.
– Oui, c'est une soupe aux oignons gratinée.

➤ Les verbes *venir* et *tenir*

Observez

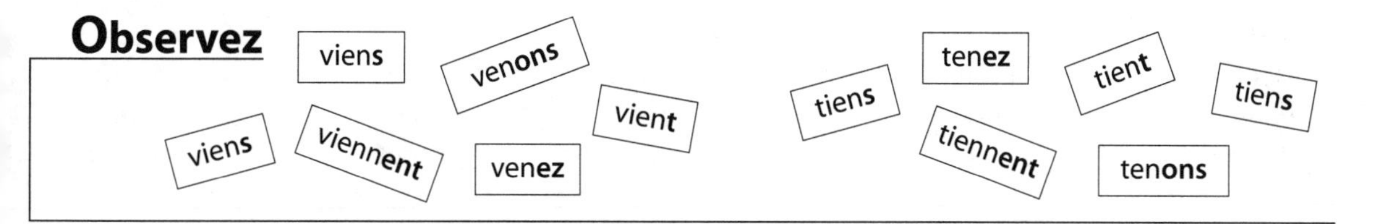

Reconstituez les conjugaisons des verbes *venir* et *tenir* au présent.

	Venir	Tenir
Je	......	......
Tu	......	......
Il/Elle/On	......	......
Nous	......	......
Vous	......	......
Ils/Elles	......	......

Entraînez-vous

16 **Complétez avec le verbe *venir* ou le verbe *tenir* au présent.**

1. Tu *viens* avec moi au cinéma ce soir ?
2. – Vous ...... comment à l'hôtel ? – En métro, c'est plus rapide.
3. Tu ...... la porte, s'il te plaît ?
4. – Vos amis ...... aussi ? – Non, ils ne sont pas libres.
5. Nous ...... tous ensemble.
6. – Qu'est-ce que vous ...... dans vos mains ? – Rien ! Regardez, j'ai les mains vides !
7. Je ...... tout de suite. Tu m'attends ?
8. Sa sœur ne ...... pas avec lui.

Des verbes avec l'infinitif en *–re*

➤ Les verbes en *–ire (lire, traduire, dire* et *écrire)*

Observez

	Lire	**Traduire**	**Dire**	**Écrire**
Je	li**s**	tradui**s**	di**s**	écri**s**
Tu	li**s**	tradui**s**	di**s**	écri**s**
Il/Elle/On	li**t**	tradui**t**	di**t**	écri**t**
Nous	li**sons**	tradui**sons**	di**sons**	écri**vons**
Vous	li**sez**	tradui**sez**	**dites**	écri**vez**
Ils/Elles	li**sent**	tradui**sent**	di**sent**	écri**vent**

a. Avec *je, tu, il, elle* ou *on*, les terminaisons de ces verbes sont : –...... / –...... / –...... .
b. Écrivez la fin des verbes.

Vous li......	Nous écri......	Vous écri......	Vous di......
Tu di......	Je tradui......	Elle di......	Ils écri......
On li......	Ils di......	Je li......	Nous tradui......

c. Écrivez la forme du verbe *dire* qui est particulière : ......

Entraînez-vous

17 **Associez. (Plusieurs réponses sont possibles.)**

1. Je
2. J'
3. Tu
4. Il/elle/on
5. Nous
6. Vous
7. Ils/elles

a. traduisent tous les nouveaux mots.
b. lit très vite.
c. décrivent leur nouveau voisin.
d. écrivez bien.
e. dis « bravo » !
f. lisons très lentement.
g. traduisez tout.
h. disent quoi ?
i. écris mal.
j. décrit une image.

1	2	3	4	5	6	7
e						

18 **Choisissez un verbe et conjuguez au présent.**

lire – écrire – dire – traduire

1. Pour t'informer, tu *lis* des journaux ou tu écoutes la radio ?
2. J'...... toujours au stylo plume.

3. Nous sommes traducteurs bilingues, nous ...... des revues anglaises en italien.
4. – On ...... une carte ? – Non, on envoie un mail.
5. Qu'est-ce que vous ...... sur l'affiche ?
6. Comment vous ...... ce mot en espagnol ?
7. Les jeunes n'...... plus, ils préfèrent téléphoner.
8. Qu'est-ce que tu ...... ? Parle plus fort, je n'entends pas.

➤ Les verbes en *-dre*

Observez

• Attendre / Entendre / Répondre : j'atten**ds**, tu enten**ds**, il répon**d**, nous atten**dons**, vous enten**dez**, ils répon**dent**.

• Prendre / Apprendre / Comprendre : je pren**ds**, tu appren**ds**, il compren**d**, nous pr**enons**, vous appr**enez**, ils compr**ennent**.

a. Reconstituez les conjugaisons des verbes *attendre, entendre* et *répondre* au présent.

	Attendre	Entendre	Répondre
Je/J'	......	......	......
Tu	......	......	......
Il/Elle/On	......	......	......
Nous	......	......	......
Vous	......	......	......
Ils/Elles	......	......	......

b. Reconstituez les conjugaisons des verbes *prendre, apprendre* et *comprendre* au présent.

	Prendre	Apprendre	Comprendre
Je/J'	......	......	......
Tu	......	......	......
Il/Elle/On	......	......	......
Nous	......	......	......
Vous	......	......	......
Ils/Elles	......	......	......

c. Avec *je, tu, il, elle* ou *on*, les terminaisons des verbes en *-dre* sont : –...... / –...... / –...... .
d. Pour les verbes *attendre, entendre* et *répondre*, il y a un *d* à toutes les personnes. Vrai ☐ Faux ☐
e. Pour les verbes *prendre, apprendre* et *comprendre*, il y a un *d* à toutes les personnes.
Vrai ☐ Faux ☐

Entraînez-vous

19 **Écrivez la fin des verbes.**

1. Vous compren*ez*
2. Tu appren......
3. On enten......
4. Nous pren......
5. Je répon......
6. Ils compren......
7. Vous répon......
8. Ils atten......
9. J'appren......
10. Vous atten......
11. Ils pren......
12. Nous enten......

20 **Choisissez un verbe et conjuguez au présent.**

apprendre – *entendre* – prendre – répondre – attendre – comprendre

1. – Tu m'*entends* ? – Non, parle plus fort, je n'...... rien.
2. – Vous ...... la secrétaire ? – Non, nous ...... le directeur.
3. – Vous ...... un taxi pour aller à la gare ? – Non, on ...... le bus.
4. Ils ...... toujours non quand on pose une question. C'est fatigant !!
5. Je ne ...... pas. Ce n'est pas clair.
6. Elle ...... à conduire en ce moment : elle passe bientôt son permis.

➤ Le verbe *mettre*

Observez

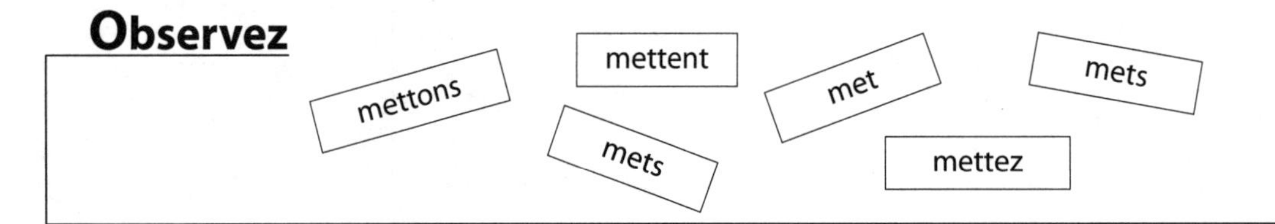

Reconstituez la conjugaison du verbe *mettre* au présent.

Je	Nous ......
Tu	Vous ......
Il/Elle/On	Ils/Elles ......

Entraînez-vous

21 **Complétez avec le verbe *mettre* au présent.**

1. Qu'est-ce que tu *mets* pour la soirée ? Une robe ou un pantalon ?
2. – Vous ...... combien de temps pour venir ? – Un quart d'heure.
3. Je ...... l'ordinateur sur ce bureau ?
4. Nous ...... la valise dans le coffre ?
5. Ils ...... tout leur argent à la banque.
6. On ne ...... pas beaucoup de temps pour traverser la ville.

➤ Le verbe *faire*

faisons fait faites fais font fais

Reconstituez la conjugaison du verbe *faire* au présent.

Je ......   Nous ......
Tu ......   Vous ......
Il/Elle/On ......   Ils/Elles ......

Entraînez-vous

22 Complétez avec le verbe *faire* au présent.

1. – Qu'est-ce que tu *fais* ? – J'écoute la radio.
2. – Qu'est-ce que vous ...... ce week-end ? – Nous allons chez des amis.
3. – Vos enfants ...... du sport ? – Oui, du volley-ball.
4. – Nous ...... une petite fête demain soir, vous êtes invités.
5. Je ...... un gâteau. Tu m'aides ?
6. Elle ...... ses études à l'étranger.

➤ Le verbe *vivre*

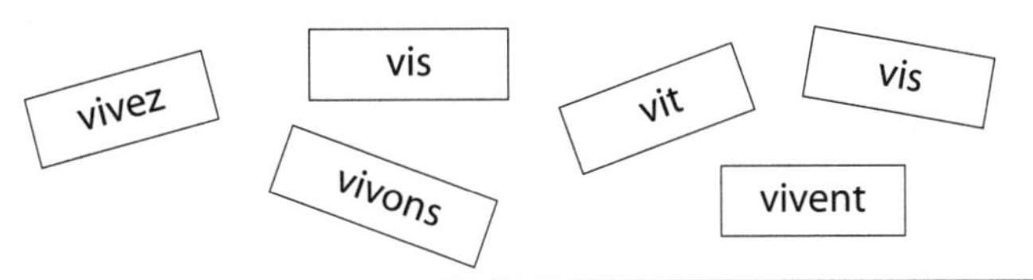

Reconstituez la conjugaison du verbe *vivre* au présent.

Je ......   Nous ......
Tu ......   Vous ......
Il/Elle/On ......   Ils/Elles ......

Entraînez-vous

23 Complétez avec le verbe *vivre* au présent.

1. Vous *vivez* seul ?
2. Elle ...... avec ses souvenirs, c'est une vieille dame.
3. Ils ...... ensemble depuis 2 ans.
4. Nous ...... avec nos enfants.
5. On ne ...... pas à la campagne mais en ville.
6. Je ...... encore chez mes parents.

➤ Le verbe *connaître*

Observez

connaissons connaît connais connais connaissent connaissez

Reconstituez la conjugaison du verbe *connaître* au présent.

Je ......
Tu ......
Il/Elle/On ......
Nous ......
Vous ......
Ils/Elles ......

Entraînez-vous

24 **Complétez avec le verbe *connaître* au présent.**

1. Je ne *connais* pas très bien mes voisins.
2. Vous ...... la Corse ?
3. Mon professeur ...... très bien l'histoire de l'Irlande.
4. Les enfants ne ...... pas les règles du jeu.
5. Tu ...... ce magasin ?
6. Nous ne ...... pas bien la ville. Vous pouvez nous aider ?

➤ Le verbe *boire*

Observez

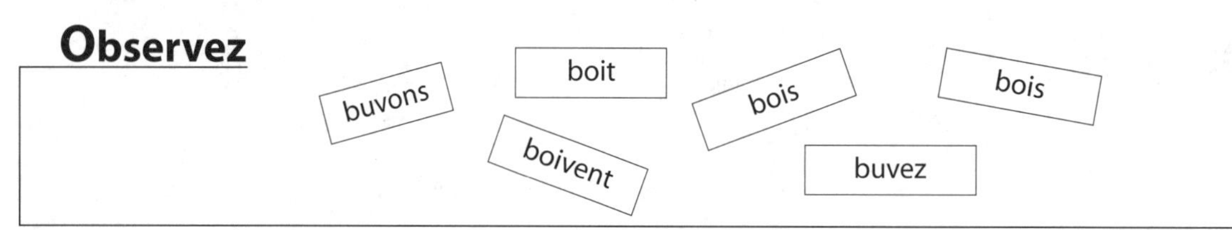

Reconstituez la conjugaison du verbe *boire* au présent.

Je ......
Tu ......
Il/Elle/On ......
Nous ......
Vous ......
Ils/Elles ......

Entraînez-vous

25 **Complétez avec le verbe *boire* au présent.**

1. Tu *bois* un thé avec moi ?
2. Je ...... une bouteille d'eau par jour pour garder la forme.
3. Mon mari ...... son café très fort.
4. Les jeunes ...... beaucoup de boissons sucrées.
5. Vous ne ...... pas de lait ?
6. Nous ne ...... jamais de sodas à la maison.
7. On ...... une coupe de champagne pour fêter ton succès ?

Des verbes avec l'infinitif en *-oir*

➤ Les verbes *pouvoir* et *vouloir*

Observez

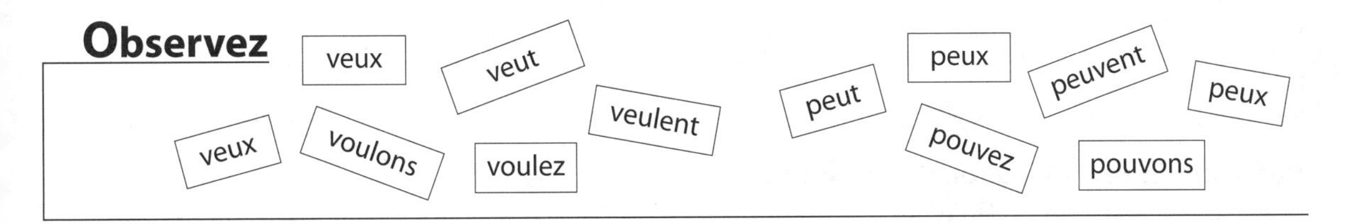

Reconstituez les conjugaisons des verbes *pouvoir* et *vouloir*.

	Pouvoir	Vouloir
Je	......	......
Tu	......	......
Il/Elle/On	......	......
Nous	......	......
Vous	......	......
Ils/Elles	......	......

Entraînez-vous

26 **Complétez avec le verbe *pouvoir* au présent.**

1. – Muriel *peut* rester une minute sous l'eau. – C'est facile, moi aussi, je ...... !
2. – Nous ...... vous aider ? – Oui, je suis trop petite, je ne ...... pas prendre cette boîte.
3. – Je ...... essayer ce pantalon ? – Bien sûr, vous ...... aller dans la cabine.
4. On ...... arriver à l'heure si on part maintenant.
5. Ils ne ...... pas entrer, c'est interdit !
6. Vous ...... traduire cette phrase ?

27 **Complétez avec le verbe *vouloir* au présent.**

1. – Qu'est-ce que vous *voulez* pour votre anniversaire ?
   – Moi, je ...... un lecteur MP3 et toi, qu'est-ce que tu ...... ?
   – Un appareil photo numérique.
2. – Qu'est-ce que vous ...... faire comme sport, cette année ?
   – Les garçons ...... faire du football, ma fille ...... faire du basket et mon mari et moi, nous ...... continuer l'athlétisme. Organisation difficile !

➤ Le verbe *savoir*

Observez

savons sais savent sait savez sais

Reconstituez la conjugaison du verbe *savoir*.

Je ......
Tu ......
Il/Elle/On ......
Nous ......
Vous ......
Ils/Elles ......

Entraînez-vous

28 **Complétez avec le verbe *savoir* au présent.**

1. – Tu *sais* où habite Agnès ? – Non, je ne ...... pas. Pourquoi ?
2. – Nous ...... que nos amis arrivent demain. – Tu ...... à quelle heure ?
3. – Je ne ...... rien sur lui ! – Nous, nous ...... beaucoup de choses !
4. – Vous ...... marcher sur les mains ? – Bien sûr, on ...... !

➤ Le verbe *devoir*

Observez

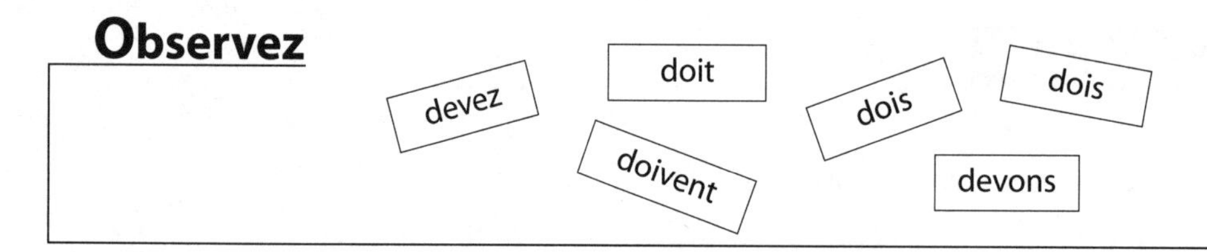

Reconstituez la conjugaison du verbe *devoir* au présent.

Je ......
Tu ......
Il/Elle/On ......
Nous ......
Vous ......
Ils/Elles ......

Entraînez-vous

29 **Complétez avec le verbe *devoir* au présent.**

1. Je ne peux pas aller au cinéma ce soir, je *dois* étudier.
2. Vous ...... rentrer chez vous, il est très tard !
3. Pour être à l'heure, nous ...... prendre le train de 6 heures.
4. Pour être en forme, on ...... faire du sport et on ne ...... pas trop manger !
5. Les étudiants en médecine ...... faire de longues études.

➤ Le verbe *voir*

Observez

Reconstituez la conjugaison du verbe *voir* au présent.

Je ...... Nous ......
Tu ...... Vous ......
Il/Elle/On ...... Ils/Elles ......

Entraînez-vous

30 **Complétez avec le verbe *voir* au présent.**

1. – Qu'est-ce que vous *voyez* là-bas ? – Il n'y a rien.
2. Je ne ...... plus très bien, je dois changer mes lunettes.
3. Elle ...... mieux avec ses verres de contact.
4. Ils ne ...... pas souvent leurs parents.
5. Tu ...... le train arriver ?
6. Vous ...... ce bâtiment au bout de la rue ? Le bureau de poste est juste à côté.
7. Il y a beaucoup de brouillard, nous ne ...... rien. Attention !

Les verbes pronominaux

Observez

- Je **m'habille** et j'arrive !
- Tu **t'appelles** comment ?
- Nous **nous promenons** dans le parc.
- Ils **se téléphonent** tous les jours.
- Marie **se lève** tôt.
- Vous **vous appelez** comment ?

a. Le pronom placé devant le verbe représente toujours la même personne que le sujet.
Vrai ☐ Faux ☐
b. Devant une voyelle ou un *h* muet, les pronoms *me, te, se* deviennent ......, ..., ...
c. Complétez le tableau avec les sujets qui correspondent aux pronoms réfléchis.

Ils – Nous – Je – Elle – Tu – Mon ami – Vous – On – Les hommes

me	**te**	**se**	**nous**	**vous**

Entraînez-vous

31 Conjuguez au présent.

1. Martin *se lève* (se lever) tout de suite ?
2. Tu ...... (se réveiller) à quelle heure ?
3. Les enfants ...... (se laver) rapidement ?
4. Nous ...... (se préparer) vite.
5. Je ...... (s'habiller) à toute vitesse.
6. On ...... (se coiffer) devant la glace.
7. Elles ...... (se maquiller) légèrement.
8. Il ...... (se raser) en deux minutes.
9. Je ...... (se reposer) parce que je suis fatigué.

32 Choisissez un verbe et conjuguez au présent.

se téléphoner – s'écrire – *se retrouver* – se rencontrer – se séparer
1. – À quelle heure on *se retrouve* ce soir ? – À 20 heures, c'est bien.
2. – Vous ...... souvent, ta sœur et toi ? – Avec les téléphones portables, tous les jours.
3. – Tu parles souvent avec tes voisins ? – Non, sauf quand on ...... par hasard dans l'escalier.
4. – Mes amis ont déménagé, nous ...... une fois par mois. – Des lettres ou des courriels ?
5. À la fin de l'année, c'est triste quand les élèves ....

Bilan

33 Conjuguez les verbes au présent. Si nécessaire transformez *je* en *j'*.

Bonjour,
Je *cherche* (chercher) un(e) correspondant(e) allemand(e). Je ...... (s'appeler) Émilie Royer.
Je suis française et j'ai 17 ans. Je .... (habiter) avec mes parents et mes deux frères, nous ...... (vivre) en Haute-Savoie dans un village isolé de 3000 habitants environ, situé dans une région montagneuse. Nous ...... (devoir) faire 5 kilomètres pour faire les courses. Beaucoup de touristes ...... (venir) l'été pour faire des randonnées et l'hiver pour faire du ski.
Je ...... (aller) au lycée, je ...... (préparer) mon bac et après je ...... (vouloir) faire des études d'architecture.
Je .... (aimer) le cinéma mais je ...... (préférer) le théâtre. Je ...... (prendre) des cours de flamenco, je ...... (lire) beaucoup, surtout des romans de science-fiction. Je ...... (adorer) sortir avec mes copains, nous ...... (aller) souvent à Annecy faire de la voile.
Je suis grande, plutôt mince, brune. Vous ...... (pouvoir) m'écrire à l'adresse suivante :
Émilie Royer
43, rue de Genève
74230 – Thônes

34 À vous ! Répondez à Émilie.

35 **Conjuguez les verbes au présent. Si nécessaire transformez *je* en *j'*.**

Habitudes

1. Ils *prennent* (prendre) le métro tous les jours.
2. Il ...... (partir) à la campagne chaque week-end.
3. Elle ...... (boire) une bouteille d'eau par jour.
4. Nous ...... (commencer) les cours à 9 heures.
5. Mes frères et moi, nous ...... (se retrouver) une fois par mois.
6. Nous ...... (lire) le journal chaque soir.
7. Je ...... (faire) du sport tous les samedis.
8. Vous ...... (dormir) 8 heures par nuit.
9. Vous ...... (mettre) combien de temps pour faire vos courses ?
10. Dans notre famille, nous ne ...... (manger) pas de pain.
11. Je ...... (se maquiller) tous les jours.
12. Les deux amies ...... (s'écrire) une lettre par semaine.
13. Nous ...... (sortir) tous les soirs.
14. Vous ...... (faire) du vélo pendant les vacances.
15. Ils ...... (aller) au cinéma une fois par mois.
16. Il ...... (vivre) en banlieue parisienne.

36 **Conjuguez les verbes au présent. Si nécessaire transformez *je* en *j'*.**

Salut ! Tu vas (aller) bien ? Un petit mot pour te donner des nouvelles. Tu ...... (savoir) que j'ai un nouveau travail et mes journées sont très longues. Je ...... (se réveiller) très tôt, vers six heures parce que je ...... (devoir) être au bureau à 8 h 30. Je ...... (mettre) environ une heure en voiture. Je ...... (finir) souvent vers 19 h. Je ne ...... (faire) pas beaucoup d'autres choses la semaine. Depuis un mois, je ...... (partager) mon appartement avec une collègue, Myriam ; je ...... (préférer) habiter avec quelqu'un. Le soir, nous ...... (sortir) ou nous ...... (discuter) mais nous ne ...... (parler) pas de travail. Le week-end, nous ...... (dormir) beaucoup et parfois nous ...... (prendre) la voiture pour aller au bord de la mer parce que les parents de Myriam ont une maison en face de la plage. Là, nous ...... (faire) beaucoup de sport et nous ...... (manger) très bien. Voilà ma nouvelle vie. Je ...... (espérer) que tu vas venir bientôt. Bises.

Cécile

37 **À vous !** **Racontez leur emploi du temps.**

38 Conjuguez au présent. Si nécessaire transformez *je* en *j'*.

Informations pratiques

1. La banque *ferme* (fermer) à 17 heures.
2. Les chiens ne ...... (pouvoir) pas entrer.
3. Nous ...... (faire) toutes les réparations.
4. Le métro ne ...... (rouler) pas la nuit.
5. Vous ...... (devoir) payer à la caisse.
6. Nous ...... (écrire) pour vous des lettres administratives.
7. Une hôtesse vous ...... (attendre) à l'entrée.
8. Nous ...... (accepter) les chèques.
9. Il ...... (être) interdit de fumer.
10. Je ...... (acheter) tous types de timbres.

9 Les temps du passé

Le passé composé

Observez

Auxiliaire *être*

Participe passé du verbe *aller*

Bonjour,
Tout va bien. Hier, **je suis allé** à Barcelone avec des amis. **Nous nous sommes** bien **amusés. Nous avons vu** toutes les réalisations de Gaudi. **J'ai pris** beaucoup de photos. Bises. Julien.

Auxiliaire *avoir*

a. Le passé composé est formé de l'auxiliaire …… ou de l'auxiliaire …… et d'un participe passé.
b. Les auxiliaires sont conjugués au présent. Vrai ☐ Faux ☐

Le participe passé

➤ Les verbes avec l'infinitif en *-er*

Observez

Infinitif	Participe passé
All**er**	all**é**
Achet**er**	achet**é**
Chang**er**	chang**é**
Commenc**er**	commenc**é**
Dans**er**	dans**é**
Préfér**er**	préfér**é**

Le participe passé des verbes en *-er* se termine par …… .

Entraînez-vous

1 **Complétez le tableau.**

Infinitif	Participe passé
1. demander	*demandé*
2. ……	regardé
3. essayer	……
4. marcher	……
5. ……	remercié
6. donner	……
7. apporter	……
8. ……	échangé

2 **Écrivez l'infinitif et le participe passé des verbes soulignés comme dans l'exemple.**

Exemple : Elles étudient l'informatique. → étudier → étudié

1. Nous parlons ensemble.
2. Il voyage en Europe.
3. Vous achetez des cadeaux.
4. Ils vont à l'opéra.
5. Nous commençons à travailler.
6. Il neige.
7. Tu remercies tes invités.
8. Je regarde un DVD.

➤ Les verbes avec l'infinitif en *-ir, -re, -oir*

Observez

Infinitif	Participe passé
Avoir	**eu**
Chois**ir**	chois**i**
Di**re**	di**t**
Être	**été**
Ouvr**ir**	ouv**ert**
Pren**dre**	pr**is**
V**oir**	v**u**

a. Quel est le participe passé du verbe *être*, du verbe *avoir* ? ...... / ......

b. Pour les autres verbes, quelles sont les terminaisons possibles ? ...... / ...... / ...... / ...... / ......

Entraînez-vous

3 **Associez les infinitifs et les participes passés.**

1. *apprendre*
2. comprendre
3. décrire
4. dormir
5. dire
6. écrire
7. finir
8. mettre
9. partir
10. permettre
11. prendre
12. rire
13. servir
14. sortir
15. traduire

a. traduit
b. permis
c. parti
d. écrit
e. dit
f. sorti
g. pris
h. ri
i. servi
j. compris
k. fini
l. mis
m. dormi
n. *appris*
o. décrit

4 Associez les infinitifs et les participes passés.

1. *attendre*
2. boire
3. connaître
4. courir
5. croire
6. devoir
7. entendre
8. lire
9. perdre
10. pleuvoir
11. pouvoir
12. recevoir
13. répondre
14. savoir
15. tenir
16. venir
17. vivre
18. voir
19. vouloir

a. tenu
b. bu
c. plu
d. vu
e. *attendu*
f. reçu
g. voulu
h. connu
i. pu
j. couru
k. su
l. entendu
m. perdu
n. lu
o. vécu
p. dû
q. répondu
r. venu
s. cru

5 Écrivez les infinitifs.

naître – ouvrir – avoir – faire – découvrir – mourir – *offrir* – être.

1. offert → *offrir*
2. eu → ......
3. été → ......
4. fait → ......
5. mort → ......
6. né → ......
7. ouvert → ......
8. découvert → ......

6 Complétez le tableau avec les formes du participe passé.

apprendre, attendre, avoir, choisir, comprendre, courir, dire, dormir, écrire, entendre, être, finir, lire, mettre, offrir, ouvrir, perdre, pouvoir, prendre, répondre, réussir, rire, savoir, sortir, venir, vouloir

-é	-i	-it	-is	-u	-ert
......	......	......	*appris*	......	......
	......	......	......	......	......
	......		......	......	
	......		......	......	
	......			......	
	......			......	
				......	
				......	
				......	
				......	
				......	

Le passé composé avec l'auxiliaire *avoir*

Observez

– Qu'est-ce que **vous avez fait** cet après-midi ?
– Moi, **j'ai regardé** un DVD.
– Et toi, Éva, **tu as fini** ton travail ?
– Non, **je** n'**ai** pas **terminé** parce que **Catherine a téléphoné** et **on a parlé** longtemps. **Ses grands-parents ont eu** un accident !
– C'est grave ?

a. L'auxiliaire *avoir* est conjugué au présent. **Vrai ☐ Faux ☐**
b. Avec l'auxiliaire *avoir*, le participe passé s'accorde avec le sujet. **Vrai ☐ Faux ☐**
c. Devant l'auxiliaire *avoir*, *je* et *ne* s'écrivent ...... et ....
d. Mettez dans l'ordre : n' / Je / terminé / pas / ai → ......

Entraînez-vous

7 **Associez.**

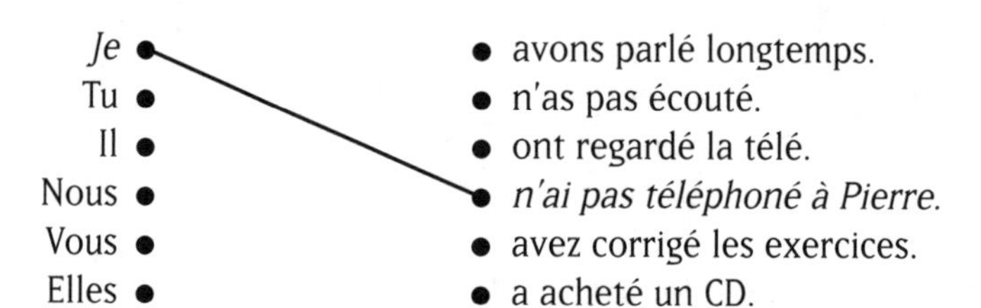

8 **Choisissez la forme qui convient et complétez. Si nécessaire, transformez *je* en *j'*.**

as acheté – ai payé – ont visité – a confirmé – avons voyagé – avez réservé

1. Tu *as acheté* les billets d'avion.
2. Vous ...... les chambres d'hôtel.
3. Elle ...... les réservations.
4. Je ....
5. Nous ...... ensemble.
6. Ils ...... un pays splendide.

9 **Conjuguez au passé composé. Si nécessaire, transformez *je* en *j'*.**

1. On *a vu* (voir) ce chanteur trois fois.
2. Ils ...... (gagner) trois matchs de suite et ils ...... (perdre) les deux suivants.
3. Je ...... (lire) et je ...... (relire) ce roman plusieurs fois.
4. Nous ...... (sonner) dix fois et enfin elle ...... (répondre).
5. Je ...... (rencontrer) cet homme deux fois de suite chez le boulanger.

10 Mettez les mots dans l'ordre.

1. n' / pas / Je / ai / téléphoné
   → *Je n'ai pas téléphoné.*
2. a / écrit / pas / Il / n'
3. appelé / avons / n' / pas / Nous
4. pas / n' / répondu / avez / Vous
5. Tu / pas / as / signé / n' /
6. compris / ont / n' / Elles / pas
7. a / On / pas / n' / entendu

11 Transformez les phrases à la forme négative.

1. Ils ont écouté les nouvelles. → *Ils n'ont pas écouté les nouvelles.*
2. J'ai regardé la télévision. → ....
3. Nous avons lu le journal. → ....
4. Tu as consulté Internet. → ....
5. Vous avez allumé la radio. → ....
6. Elle a ouvert le courrier. → ....

12 Conjuguez au passé composé. Si nécessaire, transformez *je* en *j'* ou *ne* en *n'*.

1. Ce matin, *j'ai couru* (courir) pour aller à la fac.
2. L'année dernière, nous ...... (prendre) l'avion pour la première fois.
3. Il ...... (acheter) une nouvelle voiture la semaine dernière.
4. Nous ...... (déménager) il y a une semaine.
5. Hier soir, je ...... (ne pas faire) de sport.
6. Il ...... (offrir) une très jolie montre à sa femme pour Noël.
7. Tu ...... (inviter) tous tes amis le week-end dernier ?
8. Excuse-nous, nous ...... (ne pas pouvoir) venir hier.

13 Conjuguez au passé composé. Si nécessaire, transformez *je* en *j'* ou *ne* en *n'*.

1. Il *a neigé* (neiger) toute la nuit.
2. Je ...... (étudier) l'allemand pendant deux ans.
3. Les enfants ...... (dormir) jusqu'à midi.
4. Vous ...... (attendre) le bus combien de temps ?
5. Le spectacle ...... (ne pas durer) longtemps.
6. Ils ...... (visiter) l'île en une semaine.
7. Nous ...... (faire) la queue une heure à la poste.
8. Dimanche, il ...... (pleuvoir) toute la journée.
9. Nous ...... (ne pas utiliser) l'ordinateur pendant nos vacances.
10. La fête ...... (continuer) jusqu'à 3 heures du matin.
11. Combien d'années vous ...... (enseigner) ?
12. Je ...... (ne pas écrire) de carte postale cet été !

14 Conjuguez au passé composé. Si nécessaire, transformez *je* en *j'* ou *ne* en *n'*.

– Qu'est-ce qui s'est passé ?
– On *a entendu* (entendre) une explosion et on ...... (voir) de la fumée. Les enfants ...... (avoir) peur mais ils ...... (ne pas crier). Moi, je ...... (remarquer) un homme là-bas, je...... (vouloir) le suivre, je ...... (courir) derrière lui mais je ...... (ne pas pouvoir) l'arrêter !

15 Conjuguez au passé composé. Si nécessaire, transformez *ne* en *n'*.

D'abord, il *a révisé* (réviser) puis il ...... (passer) son examen. Malheureusement, il ...... (ne pas finir) tous les exercices et il ...... (rater) son examen. Alors, il ...... (réfléchir) et il ...... (recommencer). Et bravo, la deuxième fois, il ...... (réussir) !! Il ...... (choisir) un bon restaurant et il ...... (fêter) ses résultats avec ses amis. Il ...... (ne pas dormir) de la nuit.

16 Conjuguez au passé composé. Si nécessaire, transformez *je* en *j'*.

Bon anniversaire !

– Alors, vous *avez passé* (passer) une bonne soirée ?
– Excellente ! Nous ...... (dîner) et au dessert, on ...... (boire) du champagne, Julie ...... (souffler) ses bougies et elle ...... (ouvrir) ses cadeaux.
– Qu'est-ce qu'elle ...... (avoir) comme cadeaux ?
– Du parfum, un chemisier et un DVD.
– Elle ...... (être) contente de ses cadeaux ?
– Très contente !! Et après on ...... (faire) une partie de scrabble. Je ...... (gagner) !
– Vous ...... (prendre) des photos, j'espère.
– Oui, tiens, regarde !

17 Transformez au passé composé.

Généralement, je commence la journée avec un bon café. Puis je fais de la gymnastique et je prends une douche. Après je lis le journal, je range ma chambre et je travaille. J'écris toute la journée, j'arrête un peu pour déjeuner. Vers 19h, je cours dans le parc et après, je dîne.

Hier, j'ai commencé la journée ....

18 **À vous !** Qu'est-ce que vous avez fait hier ?

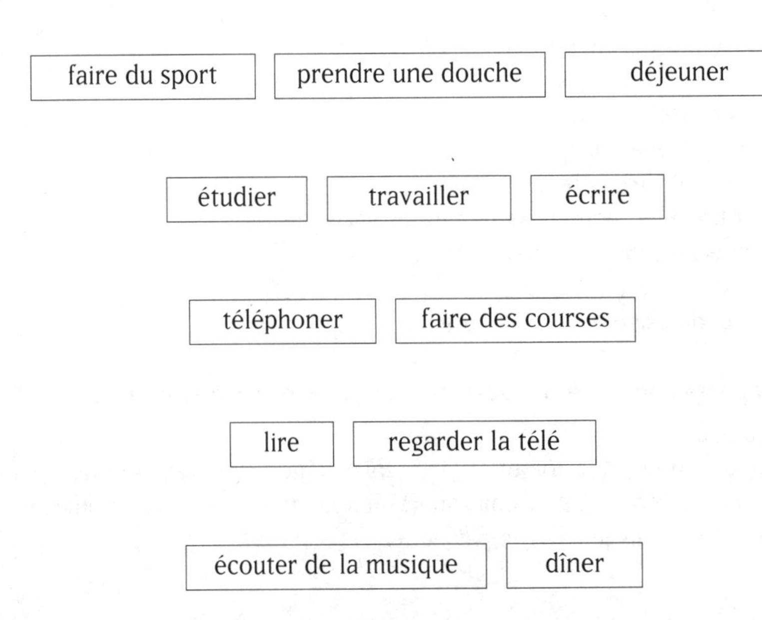

Le passé composé avec l'auxiliaire *être*

➤ 15 verbes

Observez

- – Catherine, **tu es restée** chez toi ce week-end ?
  – Non, **je suis allée** en province avec mon ami, **nous sommes partis** samedi matin et **nous sommes rentrés** dimanche soir. Et toi Marc ?
  – Ce week-end, **des amis sont venus** chez moi. Samedi, **nous** ne **sommes** pas **sortis** mais dimanche, **nous sommes montés** à la tour Eiffel.
  – Et tes amis sont encore là ?
  – Non, **ils sont retournés** chez eux dimanche soir.
- Victor Hugo **est né** en 1802 et **il est mort** en 1885.

a. L'auxiliaire *être* est conjugué au présent. Vrai ☐ Faux ☐
b. Avec l'auxiliaire *être*, le participé passé s'accorde avec le sujet. Vrai ☐ Faux ☐
c. Complétez la liste des 15 verbes qui se conjuguent avec *être* (classez-les par ordre alphabétique).
......, arriver, descendre, entrer, ..., ..., ..., ..., passer, ..., ..., ..., ..., tomber, ...
d. Mettez dans l'ordre : ne / Nous / sortis / pas / sommes → ......

Entraînez-vous

19 **De qui parle-t-on ? Associez chaque phrase à un dessin. (Plusieurs réponses sont possibles.)**

1. Vous êtes partis.
2. Vous êtes arrivé.
3. Vous êtes restées.
4. Vous êtes passés.
5. Vous êtes venu.
6. Vous êtes retournée.
7. Vous êtes sorties.
8. Vous êtes rentrés.

a.

b.

c.

d.

e.

1	2	3	4	5	6	7	8
c, ...							

20 **Associez.**

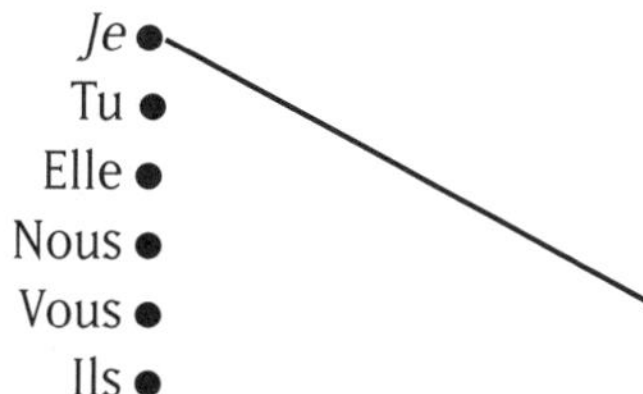

Je •	• n'êtes pas arrivés vite.
Tu •	• n'es pas venu chez moi.
Elle •	• ne sommes pas sortis hier soir.
Nous •	• ne sont pas passés par ici.
Vous •	• *ne suis pas parti tôt.*
Ils •	• n'est pas restée ici.

21 Associez toutes les formes possibles.

1. Je suis
2. Tu es
3. Marie est
4. Paul est
5. Nous sommes
6. Vous êtes
7. Paul et Marie sont
8. Marie et Claire sont
9. Paul et Stéphane sont

a. entré à l'école primaire en 1977.
b. entrée au collège en 1982.
c. entrés au lycée en 1986.
d. entrées à l'université en 1989.

1	2	3	4	5	6	7	8	9
a, ...								

22 Choisissez la forme qui convient et complétez.

sont rentrés – n'êtes pas partis – *suis sorti* – est arrivé – es venu – ne sommes pas restés

1. Je *suis sorti* tard.
2. Tu ...... très vite.
3. Mon frère ...... en retard.
4. Nous ...... longtemps.
5. Vous ...... ensemble.
6. Les voisins ...... tôt.

23 Accordez les participes passés si nécessaire. (Plusieurs réponses sont parfois possibles.)

1. Je suis *sorti(e)* de chez moi à 8 heures.
2. Nous ne sommes pas parti...... seuls.
3. Elle est mort...... en quelle année ?
4. Clément, tu es entré...... dans quel magasin ?
5. Elle est monté...... à pied et est descendu...... par l'ascenseur.
6. Ils ont passé deux semaines à Toulouse et sont retourné...... dans leur pays.
7. Elles sont resté...... chez elles.
8. Vous êtes venu...... en taxi ?
9. Il n'est pas encore arrivé...... .
10. Nous sommes passé...... devant la gare.
11. Elle est né...... hier.
12. Je suis tombé...... dans la rue.
13. Ils sont allé...... à la piscine.

24 Mettez les mots dans l'ordre.

1. pas / Je / né / à Paris / suis / ne → *Je ne suis pas né à Paris.*
2. n' / pas / est / chez ses parents / Elle / retournée
3. à l'étranger / êtes / pas / Vous / n' / allé
4. sommes / pas / à la campagne / Nous / ne / partis
5. Tu / resté / en France / n' / pas / es
6. dans leur pays / Ils / morts / pas / sont / ne

25 **Conjuguez au passé composé. (Plusieurs réponses sont parfois possibles).**

1. Je *suis arrivé(e)* (arriver), tu ...... (partir).
2. Vous ...... (monter), nous ...... (descendre).
3. Il ...... (naître), il ...... (tomber) malade, il ...... (mourir).
4. Nous ...... (entrer), vous ...... (sortir).
5. Elles ...... (venir) mais elles ...... (ne pas rester) longtemps : après, elles ...... (aller) à une fête.
6. Ils ...... (passer) chez moi puis ils ...... (retourner) chez eux. Et moi, je ...... (rester) seul !!!

26 **Faites des phrases au passé composé.**

1. venir à Paris en voiture – passer par Lyon – arriver très tard le soir
   Samedi dernier, *ils sont venus à Paris en voiture, ils ......*
2. tomber malade – ne pas sortir de chez elle – rester à la maison
   La semaine dernière, elle ......
3. sortir – aller à l'opéra – rentrer en taxi
   Hier soir, nous ......

➤ Les verbes pronominaux

Observez

• Ce matin, **elle s'est réveillée** à huit heures et **nous nous sommes retrouvés** à midi.
• Cette nuit, **ils** ne **se sont** pas **couchés, ils se sont amusés** jusqu'à 5 heures !

a. Devant le verbe, il y a un pronom qui représente la même personne que le sujet. Vrai ☐ Faux ☐
b. Ce pronom est placé devant l'auxiliaire *être*. Vrai ☐ Faux ☐
c. Mettez dans l'ordre : ne / Ils / couchés / pas / se / sont → ......

Entraînez-vous

27 **Associez.**

Je •	• se sont habillées rapidement ?
Tu •	• *me suis réveillé de très bonne heure.*
Il •	• nous sommes couchés à minuit.
Nous •	• s'est rasé ?
Vous •	• t'es lavé ?
Elles •	• vous êtes endormis à quelle heure ?

28 **Soulignez la (les) forme(s) convient (conviennent).**

1. Isabelle s'est (levé – levée – levé – levés) à 10 heures.
2. Je me suis (réveillé – réveillés – réveillée – réveillées) tôt.
3. Ils se sont (baigné – baignées – baignés – baignée) dans la rivière.
4. Nous nous sommes beaucoup (reposées – reposée – reposé – reposés).
5. Mes amies Brigitte et Gaëlle se sont (promenée – promenés – promenées – promené).
6. Mon frère s'est (perdu – perdue – perdues – perdus) dans la forêt.
7. Tu t'es (couché – couchés – couchées – couchée) très tard ?
8. Vous vous êtes bien (amusées – amusé – amusée – amusés) ?

29 **Mettez les mots dans l'ordre.**

1. trompé / ne / Je / de chemin / suis / pas / me → *Je ne me suis pas trompé de chemin.*
2. ne / pas / est / dans le parc / Elle / s' / promenée
3. en vacances / êtes / pas / Vous / ne / amusées / vous
4. sommes / pas / rencontrés / Nous / ne / en ville / nous
5. Tu / perdu / t' / ne / pas / es / sur la route
6. ne / sont / Elles / pas / dans le lac / baignées / se

30 **Transformez les phrases à la forme négative.**

1. Elle s'est réveillée tard. → *Elle ne s'est pas réveillée tard.*
2. Ils se sont préparés vite. → ....
3. Je me suis dépêchée. → ....
4. Vous vous êtes habitués. → ....
5. Nous nous sommes habillés. → ....
6. Tu t'es coiffé. → ....

31 **Transformez au passé composé.**

Journée d'Amélie
Le matin, je me réveille à 7 heures et je me lève tout de suite. Je me lave et je m'habille.
Hier matin, je me suis réveillée...

Le soir, je ne me couche pas trop tard et je m'endors avec un bon livre.
Hier soir, ...

32 **Conjuguez au passé composé.**

1. – Allô !
   – Madame Lesur ?
   – Ah non.
   – Excusez-moi, je ...... (se tromper) de numéro.
2. – Hassan et Léo se connaissent ?
   – Oui, ils ...... (se rencontrer) hier à un séminaire.
3. – Tes amies viennent avec nous en voyage ?
   – Non, elles ...... (ne pas s'inscrire) !
4. – Les garçons, vous avez eu un problème ?
   – Oui, nous ...... (se perdre) !
5. – Tu as l'air fatiguée, ma pauvre Caroline !
   – Oui, je ...... (s'endormir) à 3 heures du matin !

L'imparfait

Observez

il était · ils voulaient · nous avions · tu finissais · je dormais · vous preniez · on lisait · j'écoutais

a. Complétez le tableau des terminaisons de l'imparfait.

Personnes	Terminaisons
Je	-ais
Tu	-......
Il / Elle / On	-......
Nous	-......
Vous	-......
Ils / Elles	-......

b. Transformez les verbes à l'imparfait.

Infinitif	Présent	Imparfait
Avoir	Nous **av**ons	Ils **av**......
Dormir	Nous **dorm**ons	Nous **dorm**......
Écouter	Nous **écout**ons	J'**écout**......
Être	Nous sommes	Elle ......
Finir	Nous **finiss**ons	Vous **finiss**......
Lire	Nous **lis**ons	Tu **lis**......
Prendre	Nous **pren**ons	Je **pren**......
Vouloir	Nous **voul**ons	Elles **voul**......

c. Pour former l'imparfait, on ajoute les terminaisons au radical de la 1re personne du pluriel du présent. Vrai ☐ Faux ☐

d. Quel verbe a un radical différent au présent et à l'imparfait ? ......

- Avant, **j'habitais** en banlieue, je **prenais** le train pour aller travailler. Maintenant, j'habite au centre-ville et je vais au bureau à pied.
- Quand nous **étions** enfants, mon frère et moi, nous **voulions** devenir célèbres.

e. ***J'habitais en banlieue – je prenais le train – nous étions enfants – nous voulions devenir célèbres*** **:**

☐ **décrivent une situation passée**

☐ **indiquent un moment précis du passé**

Entraînez-vous

33 **Associez.**

Souvenirs d'enfance

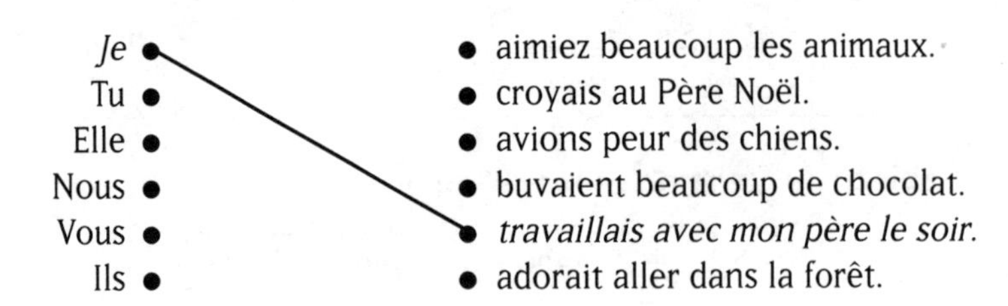

34 **Complétez avec les terminaisons de l'imparfait.**

1. Je lis......
2. Il dessin......
3. Vous chant......
4. Ils dorm......
5. Tu étudi......
6. Tu parl......
7. Tu fais......
8. Vous buv......
9. On finiss......
10. Elles av......
11. Nous dans......
12. J'écriv......

35 **Complétez le tableau.**

Infinitif	Présent avec *nous*	Imparfait
1. Aller	*Nous allons*	Ils *allaient*
2. Boire	......	Je ......
3. Choisir	......	Nous ......
4. Comprendre	......	Tu ......
5. Connaître	......	Vous ......
6. Croire	......	Elle ......
7. Devoir	......	On ......
8. Écrire	......	Elles ......
9. Être	......	J' ......
10. Faire	......	Tu ......

36 **Complétez à l'imparfait comme dans l'exemple.**

Exemple : Maintenant, nous habitons à Marseille. → Avant, nous habitions à Lyon.

1. Maintenant, vous travaillez dans une banque. Avant, ... dans une agence de voyages.
2. Maintenant, nous arrivons à l'heure. Avant, ... souvent en retard.
3. Maintenant, vous vivez en France. Avant, ... au Maroc.
4. Maintenant, nous faisons du karaté. Avant, ... du judo.
5. Maintenant, vous prenez la voiture. Avant, ... le bus.
6. Maintenant, nous avons une villa au bord de la mer. Avant, ... un chalet dans les Alpes.

37 **Complétez les phrases.**

Quand nous étions enfants...
1. Je voulais être danseuse, mon frère *voulait* être pompier.
2. Je faisais de la danse, ma sœur ...... du basket.
3. Je lisais des romans, mes frères ...... des bandes dessinées.
4. J'allais à l'école du village, mes cousins ...... au collège.
5. J'aimais les chats, ma cousine ...... les chiens.
6. Je jouais avec mes poupées, mon frère ...... avec ses voitures.
7. Je partais en vacances avec mes parents, ma sœur aînée ...... avec ses amis.

38 **À vous ! Qu'est-ce que vous faisiez quand vous étiez enfants ?**

Bilan

39 **Transformez au passé composé avec *il* et *elle* comme dans l'exemple.**

Exemple : Il commence à 9 heures. → Il a commencé à 9 heures. / Elle a commencé à 9 heures.
1. Il s'arrête à midi.
2. Il va à la cantine.
3. Il reprend à 14 heures.
4. Il continue son travail jusqu'à 17 heures.
5. Il sort avec des collègues.
6. Il dîne au restaurant.
7. Il regarde un film.

Dans quelles phrases le participe passé change-t-il au féminin ? ...... / ...... / ......

40 **Dites si *je* est masculin (M) ou féminin (F) puis écrivez les phrases avec *nous*.**

1. Je suis arrivée, j'ai fermé la fenêtre, j'ai allumé les lumières, j'ai rangé la pièce. → *F*
   Nous sommes arrivées, ...
2. J'ai garé la voiture, je suis descendu, j'ai acheté le journal, je suis reparti. → ......
   Nous......
3. Je suis entrée, j'ai pris le courrier, j'ai vu la gardienne, je suis montée à la maison. → ......
   Nous......
4. J'ai acheté des fleurs, j'ai payé, je suis sortie du magasin, j'ai rencontré le voisin. → ......
   Nous......

41 **Conjuguez au passé composé**

Récit de vie
Je m'appelle Adeline, je *suis née* (naître) en 1986 dans un petit village de Provence. En 1996, mon père ...... (devoir) aller en Norvège pour son travail, alors ma famille ...... (déménager) et nous ...... (vivre) trois ans dans ce pays. Ma mère et moi, nous ...... (revenir) en France mais mon père ...... (rester) encore un an. Ensuite, nous ...... (habiter) deux ans ensemble et mon père ...... (repartir) en Suède. Il nous manque !

42 Conjuguez au passé composé. Si nécessaire, transformez *je* en *j'*.

Dans l'ascenseur

Hier, *j'ai eu* (avoir) très peur quand je ...... (prendre) l'ascenseur. Je ...... (entrer) dans la cabine, je...... (appuyer) sur le bouton, la porte ...... (se refermer) normalement mais l'ascenseur ...... (ne pas bouger) ; je ...... (attendre) quelques instants et soudain il ...... (monter) très vite, il ...... (s'arrêter) brutalement et il ...... (repartir) jusqu'au dernier étage. La porte ...... (s'ouvrir) et je ...... (sortir) sans attendre.

43 Continuez la biographie au passé composé.

Mon arrière-grand-père Alphonse est né en 1915 dans un petit village...

1. Naître en 1915 dans un petit village près de Bordeaux.
2. Aller à l'école jusqu'à l'âge de 13 ans.
3. Commencer à travailler dans les vignes de Saint-Émilion.
4. Rencontrer Alice.
5. Se marier à 20 ans.
6. Gagner un premier prix pour son vin.
7. Recevoir une grosse somme d'argent.
8. Acheter un petit château.
9. Avoir 4 enfants.
10. Prendre sa retraite à 65 ans.
11. Donner le vignoble à son fils aîné.
12. Mourir l'an dernier.

44 Transformez au passé composé.

Bonjour,

Ça va ? Moi, ça va bien mais je vais te raconter une histoire incroyable ! Ma sœur et moi, nous prenons le train. Nous allons sur le quai et nous attendons quelques minutes. Le train entre en gare. Il s'arrête. Des gens descendent. Nous montons. Nous nous asseyons en face d'un homme bizarre. Le train repart. Deux contrôleurs entrent. Ils demandent les billets. L'homme se lève, il va de l'autre côté et il descend du train en marche ! Tout le monde regarde sans rien faire ! Incroyable, non ? À bientôt.

Alice.

Bonjour,

Ça va ? Moi, ça va bien mais je vais te raconter une histoire incroyable ! Ma sœur et moi, nous avons pris...

45 Conjuguez à l'imparfait.

Changements

1. Avant, Maxime *était* (être) célibataire. Maintenant, il est marié.
2. Avant, mon frère...... (ne pas conduire). Maintenant, il a son permis de conduire.
3. Avant, vous ...... (habiter) dans un studio. Maintenant, vous êtes dans un grand appartement.
4. Avant, elles ...... (ne pas savoir) dessiner. Maintenant, elles font des dessins magnifiques.
5. Avant, tu ...... (se trouver) trop grosse. Maintenant, tu es mannequin.
6. Avant, je ...... (partir) toujours en vacances au mois d'août. Maintenant, je prends mes vacances en juin.
7. Avant, nous ...... (se réveiller) à 6 heures. Maintenant, nous ne travaillons pas le matin.

10 Les temps du futur

Le futur proche

Observez

- Attention, **vous allez tomber** !
- – Qu'est ce que **tu vas faire** pendant tes vacances ?
  – Je ne sais pas encore mais je crois que **je vais aller** chez mon frère à la montagne : **on va faire** de la randonnée. Et surtout, **je vais me reposer**.
- – **Je ne vais pas être** en forme lundi !
  – Ah bon, pourquoi ?
  – Parce que je travaille tout le week-end, **je ne vais pas me reposer** !

a. Complétez la phrase suivante :
Le futur proche d'un verbe est formé du verbe …… conjugué au …… et de l'infinitif du verbe.
b. Mettez dans l'ordre :
– reposer / me / vais / Je → …… .
– ne / Je / pas / vais / être en forme → …… .
– pas / vais / Je / me / reposer / ne → …… .

Entraînez-vous

1 **Associez.**

Le train •	• vais arriver tard.
Vous •	• allons faire vite.
Tu •	• *va partir.*
Tes amis •	• allez perdre du temps.
Je •	• vas manquer le rendez-vous.
Nous •	• vont attendre.

2 **Choisissez la forme qui convient.**

1. Je (vas acheter – *vais acheter*) une carte de la région.
2. Tu (vas conduire – va conduire) sur les petites routes.
3. Ils (vont quitter – allons quitter) le travail plus tôt.
4. Normalement, nous (allons arriver – allez arriver) avant la nuit.
5. Vous (allons dormir – allez dormir) à l'hôtel.
6. Avec tes explications, on (va trouver – allons trouver) facilement.
7. Nous (allons passer – vont passer) un week-end formidable.

3 Transformez au futur proche comme dans l'exemple :

Exemple : On rentre. → On va rentrer.

1. Je pars. → ....
2. Tu montes. → ....
3. Il vient. → ....
4. Nous descendons. → ....
5. Vous sortez. → ....
6. Ils arrivent. → ....

4 Les phrases suivantes sont-elles au présent ou au futur proche ? Cochez.

	Présent	Futur proche
1. Tu vas au garage.	☑	☐
2. Tu vas changer de voiture bientôt ?	☐	☐
3. Elle va passer un examen à la fin de l'année.	☐	☐
4. Elle va à l'université.	☐	☐
5. Je vais à l'hôpital.	☐	☐
6. On va à la bibliothèque.	☐	☐
7. On va regarder dans un atlas.	☐	☐
8. Ils vont chez le dentiste.	☐	☐
9. Ils vont avoir mal.	☐	☐
10. Nous allons faire du ski en famille.	☐	☐
11. Nous allons à la montagne.	☐	☐
12. Vous allez au cinéma.	☐	☐

5 Mettez les mots dans l'ordre.

Pour trouver un travail

1. un cours de cuisine / Je / suivre / vais → *Je vais suivre un cours de cuisine.*
2. vas / Tu / un stage / faire
3. travailler / va / un restaurant / Il / dans
4. Nous / passer / allons / un examen
5. allez / un CV / envoyer / Vous
6. les petites annonces / Ils / lire / vont
7. vont / Elles / des lettres de candidature / écrire

6 Conjuguez au futur proche.

1. – Qu'est-ce que vous *allez faire* (faire) juste après le concours ?
   – Nous ...... (chercher) du travail.
2. – Tu ...... (partir) pour le week-end de trois jours ?
   – Je ne sais pas. Peut-être que je ...... (retrouver) des cousins en Normandie.
3. – Quand est-ce que tes amis ...... (arriver) ?
   – Sûrement demain. Ils ...... (appeler).
4. – Où est-ce que tu ...... (déjeuner) à midi ?
   – Je ne sais pas. Je ...... (voir).
5. – Mireille ...... (venir) pour ta fête ?
   – Je pense.

7 Choisissez un verbe et conjuguez au futur proche.

casser – partir – *neiger* – commencer – raconter – arriver – avoir

1. Regarde tous ces nuages. Il *va neiger.*
2. Attention, vous ...... le vase !
3. Chut, je ...... une histoire.
4. Ne t'inquiète pas, ils ......!
5. Vite, le train ....
6. Asseyez-vous, nous ...... la réunion.
7. Elle est contente ! Elle ...... une augmentation de salaire.

8 Associez et écrivez les phrases.

Je	vas	te coiffer.
Tu	allons	vous préparer.
Il	vont	*me dépêcher.*
Nous	va	se raser.
Vous	allez	nous doucher.
Elles	*vais*	se maquiller.

1. *Je vais me dépêcher.*
2. ....
3. ....
4. ....
5. ....
6. ....

9 Choisissez un verbe et complétez.

me fâcher – *te blesser* – nous perdre – te couper – se pincer les doigts – vous faire mal

Attention !

1. Arrête, tu vas *te blesser.*
2. Pose ce couteau, tu vas ....
3. Arrête, s'il te plaît, je vais ....
4. Regardons bien le plan, sinon, nous allons ....
5. Attention avec ce bâton, les enfants, vous allez ....
6. Oh là là ! Ils jouent avec la porte, ils vont .... !

10 Transformez au futur proche.

1. Tu t'assois. → *Tu vas t'asseoir.*
2. Je me lève. → ....
3. Il se couche. → ....
4. Nous nous reposons. → ....
5. Vous vous réveillez. → ....
6. Elles s'endorment. → ....

11 Conjuguez au futur proche.

1. Je *vais me souvenir* (se souvenir), ne t'inquiète pas, j'ai une bonne mémoire.
2. Ils ...... (se reposer), ils sont fatigués.
3. Tu ...... (s'amuser), c'est sûr !
4. Une très bonne nouvelle, nous ...... (se marier) !
5. Elle ...... (s'ennuyer) si elle reste seule.
6. Tu viens avec nous, on ...... (se promener).

12 **À vous !** **Qu'est-ce que vous allez faire ce soir ?**

13 **Conjuguez au futur proche à la forme négative.**

Il y a un problème !

1. Il est malade, il *ne va pas venir* (venir) à la soirée.
2. Elle ...... (danser), elle a mal à la cheville.
3. Tu ...... (acheter) de champagne, tu n'as pas assez d'argent.
4. Ils ...... (sortir), ils sont trop fatigués.
5. Nous ...... (rester) longtemps, nous avons beaucoup de travail.
6. Vous ...... (boire) d'alcool, vous devez conduire!
7. Elles ...... (préparer) de gâteau aujourd'hui parce qu' elles n'ont pas le temps.

14 **Transformez comme dans l'exemple.**

Exemple : Je m'arrête. → Je ne vais pas m'arrêter.

1. Ils se promènent. → ....
2. Nous nous amusons. → ....
3. Tu t'ennuies. → ....
4. Vous vous reposez. → ....
5. Ils s'inquiètent. → ....
6. Je me couche. → ....

Le futur simple

Formation régulière

Observez

– Tu me **téléphoneras** demain quand vous **arriverez** ?
– Oui, c'est promis, je te **téléphonerai**.
– Et vous m'**écrirez** toutes les semaines ?
– Oui, on t'**écrira**. Ne t'inquiète pas !
– Et vous **penserez** aussi à envoyer une carte postale à votre grand-mère !
– Entendu, nous n'**oublierons** pas et nous choisirons une belle carte.

a. Complétez le verbe avec les terminaisons du futur.

J'	arriver......	Nous	arriver......
Tu	arriver......	Vous	arriver......
Il/Elle/On	arriver......	Ils/Elles	arriver......

b. Pour les verbes avec l'infinitif en *–er* et *–ir*, le radical du futur est l'infinitif. Vrai ☐ Faux ☐
c. Pour les verbes avec l'infinitif en *–re*, le *e* final disparaît. Vrai ☐ Faux ☐
d. Mettez dans l'ordre : pas / Nous / oublierons / n' → …… .
e. Reconstituez la conjugaison des verbes *oublier* et *écrire* au futur.

	Oublier	Écrire
J'	……	……
Tu	……	……
Il/Elle/On	……	……
Nous	……	……
Vous	……	……
Ils/Elles	……	……

Entraînez-vous

15 Associez. (Plusieurs réponses sont possibles.)

1. Ils
2. Vous
3. Tu
4. Mes amis
5. Nous
6. J'
7. L'étudiant
8. Je
9. Les étudiantes
10. On

a. comprendrai vite.
b. étudierons ensemble.
c. copierez le modèle.
d. analyserai l'article.
e. réfléchiras seul.
f. *liront le texte.*
g. écouteras les consignes.
h. ne répondront pas tout de suite.
i. expliquerai les difficultés.
j. regardera la traduction.
k. n'oublierez pas vos livres.
l. corrigerons l'exercice ensemble.

1	2	3	4	5	6	7	8	9	10
f, …									

16 Choisissez la forme du verbe qui convient.

1. J' (attendras – *attendrai*) nos amis à l'aéroport.
2. Ils (descendrons – descendront) à l'hôtel.
3. Vous (réserverez – réserverai) les places d'opéra.
4. Tu (garderas – gardera) les billets.
5. Vous (choisirai – choisirez) les meilleures places, bien sûr.
6. Nous (arriverons – arriveront) en avance.
7. On (laisseras – laissera) la voiture au parking.
8. Nous nous (retrouveront – retrouverons) devant le théâtre.
9. Les enfants (aimeront – aimerons) ce spectacle.
10. Nous (passeront – passerons) une bonne soirée.

17 **Mettez dans l'ordre.**

Départ en vacances

1. se / dépêchera / On → *On se dépêchera.*
2. vous / réveillerez / tôt / Vous
3. Tu / habilleras / t' / chaudement
4. Vous / vite / préparerez / vous
5. s' / pour déjeuner / arrêtera / On / vers midi
6. toute la journée/ roulerons / Nous
7. vous / Vous / reposerez / plus tard
8. le soir / Nous / doucherons / nous

18 **Conjuguez au futur.**

1. Tu *quitteras* (quitter) ton pays.
2. Nous ...... (changer) de ville.
3. Ils ...... (partir) à l'étranger.
4. On ...... (commencer) une nouvelle vie.
5. Je ...... (s'installer) au bord de la mer.
6. Vous ...... (habiter) dans une autre région.
7. Elles ...... (déménager) souvent.
8. Tu ...... (rester) ici.

19 **Conjuguez au futur.**

1. Tu *refuseras* ou tu *accepteras* ? (refuser – accepter)
2. Elle ...... puis elle .... (hésiter – décider)
3. Je ...... mais tu .... (continuer – arrêter)
4. Elle ...... mais elle ne ...... pas. (chercher – trouver)
5. Il ...... et j'...... . (demander – expliquer)
6. On ...... mais on ne...... pas. (chanter – crier)
7. J'......, je ne ...... pas. (étudier – jouer)
8. Tu ...... célibataire ou tu ...... ? (rester – se marier)

20 **Choisissez un verbe et conjuguez au futur.**

inviter – découvrir – danser – dormir – jouer – *organiser*

Pour tes 30 ans

1. J'*organiserai* une grande fête
2. On ...... amis et collègues.
3. Ils ...... notre jolie maison.
4. Les enfants ...... dans le jardin.
5. On ...... toute la nuit.
6. Nous ne ...... pas beaucoup !

Les verbes avec un radical irrégulier

Observez

- – Qu'est-ce que vous **ferez**, l'année prochaine ?
  – Moi, j'**irai** à la Sorbonne, pour mes études d'histoire.
  – Moi, je **devrai** partir à l'étranger pour mon master européen.
- – Quand j'**aurai** 18 ans, je **serai** majeur, je **pourrai** tout faire !
  – On **verra** !!!
- – Tu as mon adresse ? Tu crois que tu **sauras** venir ?
  – Ne t'inquiète pas, nous **viendrons** en taxi de l'aéroport et je pense que nos amis **voudront** faire le tour de la ville avant d'aller chez toi.

Complétez le tableau.

Terminaisons	Infinitif	Radical	Futur
	aller	......	Tu ......
	avoir	......	Nous ......
	devoir	......	Il ......
-ai	envoyer	enverr-	On ......
-as	être	......	Elles ......
-a	faire	......	Il ......
-ons	pouvoir	......	Vous ......
-ez	recevoir	recevr-	Elles ......
-ont	savoir	......	Nous ......
	tenir	tiendr-	Vous ......
	venir	......	Je ......
	voir	......	Tu ......
	vouloir	......	Nous ......

Entraînez-vous

21 **Associez. (Plusieurs réponses sont possibles)**

1. Mes parents
2. Ma sœur
3. J'
4. Vous
5. Je
6. Tu
7. Nous

a. aurai 20 ans l'an prochain.
b. seras à l'université en octobre.
c. serez en vacances.
d. aura un examen important à passer.
e. *auront 60 ans cet été.*
f. aurons beaucoup de possibilités.
g. seront bientôt à la retraite.
h. serai avec mes amis.
i. saurez les dates exactes ?
j. sera nerveuse.
k. auras beaucoup de cours.
l. ne saurons pas quoi choisir.

1	2	3	4	5	6	7
e, ...						

22 **Complétez avec les verbes *avoir, être* ou *savoir* au futur.**

En voyage !

1. – Vous *serez* prêt à 7 heures ? – Non, nous ne ...... pas prêts avant 8 heures !
2. – Tu ...... un sac ou une valise ? – J'...... une petite valise.
3. – Jacques ...... la voiture ? – Il ne sait pas, il ...... ça demain.
4. – Ils ...... les billets ? – Oui, et ils ...... en avance.
5. – Nous ...... à la gare. – Mais vous ...... où, exactement ?
6. – Tu ...... ta réservation ? – Oui, mais je ne...... pas le numéro du quai tout de suite.

23 Associez. (Plusieurs réponses sont possibles.)

a. irez au cinéma.
1. Nous — **b.** *ferons du yoga.*
2. Tu — **c.** ira à la piscine.
3. Ils — **d.** irai au stade.
4. Vous — **e.** feront des promenades.
5. On — **f.** ferai de la danse.
6. J' — **g.** iras au concert.
7. Elle — **h.** iront à la plage.
8. Les enfants — **i.** fera du violon.
9. Mon mari — **j.** feras du golf.
10. Je — **k.** feront du volley.
l. irons en Corse en août.
m. ferez des excursions.

1	2	3	4	5	6	7	8	9	10
b, ...									

24 Complétez avec les verbes *aller* ou *faire* au futur. Si nécessaire, transformez *je* en *j'*.

– Qu'est-ce que vous *ferez* (1) pendant votre stage « Sport et musique » ?
– Ça dépend. Moi, je ...... (2) de la natation et du violon. Je crois que je ...... (3) à la piscine tous les matins.
– Et ton frère, il ...... (4) la même chose ?
– Non, lui et ses copains, ils ...... (5) du football et de la guitare, je crois. Ils ...... (6) au stade l'après-midi.

25 Complétez avec les verbes *voir* ou *envoyer* au futur.

1. – Tu *enverras* des nouvelles, j'espère ?
– Je te promets que j'...... une carte postale par semaine !
– On ...... si tu dis la vérité !
2. – Nous n'...... pas ce paquet par avion, il est trop lourd.
– Mais si, tu ......, on l'...... sans problème.
3. – Vous ...... une photocopie de votre passeport, et puis nous ...... si votre dossier est complet.

26 Complétez avec les verbes *venir, tenir* ou *revenir* au futur.

1. – Nous ne *viendrons* pas cette année.
– C'est dommage, mais vous ...... l'année prochaine, n'est-ce pas ?
2. – Attention, c'est dangereux, ça glisse, vous ...... bien la rampe pour descendre.
3. – Tu pars pour une semaine ?
– Oui, je ...... le 16 exactement.
4. – Ne les attendons pas, ils viennent de partir et ils ne ...... pas avant une heure.

27 Complétez avec le verbe *vouloir* ou *pouvoir* au futur.

1. – Tu *voudras* bien faire les exercices de maths avec moi ?
– Pour moi, c'est trop difficile, mais Paul ...... t'expliquer, je pense ; il est fort en maths !
2. Où aller en vacances l'été prochain ? Difficile de choisir ! Mes garçons ...... rester avec leurs cousins, ma fille ...... aller chez ses amies et ma femme et moi, nous ...... préparer notre futur déménagement ! Alors, je ne sais pas si nous ...... décider facilement.

28 **Complétez avec le verbe *devoir* au futur.**

Pour entrer à l'université
1. Vous *devrez* déposer un dossier.
2. Tu ...... faire une demande écrite.
3. Nous ...... présenter une pièce d'identité.
4. Ils ...... remplir tous les papiers.
5. Elle ...... signer sa carte.

Bilan

29 **Conjuguez au futur proche.**

Cinéma. Attention, on tourne !
Mario, tu *vas te mettre* (se mettre) ici,
et Claudia, tu ...... (s'asseoir) derrière,
comme ça. Vous ...... (se parler) doucement.
Pendant ce temps, les autres ...... (s'approcher) et toi,
Claudia, tu ...... (se lever) lentement,
et avec Mario, vous ...... (rester) là sans bouger.
Alors tout le groupe ...... (s'arrêter) et il ...... (rire),
et vous ...... (rire) ensemble de plus en plus fort.

30 **Transformez à la forme affirmative ou à la forme négative du futur proche.**

Mariage
1. Ma sœur va se marier en décembre → *Ma sœur ne va pas se marier en décembre.*
2. On ne va pas faire une grande fête.
3. Ses amis ne vont pas venir.
4. Cela va être un grand mariage.
5. Nous n'allons pas danser et chanter.
6. Les mariés vont partir en voyage de noces.
7. Nous allons nous amuser.

31 **Transformez le texte au futur simple.**

Souvent, le samedi, je ne me lève pas trop tard. Je prends un bon petit déjeuner, comme ça, je n'ai pas besoin de déjeuner. Je me prépare et je quitte la maison. Je vais me promener ou je vais voir une exposition, cela dépend du temps. Dans la soirée, je passe chez des amis et nous prenons un verre. Nous dînons ensemble. Je rentre chez moi un peu fatigué mais content.

Samedi prochain, c'est sûr, comme d'habitude, je ne me lèverai pas trop tard...

32 **À vous ! Des amis viendront chez vous le week-end prochain. Racontez vos projets avec eux.**

33 Conjuguez au futur simple.

La météo

Demain nous *serons* (être) mardi 19 avril, et il ...... (faire) encore froid pour ce début de saison. Les températures ...... (rester) très fraîches, 7 degrés maximum, et malheureusement la pluie ...... (traverser) tout le pays le matin. Le soleil ...... (revenir) dans l'après-midi, mais le vent ...... (souffler) assez fort. Les automobilistes ...... (devoir) faire attention en montagne, il ...... (y avoir) probablement quelques flocons de neige. Nous ...... (attendre) la semaine prochaine pour célébrer le printemps !

34 Conjuguez au futur simple.

Pour aller à l'Institut du monde arabe

Quand tu *descendras* (descendre) du bus, tu ...... (être) rue de Sully. Alors, tu ...... (continuer) tout droit jusqu'au carrefour, et là tu ...... (tourner) à gauche et tu ...... (aller) jusqu'au pont. Tu ...... (traverser) la Seine et tu ...... (voir) l'Institut en face de toi. Moi, j'...... (attendre) à l'entrée. Nous ...... (visiter) l'exposition ensemble et nous ...... (pouvoir) aussi aller à la bibliothèque, elle est très bien.

35 À vous ! Expliquez comment on peut aller : chez vous, à votre bureau, à votre université, à un musée… Utilisez le futur simple.

36 Mettez les mots dans l'ordre.

Chez la voyante

1. Votre / passionnante / vie / sera → *Votre vie sera passionnante.*
2. une jeune fille / Vous / merveilleuse / rencontrerez
3. Elle / une voix / extraordinaire / aura
4. deviendra / célèbre / une chanteuse / Elle
5. vous / Vous / avec elle / marierez
6. déciderez / Vous / son impresario / d'être
7. aurez / Ensemble / quatre beaux enfants / vous
8. Ils / un groupe / formeront / musical
9. organiserez / des spectacles / dans le monde entier / Vous
10. Votre famille / un succès / connaîtra / international

II L'impératif

L'impératif des verbes réguliers

Observez

- – Marie, tu viens avec nous ce soir ?
  – Je n'ai pas très envie de sortir.
  – Oh si ! **Viens** !

- – Pauline, tu écoutes ou tu rêves ? S'il te plaît, **écoute, ne rêve pas** toujours comme ça, c'est important !

- – Où est-ce que tu vas ? Ce n'est pas la bonne direction ? **Va** à droite !

- – Nous allons prendre un verre avant d'aller au cinéma ?
  – Non, **allons** au cinéma d'abord !

- – Vous écrivez vraiment mal ! Je ne peux pas corriger votre devoir. S'il vous plaît, **écrivez** plus soigneusement !

a. Complétez le tableau.

Infinitif	Présent de l'indicatif	Impératif
Venir	Tu ……	……
Écouter	Tu ……	……
Rêver	Tu ……	……
Aller	Tu ……	……
Aller	Nous ……	……
Écrire	Vous ……	……

b. Il y a combien de personnes à l'impératif ? ……
c. À la 2e personne du singulier, la terminaison *–es* du présent devient …… à l'impératif.
d. À la 2e personne du singulier, l'impératif du verbe *aller* est …… .
e. Mettez dans l'ordre : pas / rêve / Ne → …… .

Entraînez-vous

1 Conjuguez à l'impératif.

Il faut mettre de l'ordre :

1. Tu ouvres la fenêtre. → *Ouvre* la fenêtre.
2. Tu ranges ton bureau. → …… ton bureau.
3. Tu plies tes vêtements. → …… tes vêtements.
4. Tu ne laisses rien par terre. → …… par terre.
5. Tu passes l'aspirateur. → …… l'aspirateur.
6. Tu jettes les papiers. → …… les papiers.
7. Tu vides la poubelle. → …… la poubelle.

2 Conjuguez à l'impératif.

Voyager en TGV

1. Vous achetez un billet. → *Achetez* un billet.
2. Vous réservez votre place. → ...... votre place.
3. Vous n'oubliez pas votre billet. → ...... votre billet.
4. Vous compostez votre billet. → ...... votre billet.
5. Vous vérifiez bien votre place. → ...... bien votre place.
6. Vous ne fumez pas. → ....

3 Conjuguez à la 2e personne du pluriel de l'impératif.

Poulet aux oignons

1. *Achetez* (Acheter) un beau poulet.
2. ...... (Couper) le poulet en morceaux.
3. ...... (Verser) un peu d'huile dans une cocotte.
4. ...... (Mettre) les morceaux de poulet dans l'huile chaude.
5. ...... (Éplucher) des petits oignons blancs.
6. ...... (Ajouter) les oignons.
7. ...... (Saler) et ...... (poivrer).
8. ...... (Faire) cuire pendant 25 minutes.
9. ...... (Servir) avec des légumes verts.

4 À vous ! Écrivez la recette d'un plat typique de votre pays.

5 Conjuguez à la 2e personne du singulier de l'impératif.

1. *Descends* (Descendre) du métro à la station Porte-de-Versailles.
2. ...... (Prendre) la sortie Palais des Expositions.
3. ...... (Monter) les escaliers.
4. ...... (Traverser) la grande place à gauche.
5. ...... (Passer) sous le grand portail.
6. ...... (Chercher) le bâtiment 4.
7. ...... (Demander) le plan de l'exposition.
8. ...... (Aller) au stand B3.

6 À vous ! Écrivez à un ami comment il doit faire pour vous retrouver à l'entrée d'un cinéma, d'un théâtre, ou d'un café.

7 Conjuguez à l'impératif.

Petits messages

1. S'il te plaît, avant de rentrer, *passe* (passer) à la boulangerie et ...... (acheter) le pain. ...... (ne pas oublier) non plus de prendre le courrier. Bises.
2. Madame, ... (ne pas faire) le ménage aujourd'hui, demain nous partons.
3. S'il te plaît, ... (aller) à l'agence pour réserver les billets. À ce soir.
4. ...... (penser) à appeler Louise. Bisous.
5. Luc, si mamie téléphone ...... (ne pas parler) de la fête de samedi, c'est une surprise.
6. Les enfants, ... (dire) à Stéphanie de me téléphoner. Bisous.

8 **Transformez les phrases à l'impératif comme dans l'exemple.**

Exemple : Nous ne devons pas rentrer tard. → Ne rentrons pas tard !

Prudence !

1. Vous ne devez pas sortir seul.
2. Tu ne dois pas aller dans ce quartier.
3. Nous ne devons pas passer dans ce souterrain.
4. Tu ne dois pas traverser là.
5. Nous ne devons pas prendre cette rue.
6. Vous ne devez pas partir à pied.
7. Tu ne dois pas faire demi-tour.
8. Vous ne devez pas tourner ici.

L'impératif des verbes *être* et *avoir*

Observez

Complétez le tableau.

Personne	Être	Avoir
Tu	……	……
Nous	soyons	ayons
Vous	……	ayez

Entraînez-vous

9 **Transformez avec l'impératif comme dans les exemples.**

Exemples : Nous ne sommes pas patients → Soyons patients !
Vous êtes nerveux. → Ne soyez pas nerveux !

1. Vous n'êtes pas prudents.
2. Tu as peur.
3. Nous n'avons pas confiance.
4. Tu n'es pas courageux.
5. Vous avez honte.
6. Tu n'es pas gentil.
7. Nous sommes tristes.
8. Vous n'êtes pas ponctuels.

L'impératif des verbes pronominaux

Observez

- Michel, **assieds-toi** là et monsieur Delarue, **asseyez-vous** ici.
- **Dépêchons-nous** de rentrer, il va pleuvoir.
- **Ne vous inquiétez pas**, le train va arriver à l'heure.
- Avant ton examen, **ne t'énerve pas** et **ne te couche pas** trop tard.

a. À l'impératif affirmatif, le pronom réfléchi est :
☐ **devant le verbe**
☐ **derrière le verbe**
b. À l'impératif négatif, le pronom réfléchi est :
☐ **devant le verbe**
☐ **derrière le verbe**
c. Complétez les formes : Assieds-...... / Ne ...... énerve pas / Ne ...... couche pas.
d. Mettez dans l'ordre : vous / pas / inquiétez / Ne → ......

Entraînez-vous

10 Associez.

1. Il est 8 heures. Vous dormez encore ?
2. Il y a une place libre ici.
3. Vous êtes fatigués ?
4. Tu es trop énervé.
5. Je vais vous examiner.
6. Tu n'as pas choisi ?
7. Tout va bien.

a. Assieds-toi.
b. Réveillez-vous !
c. Ne t'inquiète pas.
d. Vite, décide-toi.
e. Déshabillez-vous.
f. Calme-toi !
g. Reposez-vous.

11 Conjuguez à l'impératif.

1. Se réveiller → *Réveille-toi !*
2. Se lever → ....
3. Se laver → ....
4. Se raser → ....
5. S'habiller → ....
6. Se coiffer → ....
7. Se reposer → ....
8. Se calmer → ....

12 Mettez les mots dans l'ordre.

1. pas / Ne / éloignez / vous
→ *Ne vous éloignez pas !*
2. Ne / assieds / t'/ pas
3. Ne / pas / approche / t'
4. battons / nous / Ne / pas
5. pas / vous / Ne / arrêtez
6. Ne / perds / te / pas
7. t' / pas / inquiète / Ne
8. Ne / te / pas / dépêche
9. nous / pas / Ne / disputons

13 Mettez à la forme négative.

1. Parfume-toi, mais *ne te parfume pas* trop !
2. Asseyez-vous, mais ...... ici.
3. Arrête-toi, mais ...... tout de suite !
4. Inscrivons-nous, mais ...... dans ce club !
5. Reposez-vous, mais ...... trop longtemps !
6. Approche-toi pour voir, mais ...... trop près du bord.

14 Conjuguez à l'impératif.

1. *Entrez* (entrer), vous êtes les bienvenus.
2. ...... (s'asseoir) à côté de moi, si tu veux.
3. ...... (ne pas oublier) ton parapluie.
4. Tous les deux, ... (être) au rendez-vous à 14 heures.
5. ...... (ne pas aller) à la banque, c'est fermé.
6. Mesdemoiselles, ... (ne pas être) timides, ... (prendre) un peu plus de dessert.
7. ...... (revenir) la semaine prochaine, le directeur sera là.
8. ...... (écrire) si vous avez le temps.
9. Moi, je ne peux pas te renseigner. ...... (demander) à quelqu'un d'autre.
10. Vous allez être en retard, vite ...... (se lever) et ...... (s'habiller) !
11. ...... (s'approcher) du feu si tu as froid.
12. ...... (avoir) confiance en toi. Tu vas réussir.

15 Transformez à l'impératif comme dans les exemples.

Exemples : Nous attendons ou nous partons ? → N'attendez pas, partez !
J'écris ou je téléphone ? → N'écris pas, téléphone !

Que faire ?

1. J'accepte ou je refuse ?
2. Nous continuons ou nous nous arrêtons ?
3. J'attends ou je me décide tout de suite ?
4. Nous nous levons ou nous restons au lit ?
5. Je vais à la piscine ou je fais un jogging ?
6. Nous restons à la maison ou nous allons au restaurant ?

16 Transformez à l'impératif comme dans l'exemple.

Exemple : Tu ne dois pas pleurer. → Ne pleure pas.

Conseils

1. Vous devez dire la vérité.
2. Nous ne devons pas hésiter.
3. Vous ne devez pas boire trop de vin !
4. Tu dois travailler si tu veux réussir.
5. Vous ne devez pas avoir peur.
6. Nous devons faire très attention !
7. Tu ne dois pas te lever trop tard !
8. Vous devez chercher encore.
9. Tu ne dois pas venir trop tard !
10. Tu dois être prudent.

12 La forme impersonnelle

Les présentatifs

Observez

a. ***Voici, voilà,*** **et *c'est/ce sont* présentent des personnes ou des choses.** **Vrai** ☐ **Faux** ☐
b. Avec *voici* et *voilà,* il n'y a pas de verbe. **Vrai** ☐ **Faux** ☐
c. *C'est* est utilisé avec un nom ou un adjectif. **Vrai** ☐ **Faux** ☐
d. Après *c'est*, l'adjectif est masculin singulier. **Vrai** ☐ **Faux** ☐
e. Quelle est la forme de *c'est* au pluriel ? ......

Entraînez-vous

1 **Mettez les mots dans l'ordre.**

1. Voici / de / l'adresse / Selma → *Voici l'adresse de Selma.*
2. les clés / Voilà / l'appartement / de
3. de / le numéro de téléphone / Voici / mes amis
4. la concierge / Voilà / la loge / de
5. de / le code / Voici / l'immeuble
6. le parking / la résidence / Voilà / de
7. Voilà / Sophie / la voiture / de

2 Transformez comme dans l'exemple.

Exemple : C'est ma cousine → Ce sont mes cousines.
1. Ce sont des amies. → ...... une amie.
2. Ce sont des filles italiennes. → ...... une fille italienne.
3. C'est une étudiante. → ...... des étudiantes.
4. C'est une musicienne. → ...... des musiciennes.
5. Ce sont des pianistes. → ...... un pianiste.
6. C'est un enfant. → ...... des enfants.

3 Faites des phrases comme dans l'exemple.

Exemple : Raymond – comédien – comédien très connu → Raymond est comédien, c'est un comédien très connu.
1. Jacques et Lucien – journalistes – journalistes appréciés
2. Carla – étudiante – étudiante italienne
3. Charles et Arthur – poètes – poètes français
4. Mehdi – écrivain – écrivain célèbre
5. Soraya – secrétaire – secrétaire efficace
6. Richard et Claude – informaticiens – informaticiens compétents
7. Dimitri – chanteur – chanteur exceptionnel
8. Charlotte et Laurène – couturières – couturières excellentes

4 À vous ! Présentez des membres de votre famille comme dans l'exercice 3.

5 Transformez comme dans l'exemple.

Exemple : Cette musique est reposante. → En général, la musique, c'est reposant.
1. Cette danse est jolie. → En général, ...
2. Cet opéra est émouvant. → En général, ...
3. Ce sport est fatigant. → En général, ...
4. Cette montagne est belle. → En général, ...
5. Cette radio est intéressante. → En général, ...
6. Cette poésie est triste. → En général, ...

6 Choisissez et répondez.

grand – *long* – dangereux – cher – facile – merveilleux
1. – On arrive dans 3 heures. – *C'est long !*
2. – Ça coûte 5000 euros. – ...... !
3. – Vous arrivez directement dans l'aéroport. – ...... !
4. – La Chine fait 9 600 000 km². – ...... !
5. – Notre villa donne sur la mer. – ...... !
6. – Il y a beaucoup de voitures dans cette rue. – ...... !

Les formes impersonnelles avec *il*

Observez

- Dans mon sac, **il y a** trois grandes poches, c'est pratique.
  Il y a un nouvel étudiant dans la classe.
- Prends ton parapluie, **il pleut** !
- – **Il fait** très chaud aujourd'hui et **il y a** du soleil ! J'adore ce temps !
  – Moi, j'ai trop chaud !
- **Il est** seulement midi, **il est** trop tôt pour déjeuner.
  Il est minuit, **il est** tard, vite, au lit !
- **Il faut** 2 heures pour aller à Niort donc **il faut** partir maintenant, **il ne faut pas** attendre plus longtemps.

a. Dans ces phrases, *il* ne représente rien. **Vrai ☐ Faux ☐**
b. *Il y a* s'utilise :
☐ **seulement avec un nom au singulier.**
☐ **avec un nom au singulier ou au pluriel.**
c. *Il y a* s'utilise pour des personnes ou des choses. **Vrai ☐ Faux ☐**
d. *Il y a* est une expression invariable. **Vrai ☐ Faux ☐**
e. *Il faut, il ne faut pas,* sont suivis d'un nom ou d'un infinitif. **Vrai ☐ Faux ☐**

Entraînez-vous

7 Associez, puis faites des phrases avec *il y a.*

1. *dans une ferme*	**a.** des arbres	**1.** *Dans une ferme, il y a des animaux.*
2. dans une forêt	**b.** des meubles	**2.** ....
3. dans une ville	**c.** des nuages	**3.** ....
4. dans l'océan	**d.** des immeubles	**4.** ....
5. sur la plage	**e.** des bateaux	**5.** ....
6. dans le ciel	**f.** *des animaux*	**6.** ....
7. dans un port	**g.** du sable	**7.** ....
8. dans une maison	**h.** des poissons	**8.** ....

8 Complétez avec *il a* ou *il y a.*

1. – Rémi est dans sa chambre ? – Oui, *il a* beaucoup de travail.
2. – Tu as peur ? – Oui, regarde, ... une grosse araignée !
3. Ce soir, à la télévision, ... un film très intéressant.
4. – Ton frère n'est pas là ? – Non, ... un rendez-vous important.
5. Excusez-moi, je suis en retard. ...... des problèmes dans le métro.
6. M. Félix est heureux : ...... douze petits-enfants !

9 Complétez avec *il fait* ou *il*.

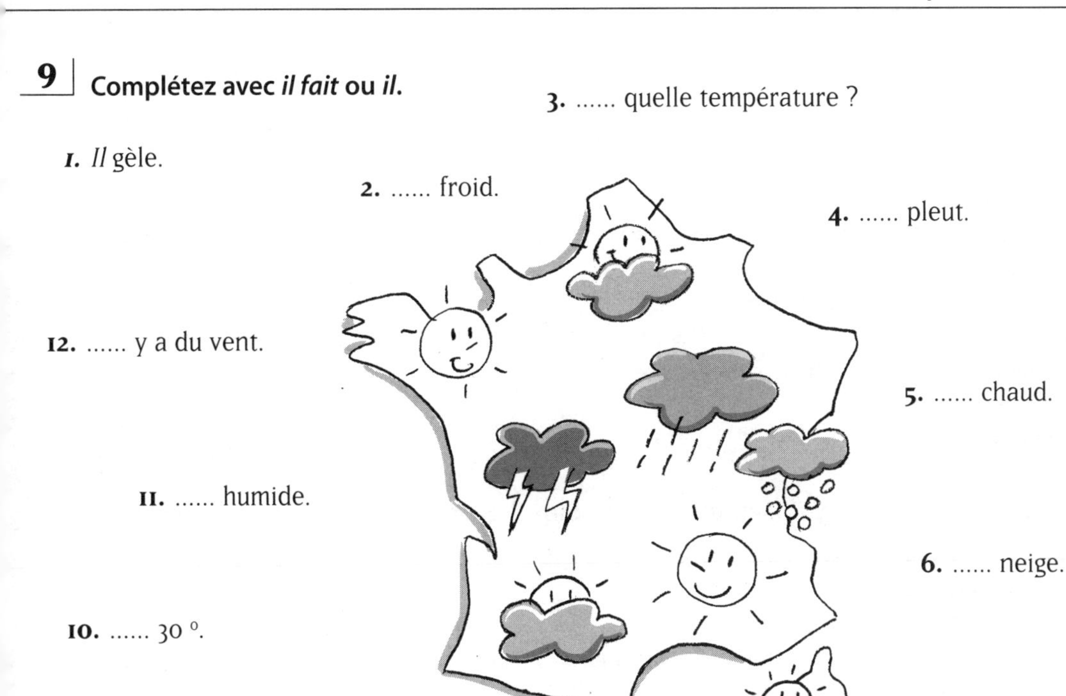

10 **À vous !** Quel temps fait-il aujourd'hui ?

11 Associez.

1. Jean-Paul, qu'est-ce qu'il fait ?
2. Quel temps fait-il ?

a. *Il fait du sport.*
b. Il fait beau.
c. Il fait froid.
d. Il fait le ménage.
e. Il fait chaud.
f. Il fait de la sculpture.
g. Il fait du piano.
h. Il fait mauvais.

1	*a,...*
2	

12 Complétez le tableau quand c'est possible.

	Féminin singulier	Masculin pluriel	Féminin pluriel
1. Il fait chaud.	—	—	—
2. Il fait de la guitare.	*Elle fait de la guitare.*	*Ils font de la guitare.*	*Elles font de la guitare.*
3. Il fait froid.	......	......	......
4. Il fait la vaisselle.	......	......	......
5. Il fait nuit.	......	......	......
6. Il fait beau.	......	......	......
7. Il fait la lessive.	......	......	......
8. Il fait jour.	......	......	......
9. Il fait un exercice.	......	......	......
10. Il fait gris.	......	......	......

13 Complétez.

il fait froid – nous avons chaud – Vous avez froid – tu as chaud – il fait beau et chaud – Il fait mauvais – il a chaud – j'ai froid

1. Quand *il fait froid*, nous ne sortons pas.
2. ...... ? Si vous voulez, je peux allumer le chauffage.
3. Nous allons à l'ombre, ... au soleil.
4. Cet après-midi, ..., on va à la plage.
5. Il enlève son pull, ...
6. ...... aujourd'hui, nous n'avons pas de chance !
7. Tu ouvres la fenêtre. ......?
8. Je mets mon manteau, ...

14 Complétez avec *il est midi, il est minuit, il est tard, il est tôt.*

1. *Il est tard*, je vais me coucher.
2. À table, ..., on va déjeuner !
3. C'est le milieu de la nuit, ...
4. Une heure du matin ! ......, le restaurant va fermer.
5. Tout le monde dort encore à cette heure-ci ! ....
6. Oh là là ! ......, mes parents m'attendent pour dîner.

15 Associez.

Voyage en train !

1. Il faut
2. Il ne faut pas

a. *appeler un taxi.*
b. partir tôt.
c. arriver en retard.
d. oublier la réservation.
e. acheter le billet.
f. composter le billet.
g. se tromper de train.
h. vérifier le numéro du wagon.
i. mettre son nom sur les bagages.
j. s'asseoir à la place réservée.
k. déranger les autres voyageurs.
l. courir dans les couloirs.

1	*a*, ...
2	

16 Mettez les mots dans l'ordre.

Recommandations

1. Il ne faut pas / les clés / chez le gardien / oublier → *Il ne faut pas oublier les clés chez le gardien.*
2. avoir / Il faut / le nouveau code
3. laisser / les fenêtres ouvertes / Il ne faut pas
4. Il ne faut pas / devant l'immeuble / garer la voiture
5. Il faut / le courrier / vérifier
6. fermer / Il faut / tous les volets
7. arroser / les plantes / Il faut
8. sur le balcon / laisser les chaises / Il ne faut pas

17 **À vous !** **Vous laissez votre appartement à un ami pour des vacances. Vous expliquez ce qu'il faut faire et ce qu'il ne faut pas faire.**

18 **Répondez comme dans l'exemple.**

Exemple : Qu'est-ce qu'il faut pour s'inscrire ? (un numéro) – Pour s'inscrire, il faut un numéro.
1. – Qu'est-ce qu'il faut pour ce voyage ? (un passeport) – ....
2. – Qu'est-ce qu'il faut pour entrer ? (un code) – ....
3. – Qu'est-ce qu'il faut pour ce travail ? (un certificat médical) – ....
4. – Qu'est-ce qu'il faut pour ce spectacle ? (une réservation) – ....
5. – Qu'est-ce qu'il faut pour louer cet appartement ? (trois fiches de salaires) – ....
6. – Qu'est-ce qu'il faut pour entrer dans ce pays ? (un visa) – ....

Bilan

19 **Choisissez la forme qui convient.**

1. (*Il est* – Il a) tard.
2. (Voilà – Il est) Bertrand.
3. (Il faut – Il fait) chaud.
4. (Il fait – Il) pleut.
5. (Voici – Il est) mon numéro de téléphone.
6. (C'est – Ce sont) des gens sympathiques.
7. (Il y a – Ce sont) une piscine dans le jardin.
8. (Il a – Il fait) mauvais aujourd'hui.

20 **Mettez les mots dans l'ordre.**

Pour être en forme !
1. vie / Il / une / équilibrée / faut → *Il faut une vie équilibrée.*
2. faut / sport / du / faire / Il
3. trop de / ne /Il / sucre / manger / pas / faut
4. une / Il / saine / faut / alimentation
5. eau / boire / faut / beaucoup d'/ Il
6. un / Il / régulier / faut / sommeil
7. pas / Il / faut / fumer / ne

21 **À vous !** **Donnez des conseils pour réussir à l'école ou dans la vie professionnelle.**

22 **Complétez.**

1. c'est (2 fois) – il est tôt – il est

Au téléphone
– Allô, Jérémie ?
– Oui.
– *C'est* Benjamin !
– Mais, ... 6 heures du matin !
– Oui, je sais, ... mais ...... très important.
– Bon, je t'écoute.

2. il y a – il faut – c'est
À la salle de concert
– ...... encore des places pour le concert de ce soir ?
– Ah non, monsieur, ... complet ! ...... réserver longtemps à l'avance pour Barry Black !

3. voilà (2 fois) – il est tard – ce sont
À l'aéroport
– Vite, monsieur, ... !!!!
– Je sais, je suis en retard. ...... mon billet et mon passeport.
– Et vos bagages ?
– ...... les deux grosses valises noires, là.
– Bien monsieur, ... votre carte d'embarquement. Bon voyage!

4. il fait– il faut – c'est – il
En vacances
Nous sommes en vacances dans le Jura. ...... neige tous les jours et ...... très froid. ...... faire attention sur les routes mais cette neige partout, ... magnifique ! Nous pensons à vous. Isabelle.

3e PARTIE

L'expression des circonstances

13 L'expression du lieu

Les prépositions et les noms de villes, de pays et de continents

Observez

Nous sommes une famille internationale ! Philippe, mon cousin, est né **à** Orléans **en** France (fs). Amalia, sa femme, vient **du** Brésil (ms), **de** Sao Paulo exactement. Ils se sont rencontrés **à** New York **aux** États-Unis (mp). Ils ont longtemps habité à l'étranger : d'abord **en** Iran (ms), puis **au** Japon (ms). Maintenant, ils sont **en** Europe (fs). Moi, je viens **de** Belgique (fs), **d'**Anvers et je pars m'installer **aux** Baléares (fp) avec ma femme qui vient **des** Philippines (fp). Notre fils, lui, revient **d'**Argentine pour habiter **à** Paris.

Remarque :
ms = masculin singulier – fs = féminin singulier – mp = masculin pluriel – fp = féminin pluriel

a. Lieu où l'on est, où l'on va. Associez.

Je suis / Je vais

- **à** •
- **en** •
- **au** •
- **aux** •

- • **nom de ville**
- • **nom de pays masculin**
- • **nom de pays féminin**
- • **nom de pays pluriel**
- • **nom de pays commençant par une voyelle ou un *h* muet**

b. Lieu d'où l'on vient. Associez.

Je suis (originaire) / Je viens

- **de** •
- **du** •
- **des** •
- **d'** •

- • **nom de ville**
- • **nom de pays masculin**
- • **nom de pays féminin**
- • **nom de pays pluriel**
- • **nom de pays commençant par une voyelle ou un *h* muet**

Entraînez-vous

1 **Cochez la réponse qui convient.**

1. Elle est professeur de français au :
   ☑ Danemark (ms) ☐ Italie (fs)
2. Mes parents vivent en :
   ☐ Seychelles (pl) ☐ Espagne (fs)
3. Son ami étudie aux :
   ☐ États-Unis (pl) ☐ Portugal (ms)

4. Je suis né au :
☐ Chine (fs) ☐ Brésil (ms)
5. Claire part aux :
☐ Pérou (ms) ☐ Philippines (pl)
6. Ma sœur aînée habite en :
☐ Algérie (fs) ☐ Maroc (ms)
7. Georgina travaille au :
☐ Turquie (fs) ☐ Sénégal (ms)

2 Complétez avec *à*, *de* ou *d'*.

Villes d'Europe
1. Elle habite *à* Lisbonne.
2. D'où venez-vous ? ...... Rotterdam ou ...... Amsterdam ?
3. Nous vivons ...... Istanbul.
4. Il est originaire ...... Oslo.
5. Tu vas ...... Copenhague.
6. Elle a un appartement ...... Rome.
7. « L'avion en provenance ...... Londres a un retard de 30 minutes. »
8. Il s'installe ...... Zürich.

3 Complétez avec *en*, *au* ou *aux*.

Où se trouve...
1. Athènes ? *En* Grèce (fs), ... Europe (fs).
2. Lima ? ...... Pérou (ms), ... Amérique (fs) du Sud.
3. Washington ? ...... États-Unis (pl), ... Amérique (fs) du Nord.
4. Kaboul ? ...... Afghanistan (ms), ... Asie (fs) centrale.
5. Alger ? ...... Algérie (fs), ... Afrique (fs) du Nord.
6. Vancouver ? ...... Canada (ms), ... Amérique (fs) du Nord.
7. Amsterdam ? ...... Pays-Bas (pl), ... Europe (fs).
8. Mexico ? ...... Mexique (ms), ... Amérique (fs) Latine.
9. Dakar ? ...... Sénégal (ms), ... Afrique (fs).
10. Pékin ? ...... Chine (fs), ... Asie (fs).
11. Luanda ? ...... Angola (ms), ... Afrique (fs).
12. Varsovie ? ...... Pologne (fs), ... Europe (fs).

4 Choisissez la forme qui convient.

Mon père est diplomate. Je suis français mais je suis né (*à* – de) Madrid (au – en) Espagne (fs). J'ai fait mes études (aux – au) Chili (ms) et (au – en) Argentine (fs) et j'ai travaillé (au – en) Brésil (ms). Je suis revenu (de – d') Amérique (fs) du Sud le mois dernier. Je cherche un travail (à – en) France (fs), (en – d') Italie ou (du – au) Portugal, un pays avec du soleil. J'ai un ami (en – aux) Bahamas (pl), il me propose de travailler avec lui mais c'est décidé, je m'installe (d' – en) Europe (fs) avec ma femme qui est originaire (de – du) Luxembourg (ms).

5 À vous ! Où habitez-vous ? De quelle ville, de quel pays, de quel continent venez-vous ? Voyagez-vous souvent ? Où voudriez-vous aller ?

Les prépositions *à* ou *de*

Observez

• – Allô, Claire, tu es où ?
– Je suis **à la** gare (fs), je descends **du** train (ms).
– Je viens te chercher, attends-moi **au** kiosque (ms) à journaux.
– C'est où ?
– Quand tu sors **de la** gare (fs), c'est en face.
– Ah oui, merci, je vois.

• – Vous allez **à la** montagne (fs) à Noël ?
– Oui, nous allons **aux** sports (mp) d'hiver dans les Pyrénées.

• – Allô ? Je suis **à l'**aéroport, je descends juste **de l'**avion.

a. Pour indiquer le lieu où l'on est, où l'on va, on utilise …… .
b. Pour indiquer le lieu d'où l'on vient, on utilise …… .
c. On ne dit pas *~~à le~~* mais on utilise l'article contracté …… .
d. On ne dit pas *~~à les~~* mais on utilise l'article contracté …… .
e. On ne dit pas *~~de le~~* mais on utilise l'article contracté …… .
f. On ne dit pas *~~de les~~* mais on utilise l'article contracté …… .

Entraînez-vous

6 Complétez avec la forme qui convient.

à la – à l' – au – aux | de la – de l' – du – des

1. Je vais *à la* piscine (fs) pour nager. → Quand je reviens *de la* piscine, je suis fatigué.
2. Nous allons …… bord (ms) de la mer pour nous baigner. → Quand nous revenons …… bord de la mer, nous sommes bien bronzés.
3. Elles vont …… campagne (fs) pour se reposer. → Quand elles reviennent …… campagne, elles sont en pleine forme.
4. On va …… sports (mp) d'hiver pour skier. → Quand on rentre …… sports d'hiver, on est détendu.
5. Ils vont …… hôtel (ms) pour dormir. → Quand ils sortent …… hôtel, ils sont reposés.
6. Vous allez …… restaurant (ms) pour dîner. → Quand vous venez …… restaurant, vous n'avez plus faim.

7 Choisissez la forme qui convient.

1. Le parking se trouve (aux – *au*) sous-sol (ms).
2. Bruno et Chantal vont (à l' – au) école (fs).
3. Tu viens (du – de l') aéroport (ms).
4. Vous venez (de la – du) musée (ms) ?
5. N'oublie pas de passer (à l' – à la) épicerie (fs) !
6. Ils descendent (aux – au) vestiaires (mp).
7. Nous sortons (au – de la) salle (fs) de concert.

8 **Complétez avec *au, aux, à l', à la, du, des, de l'* ou *de la*.**

Ils font tout le contraire

1. Elle monte *au* sixième étage (ms), il descend ...... sixième étage.
2. Il part ...... Jeux Olympiques (mp), elle revient ...... Jeux Olympiques.
3. Ils partent ...... étranger (ms), elles reviennent ...... étranger.
4. Je vais ...... université (fs), tu sors ...... université.
5. Nous restons ...... restaurant (ms), vous sortez ...... restaurant.
6. Vous rentrez ...... maison (fs), nous partons ...... maison.
7. Tu vas ...... supermarché (ms), je reviens ...... supermarché.

Les prépositions *à* ou *chez*

Observez

- – On a besoin de quelque chose **au** marché (ms) ou **à la** boulangerie (fs)?
  – Non, mais si tu peux aller **chez le** pharmacien (ms), il y a mes médicaments à prendre !
  – D'accord, à tout de suite ! Repose-toi bien !
- – Pascal, tu vas **au** cinéma (ms) ce soir ?
  – Non, je vais **chez des** amis (mp).

a. Devant un nom qui désigne un lieu, on utilise la préposition ....

b. Devant un nom qui désigne une personne, on utilise la préposition ....

Entraînez-vous

9 **Associez.**

Je vais
1. *au*
2. chez le
3. à la
4. chez la

a. marchand (ms) de légumes
b. boulangerie (fs)
c. charcutier (ms)
d. *marché (ms)*
e. boucherie (fs)
f. pharmacienne (fs)
g. coiffeur (ms)
h. pharmacie (fs)
i. dentiste (ms)
j. cinéma (ms)

1	2	3	4
d, ...			

10 **Complétez avec *à*, *au* ou *chez*.**

1. Où est-ce que je vais prendre les biftecks ? *Chez* le boucher du marché ou ...... la boucherie Viandox ?
2. Je ne sais pas quoi faire. Je reste ...... la maison ou je vais ...... mes parents ?
3. Qu'est-ce que tu fais ce soir ? Tu vas ...... Ronan et Gaëlle ou tu vas ...... théâtre ?
4. Florian est malade. Je l'emmène ...... l'hôpital ou ...... le médecin ?
5. Prends deux baguettes ...... la boulangerie mais va ...... Mme Gatry pour les gâteaux.
6. Ne m'attendez pas. D'abord, j'ai un rendez-vous ...... la banque, après, je dois passer ...... garage et puis ...... la couturière.

11 **À vous ! Où allez-vous pour faire vos courses ?**

Au supermarché ? à l'épicerie ? chez le charcutier ? chez le boulanger ? chez le marchand de fruits ?...
Exemple : J'achète le pain chez le boulanger, jamais au supermarché.

Autres prépositions de lieu

Observez

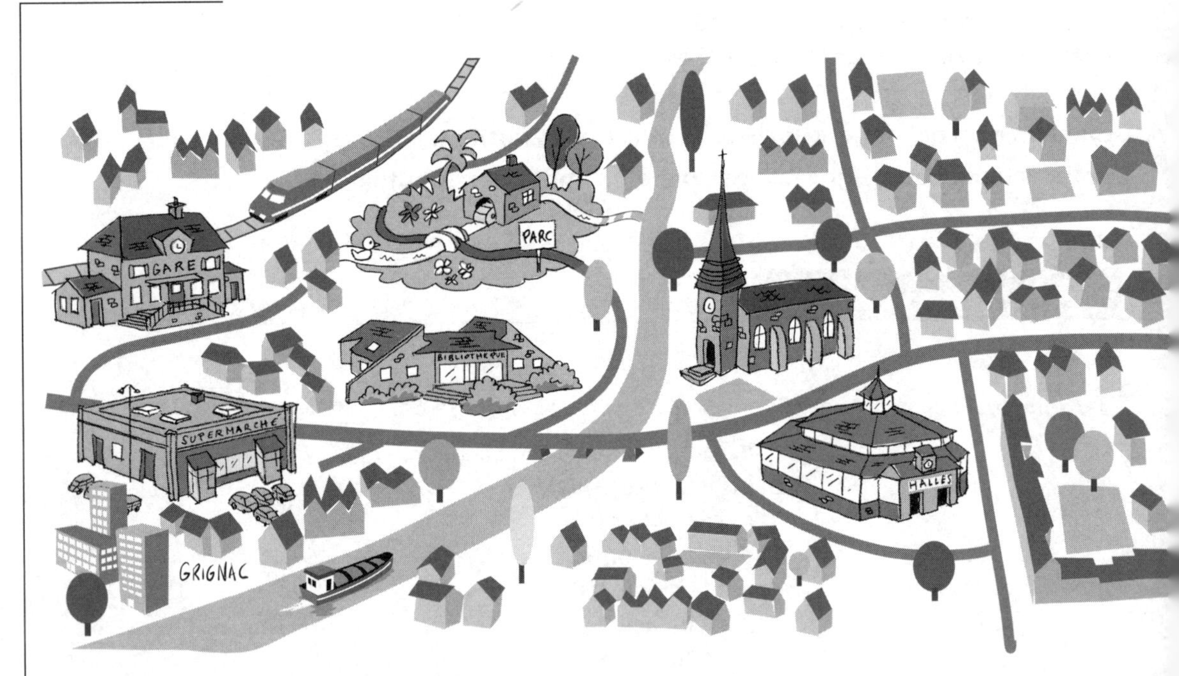

L'église est **au centre de la** ville, **au bord de la** rivière. Le parc est **entre** la rivière et la gare. La gare n'est pas loin **du** supermarché. Le supermarché est **dans** le quartier Grignac. L'église est **près des** vieilles halles.

a. Devant un nom au masculin, on ne dit pas ~~de le~~ mais on dit ....
b. Devant un nom au pluriel, on ne dit pas ~~de les~~ mais on dit ....

Entraînez-vous

12 **Choisissez la réponse qui convient.**

1. Range ton téléphone (*dans* – sous) ta poche.
2. J'ai oublié mon manteau (sur – dans) le métro.
3. Marche (sur – sous) le trottoir.
4. Si tu ne comprends pas ce mot, cherche (dans – sous) le dictionnaire.
5. Mon appartement est au dernier étage, (sur – sous) les toits.
6. Regardez, il y a une lettre (sous – dans) la porte.
7. Mets un peu de sel (dans – sur) les steaks.

13 **Associez. (Plusieurs réponses sont possibles.)**

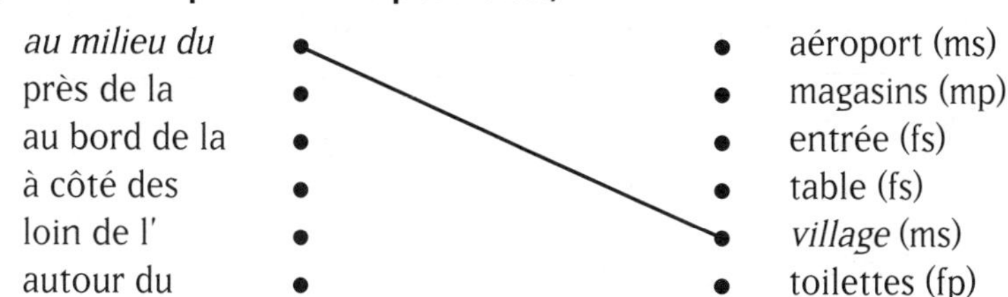

14 **Mettez les mots dans l'ordre.**

1. entre / et / C'est / le garage / la poste → *C'est entre le garage et la poste.*
2. devant / la gare / Passez
3. escaliers / J'attends / des / en bas
4. la station de métro / de / n'est pas / Ce / loin
5. au bout / Allez / boulevard / du
6. habitons / derrière / Nous / l'hôpital
7. village / au centre / L'école / est / du
8. à côté / Le parc / du / se trouve / cimetière
9. du / rendez-vous / cinéma / Nous avons / en face
10. le théâtre / entre / L'école / et / est / la bibliothèque

15 **Complétez les phrases avec les éléments donnés.**

1. en face de – arrêt (ms) de l'autobus → L'appartement se trouve *en face de l'arrêt de l'autobus.*
2. à côté de – salle (fs) de bains → La cuisine est ....
3. autour de – table (fs) → J'ai mis les chaises ....
4. au fond de – couloir (ms) → Il y a un grand miroir ....
5. à gauche de – entrée (fs) → La porte de mon bureau est ....
6. en haut de – escaliers (mp) → Ma chambre est ....

16 **À vous !** **Décrivez votre appartement ou votre chambre.**

Exemple : Mon lit est à côté de la fenêtre.

17 Choisissez la forme qui convient.

Chers Jacques et Michèle,
Nous avons trouvé une chambre confortable (dans – sur) un petit hôtel (au bord du – autour du) lac des Confins. Le village se trouve (pas loin de – entre) la frontière suisse. Nous allons (du – au) lac pour nous baigner quand il fait chaud. Nous marchons beaucoup (sur – sous) les chemins de montagne. Quand il ne fait pas beau, nous ne sortons pas (à – de) l'hôtel. Nous nous installons (près de – en haut de) la cheminée pour lire ou faire des mots croisés. Et vous, j'espère que votre voyage (en – au) Asie (fs) se passe bien. Quand est-ce que vous rentrez (de – du) Japon (ms) ?
À très bientôt.
Eleni.

18 Choisissez la réponse qui convient.

de (2 fois) – du – à – chez (2 fois) – en face du – dans – au bord de

– Bonjour. Tu t'appelles comment ?
– Sonia Richter.
– Tu viens d'où ?
– Je viens *de* (1) Suisse (fs), ... (2) Saint-Gall exactement.
– Tu habites ...... (3) une famille ou ...... (4) un hôtel ?
– J'ai une chambre ...... (5) des amis. Ils ont un appartement ...... (6) la Seine. Et toi ?
– Moi, je m'appelle Tham Dao. Je suis ...... (7) Viêt-Nam (ms). J'ai un studio ...... (8) jardin (ms) du Luxembourg.
– Tu es ...... (9) Paris pour la première fois ?
– Oui. Toi aussi ?
– Oui. Bon, il est 9 heures, le cours va commencer. On y va ?

19 Complétez avec la préposition de lieu qui convient. (Attention à l'article contracté.)

Le début d'une belle histoire.
Jiri est français mais il vient *de* (1) Varsovie, ... (2) Pologne (fs). Il travaille ...... (3) une banque, ... (4) une petite ville, ... (5) de Lille. Il habite ...... (6) son cousin, Stan.
Gabrielle est née ...... (7) Canada (ms), elle est arrivée ...... (8) France (fs) l'année dernière. Elle est journaliste. Elle va souvent ...... (9) Belgique (fs).
La semaine dernière, Jiri et Gabrielle se sont rencontrés ...... (10) le TGV, ... (11) bar. Ils sont descendus ...... (12) train, ensemble, ... (13) Bruxelles. Que va-t-il se passer ?

14 L'expression du temps

Les moments dans le temps

Observez

- **Quelle heure est-il** ? Il est **9 heures.**
- – Le train arrive **à quelle heure** ? – **À 9 heures**, je crois.
- – Tu rentres **vers quelle heure** ? – Je ne sais pas exactement, **vers 18 heures,** je pense.
- Mes vacances commencent **le 4 juillet**.
- – Vous êtes nés **en 1989** ? – Oui, **en juin 1989.**
- **En été**, il fait chaud, **en automne,** il pleut, **en hiver,** il fait froid, **au printemps,** il y a des fleurs.

a. Quelle question est utilisée pour demander l'heure ? ......

b. Complétez.

– Tu as rendez-vous ...... ? – ...... midi.

c. On utilise la préposition *vers* pour indiquer :

☐ **une heure précise**

☐ **une heure imprécise**

d. Complétez.

...... juin, ... 4 juillet, ... 1989.

e. Complétez.

...... hiver, ... été, ... printemps, ... automne.

Entraînez-vous

1 **Associez.**

1. Quelle heure est-il ?
2. À quelle heure tu arrives ?

a. *Midi.*
b. Vers 4 heures.
c. À 8 heures.
d. 3 heures et demie.
e. Minuit.
f. À 9 heures et quart.
g. 10 heures.
h. 10 heures 10.

1	*a*, ...
2	

2 **Complétez avec *en* ou *le*.**

1. Il est né *en* 1989, ... 24 février.
2. Nous sommes arrivés ...... juin à Paris, ... 3 exactement.
3. – Quel jour sommes-nous ? – ...... 28 juin.
4. – Quel est le jour de ton anniversaire ? – ...... 23 décembre.
5. – Tu prends tes vacances ...... août ? – Non, ... juillet.
6. On a fait la fête ...... 1er janvier 2000, mais pas ...... 2001.

3 **Complétez.**

J'ai passé un an à Séville en Espagne. Je suis arrivée *en* (1) 2004, ... (2) printemps, ... (3) 1er avril exactement. ...... (4) avril, là-bas, il fait déjà chaud. J'ai travaillé comme baby-sitter et puis ...... (5) été, j'ai voyagé dans les régions de Madrid et de Barcelone. Je suis retournée à Séville ...... (6) 2 septembre pour m'inscrire à l'université. ...... (7) automne et ...... (8) hiver, j'ai habité avec une autre famille, j'ai passé mes examens ...... (9) mai, et ...... (10) 15 juin 2005, je suis rentrée chez moi.

4 **À vous ! Racontez ce que vous faites selon les saisons, les mois, les heures de la journée.**

Exemple : En été, je vais à la montagne.

Le moment précis ou l'habitude ?

Observez

- **Hier,** j'ai travaillé ; **aujourd'hui**, je me repose ; **demain**, je retournerai au bureau.
- – Tu pars quand ? – **Mercredi matin.**
- – Normalement je ne travaille pas **le samedi**, mais **samedi dernier**, j'ai travaillé et **samedi prochain**, je vais travailler aussi. **La semaine dernière**, nous avons eu beaucoup de travail, et **la semaine prochaine,** ce sera pareil.
- – Qu'est-ce que tu fais en général **le dimanche** ?
  – D'habitude, **l'après-midi,** je fais du sport mais **cet après-midi**, je révise pour mon examen.

a. Associez.

Hier •	• Futur
Aujourd'hui •	• Passé
Demain •	• Présent

b. Devant un jour de la semaine, il y a toujours l'article défini *le*. **Vrai** ☐ **Faux** ☐

c. Associez.

Samedi prochain •		
La semaine dernière •		• Passé
La semaine prochaine •		• Futur
Samedi dernier •		

d. Dans les exemples, *le dimanche* signifie *tous les dimanches*, *l'après-midi* signifie *tous les après-midi*. **Vrai** ☐ **Faux** ☐

e. Associez.

	• **Hier**
Cet après-midi •	• **Aujourd'hui**
	• **Demain**

Entraînez-vous

5 **Cochez.**

	Un moment précis	Une habitude
1. Aujourd'hui, nous allons au musée.	☑	☐
2. Le lundi, je me lève à 6 heures.	☐	☐
3. Mardi, je vais au bureau en voiture.	☐	☐
4. Mercredi matin, je vais à la bibliothèque.	☐	☐
5. Le soir, je regarde la télévision.	☐	☐
6. La nuit, je fais beaucoup de rêves.	☐	☐
7. Ce soir, je dîne chez ma cousine.	☐	☐
8. Le matin, je commence à 8 heures.	☐	☐
9. Ma sœur arrive d'Italie ce soir à 22 heures.	☐	☐
10. Demain soir, nous allons à l'Opéra.	☐	☐

6 **Choisissez la réponse qui convient.**

1. (*Le dimanche* – Hier matin) le magasin est fermé.
2. (Le matin – Ce soir), on dîne au restaurant.
3. (Samedi soir – Hier), tu iras danser.
4. (Dimanche dernier – Mardi matin), j'ai rendez-vous chez le dentiste.
5. (Lundi soir – Le week-end), je me lève tard.
6. (Hier – Demain soir), on a vu un très beau spectacle.
7. (Demain midi – Ce midi), j'ai déjeuné avec Amélie.
8. (Le mois prochain – Le mois dernier), nous partons en vacances.

7 **À vous !** **Quelles sont vos habitudes ?**

Le week-end ? la semaine ? le matin ? ...

Exemple : En général, le samedi soir, je vais au cinéma.

Les expressions de fréquence

Observez

- – Tu prends **toujours** le bus ?
  – Non, je ne prends pas **tout le temps** le bus, **quelquefois** je prends le métro mais je **ne** prends **jamais** la voiture.
- Il va **souvent** au cinéma, mais il **ne va pas souvent** au théâtre.
- Elle va chez ses parents **une fois par semaine, généralement** le dimanche.

a. ***Jamais* est utilisé dans une phrase négative. Vrai ☐ Faux ☐**

b. Les expressions de fréquence sont placées :
☐ devant le verbe au présent.
☐ derrière le verbe au présent.

c. Mettez dans l'ordre : ne / la voiture / prends / jamais / Je → ......

Entraînez-vous

8 Associez.

1. *J'adore le jazz.*
2. Je m'intéresse à la photographie.
3. Je déteste la plage.
4. J'adore faire du ski.
5. Je suis passionné d'art.
6. Je n'aime pas beaucoup lire.
7. Je n'aime pas le cinéma actuel.
8. Je n'aime pas danser.
9. J'aime courir.

a. Je visite toujours les expositions.
b. Je ne passe jamais mes vacances au bord de la mer.
c. Je vais rarement dans les discothèques.
d. Je ne vois pas souvent les nouveaux films.
e. Je fais du jogging une fois par jour.
f. En hiver, je suis tout le temps sur les pistes.
g. J'achète toujours les magazines de photo.
h. *Je retrouve souvent mes amis au club de jazz.*
i. Je ne vais jamais à la bibliothèque.

9 Mettez les mots dans l'ordre.

1. rarement/ allons / au cinéma / Nous → *Nous allons rarement au cinéma.*
2. Elle / souvent / part / à la campagne
3. quelquefois / On / au restaurant / dîne
4. généralement / passent / les vacances / Ils / à la mer
5. chez ma sœur / Je / une fois par mois / déjeune
6. Nous / nos amis / invitons / à Noël / toujours
7. Vous / une grande fête / une fois par an / organisez

10 **Transformez comme dans l'exemple.**

Exemple : Ils sortent. (pas souvent) → Ils ne sortent pas souvent.

1. Elles visitent les musées. (jamais)
2. Je me maquille. (pas toujours)
3. Vous venez chez moi. (pas souvent)
4. Tu téléphones. (jamais)
5. Nous prenons la voiture. (pas toujours)
6. On travaille. (pas tout le temps)

11 **À vous ! Que faites-vous : toujours, pas toujours, souvent, quelquefois, pas souvent, jamais ?**

Exemple : Je ne téléphone jamais après 22 h.

Des prépositions

Observez

- Vite, le train va partir **dans** cinq minutes !
  Mes amis ont téléphoné **il y a** deux jours.
  Je travaille ici **depuis** 3 mois.
- La rue est interdite **pendant** les travaux, **pendant** quelques jours.
- Je dois préparer ma valise **avant** mon départ.
  Il est parti **avant** midi.
  Qu'est-ce que vous faites **après** le déjeuner ?
  Et **après** 18 heures ?
- Ce magasin est fermé **jusqu'à** demain.
  La bibliothèque est ouverte **du** lundi **au** samedi **de** 10 heures **à** 20 heures.

a. Les prépositions *avant* et *après* s'utilisent devant un nom ou une heure. Vrai ☐ Faux ☐

b. Dans l'expression « *de 10 heures à 20 heures* » :

***de* indique :**
☐ **le début d'une action ou d'un état.**
☐ **la fin d'une action ou d'un état.**

***à* indique :**
☐ **le début d'une action ou d'un état.**
☐ **la fin d'une action ou d'un état.**

c. Associez.

dans •	**• pour indiquer la durée**
il y a •	**• pour une action qui continue**
depuis •	**• pour indiquer la fin d'une action**
pendant •	**• pour une action future**
jusqu'à •	**• pour une action passée**

Entraînez-vous

12 **Complétez avec *il y a* ou *dans*.**

1. Je téléphonerai *dans* un moment.
2. On se réunira ...... quelques jours.
3. Je l'ai vu ...... dix minutes.
4. Nous avons commencé ...... une demi-heure.
5. Vous pourrez sortir ...... quelques minutes.
6. Elles reviendront ...... une semaine.
7. Ils ont appelé ...... un mois.
8. Elle est partie ...... un quart d'heure.

13 **Complétez avec *il y a* ou *depuis*.**

1. J'habite ici *depuis* un an. J'ai déménagé ...... un an.
2. J'ai connu mon fiancé ...... trois ans. Je suis fiancée ...... trois ans.
3. Ils vivent à la campagne ...... longtemps. Ils sont partis à la campagne ...... longtemps.
4. Je fréquente ces amis ...... quelques mois. J'ai rencontré ces amis ...... quelques mois.

14 **Complétez avec *jusqu'à, du ... au ...* ou *de ... à ...* .**

1. Je suis à la maison *jusqu'à* 14 heures.
2. Il sera absent ...... vendredi soir ...... mardi matin.
3. Le métro circule ...... 5 heures ...... 1 heure du matin.
4. Les enfants sont en vacances ...... jeudi prochain.
5. Nos bureaux sont ouverts ...... lundi ...... vendredi ...... 9 heures ...... 17 heures.
6. Vous pouvez me téléphoner ...... 22 heures mais pas après.

15 **Complétez avec *pendant, de ... à ..., du ... au ..., jusqu'à*.**

1. Il est en congé *pendant* une semaine, ... 14 avril ...... 24 avril.
2. Le séminaire dure trois jours, ... mardi matin ...... jeudi soir.
3. La réunion va durer ...... ce soir.
4. Les bureaux sont fermés ...... le mois d'août.
5. ...... la semaine, les salles de classe sont ouvertes ...... 8 heures ...... 21 heures.
6. Vous pouvez aller à la bibliothèque ...... lundi ...... vendredi, ... 9 heures ...... 19 heures.
7. Les inscriptions continuent ...... la fin de la semaine prochaine.
8. La salle de lecture reste ouverte ...... les travaux.

16 **Complétez.**

demain matin – cette nuit – vers – il y a – toujours – à

Bonjour Nicole, un mail rapide : je serai en retard au bureau *demain matin*. ...... une semaine, j'ai promis à ma mère de la conduire à l'aéroport mais son avion, prévu ...... 23h50 ......, est retardé. Alors, commence la réunion sans moi, j'arriverai ...... 10h je pense. Les voyages en avion, c'est terrible, il y a ...... des problèmes !
Bonne soirée,
Anne

17 **Complétez.**

pendant – après – de ... à (2 fois) – ce soir – du ... au (2 fois) – en – aujourd'hui – jusqu'à

1. *Pendant* les vacances, le magasin reste ouvert ...... lundi ...... samedi, ... 10h ...... 19h.
2. ...... été, le service du restaurant continue ...... minuit.
3. Merci de laisser cette porte fermée ...... 22h.
4. ...... 2 mai, fermeture exceptionnelle.
5. Réservations ...... 11h ...... 18h, ... lundi ...... vendredi.
6. Difficultés de circulation ...... sur l'autoroute A14 en raison des travaux.

18 **Complétez.**

le 26 juin – aujourd'hui (2 fois) – depuis – demain – il y a (2 fois) – dans (2 fois)

C'est jeudi *aujourd'hui* (1), on est ...... (2). ...... (3) trois jours, je suis allé chez le dentiste. Ma sœur Lucie est arrivée mardi, ... (4) deux jours. Comme elle ne connaît pas bien la ville, elle se promène ...... (5) son arrivée. C'est l'anniversaire de papa ...... (6) deux jours. ...... (7) nous chercherons un cadeau pour lui, ... (8) je n'ai pas le temps. ...... (9) trois jours, il invite toute la famille au restaurant.

15 L'expression de la quantité et de l'intensité

Les chiffres et les nombres

Observez

• Voici la liste :
un chou-fleur (ms)
une salade (fs)
trois melons (mp)
trois salades (fp)
cinq kilos (mp) de pommes de terre
cinq boîtes (fp) de mouchoirs
Prends mon porte-monnaie, il y a un billet de **cent** euros.

• C'est 20 **(vingt)** euros la place, donc pour 4 **(quatre)** adultes, ça fait 80 (**quatre-vingts**) euros. Et 10 **(dix)** euros pour votre enfant, ça fait un total de **quatre-vingt-dix** euros.

• – Je vous fais un chèque de 300 (**trois cents**) euros ?
– Non, excusez-moi, c'est 315 (**trois cent quinze**) euros, madame.

• Le Stade de France est très grand ; il y a 80 000 (**quatre-vingt mille**) places.

a. En général, les nombres sont invariables. Vrai ☐ Faux ☐
b. *Un* est le seul chiffre qui peut être au féminin. Vrai ☐ Faux ☐
c. *Vingt* et *cent* prennent un *s* quand ils sont multipliés (sauf s'ils sont suivis d'un autre chiffre). Vrai ☐ Faux ☐
d. *Mille* est invariable. Vrai ☐ Faux ☐

Entraînez-vous

1 **Écrivez les nombres en chiffres.**

1. douze → *12*
2. quatre → ......
3. quarante → ......
4. quatorze → ......
5. quatre-vingts → ......
6. quatre-vingt-quatre → ......
7. cinq → ......
8. cinquante → ......
9. quinze → ......
10. cinquante-cinq → ......
11. seize → ......
12. six → ......
13. six cents → ......
14. six cent seize → ......
15. soixante → ......

2 **Écrivez les nombres en toutes lettres.**

1. 5 → *cinq*
2. 15 → ......
3. 50 → ......
4. 150 → ......
5. 155 → ......
6. 20 → ......
7. 22 → ......
8. 200 → ......
9. 212 → ......
10. 2 280 → ......
11. 7 → ......
12. 17 → ......
13. 70 → ......
14. 700 → ......
15. 707 → ......

3 **Écrivez en toutes lettres.**

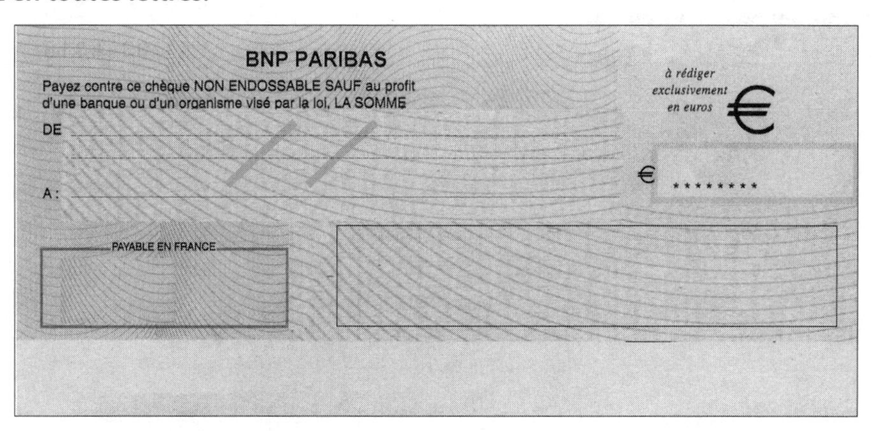

1. 25,50 € → *vingt-cinq euros et cinquante centimes*
2. 17, 82 € → ......
3. 43,70 € → ......
4. 127,18 € → ......
5. 230,51 € → ......
6. 490,92 € → ......
7. 1 650,60 € → ......
8. 5 900 € → ......

L'expression de la quantité

Observez

- Pour ton régime, mange **beaucoup de** légumes (mp) verts, **beaucoup d'**épinards (mp), c'est excellent pour la santé !
- Je voudrais des cerises (fp), s'il vous plaît, **un kilo de** cerises.
- Oui, je mets **un peu de** lait (ms) dans mon thé.
- Encore de l'huile (fs) ! Mais tu mets **trop d'**huile dans ta vinaigrette !
- Achète aussi de la crème (fs) ! **Un pot de** crème fraîche, s'il te plaît, et **un litre de** lait (ms).

a. Complétez les expressions de quantité :
un peu ...... lait, beaucoup ...... légumes, un kilo ...... cerises, trop ...... huile.
b. Complétez :
un œuf (ms), des œufs (mp), beaucoup ...... œufs.
une frite (fs), des frites (fp), beaucoup ...... frites.

- Vous discutez **beaucoup** mais vous **ne** travaillez **pas assez.**
- Taisez-vous, vous parlez **trop !**

c. L'adverbe de quantité est placé après le verbe au présent. Vrai ☐ Faux ☐

Entraînez-vous

4 **Complétez comme dans l'exemple.**

Exemple : du beurre → *Une plaquette de beurre.*
2. ...... huile (fs) → Une bouteille ....
3. ...... jambon (ms) → Une tranche ....
4. ...... œufs (mp) → Une douzaine ....
5. ...... biscuits (mp) → Un paquet ....
6. ...... confiture (fs) → Un pot ....
7. ...... mayonnaise (fs) → Un tube ....
8. ...... emmenthal (ms) → Un morceau ....
9. ...... chocolat (ms) → Une tablette ....
10. ...... fraises (fp) → Une barquette ....

5 **À vous ! Vous invitez des amis à dîner. Faites la liste des courses et précisez les quantités.**

Exemple : un kilo de farine, un pot de confiture, ...

6 **Répondez comme dans l'exemple.**

Exemple : – Mon steak est trop salé ! (trop – sel)
– C'est normal, tu as mis trop de sel.

1. – Ta purée est trop liquide ! (trop – lait)
   – Oui, je crois que j'ai ajouté ....
2. – Ce gâteau n'a pas gonflé ! (assez – levure)
   – C'est vrai, il n'y a pas ....
3. – Tes crêpes sont trop sucrées ! (trop – sucre)
   – Tu as raison, il y a ....
4. – Cette salade est immangeable ! (trop – vinaigre)
   – Ah oui alors ! Il y a ....
5. – Je n'aime pas cette sauce, elle n'a pas de goût ! (assez – épices)
   – Oui, il n'y a vraiment pas ....

7 **Complétez.**

En classe :

1. S'il vous plaît, je vous demande *un peu de concentration* (un peu – concentration) parce que nous avons encore ...... (beaucoup – travail) avant l'examen.
2. Avec ...... (un peu – travail), mais un travail régulier, votre fils va faire ...... (beaucoup – progrès).
3. C'est une classe sympathique mais il y a ...... (trop – bavardages), ... (trop – bruit) et pas ...... (assez – attention).

8 **Complétez comme dans l'exemple.**

Jamais content

1. Dans mon studio, il y a *trop de* bruit (trop) et *pas assez de* place (pas assez).
2. Dans ce film, il y a ...... violence (beaucoup) et ...... scènes romantiques (peu).
3. Dans ce livre, il y a ...... explications (beaucoup) et ...... exercices (peu).
4. Dans ce plat de haricots, il y a ...... beurre (trop) et ...... sel (trop).
5. À la télévision, il y a ...... débats (beaucoup) et ...... jeux (pas assez).
6. Dans cette ville, il y a ...... immeubles (trop) et ...... parcs (pas assez).
7. À la campagne, il y a ...... calme (trop) et ...... animations (peu).

9 **Mettez les mots dans l'ordre.**

1. mangent / trop / Ils → *Ils mangent trop.*
2. pas / ne / réfléchissez / Vous / assez
3. Ils / beaucoup / au tennis / jouent
4. assez / Je / pas / ne / dors
5. n' / assez / écoutes / les conseils / pas / assez / Tu
6. avec ses enfants / Elle / beaucoup / discute
7. trop / regardent / la télévision / Ils
8. beaucoup / cuisinons / Nous

L'expression de l'intensité

Observez

– Regarde cette robe bleue, elle est jolie. Elle est **assez** élégante pour le mariage de Frank, non ?
– Oh non, elle **n'**est **pas assez** élégante pour un mariage ! Mais la noire, là-bas, elle est **très** belle !
– Oui, mais regarde le prix ! Elle est **trop** chère. Viens, on va dans l'autre magasin.
– Attends, tu vas **trop** vite, il y a encore des robes ici !

Très, assez, pas assez, trop **s'utilisent devant un adjectif ou un adverbe. Vrai ☐ Faux ☐**

Entraînez-vous

10 **Transformez avec *très* comme dans l'exemple.**

Exemple : Cette statue – belle. → Cette statue est très belle.
1. Ce film – drôle.
2. Ce livre – amusant.
3. Cette chanson – émouvante.
4. Cet article – intéressant.
5. Cette pièce de théâtre – triste.

11 **Transformez avec *pas assez* comme dans l'exemple.**

Exemple : Vous parlez fort. → Vous ne parlez pas assez fort, je n'entends rien.
1. Le gâteau est cuit. → ......, laisse-le encore au four dix minutes.
2. Je suis riche. → ...... pour acheter cette voiture.
3. Vous travaillez sérieusement ? → ...... pour réussir !
4. Il court vite. → ...... pour dépasser ton score.
5. Tu es grand. → ...... pour traverser la rue tout seul.
6. Il fait beau. → ...... pour aller se promener.

12 **Complétez avec *très* ou *trop*.**

1. Cet exercice est *très* difficile, tu peux m'aider ?
   Cet exercice est ...... difficile, je ne peux pas le terminer.
2. Ce café est ...... chaud, je ne peux pas le boire.
   Ce café est ...... chaud, c'est comme ça que je l'aime.
3. La gare n'est pas ...... loin d'ici, mais c'est ...... loin pour y aller à pied.
4. Mon quartier est ...... bruyant mais heureusement, mon appartement est bien isolé.
   Mon quartier est ...... bruyant, j'ai décidé de déménager.
5. Arrêtez ! Vous jouez ...... mal ! C'est insupportable.
   Quel bon musicien ! Il joue .... bien !
6. Cette veste est ...... jolie, mais malheureusement, elle est ...... chère pour moi.

13 **Mettez les mots dans l'ordre.**

1. Notre directeur / sympathique / très / est → *Notre directeur est très sympathique.*
2. assez / des relations / avons / amicales / Nous
3. travaillons / Nous / depuis / ensemble / longtemps / très
4. part / assez / Il / à l'étranger / souvent
5. assez / des formations / Il / régulièrement / organise
6. Tous les collègues / la direction / sérieuse / très / trouvent
7. Le personnel / les conditions de travail / très / apprécie / agréables

14 **Répondez.**

La patiente : – Je ne sais pas ce qui m'arrive, je me sens fatiguée.
Le médecin : – Fatiguée ? (très)
La patiente : – Oui, *je me sens très fatiguée* (1).
Le médecin : – Vous mangez bien ? (pas assez)
La patiente : – En fait, je ...... (2).
Le médecin – Vous dormez comment ? (pas beaucoup)
La patiente : – Je ...... (3).
Le médecin : – Vous semblez stressée. (très)
La patiente : – Oui, je suis ...... (4).
Le médecin : – Vous aimez votre travail ? (beaucoup)
La patiente : – Oui, j'aime ...... (5) ce que je fais.
Le médecin : – Avec un petit traitement, ça va aller mieux !

15 **Complétez.**

deux – huit – très (2 fois) – trop – beaucoup de

– Allô, Réparations Schpouf, j'écoute.
– Oui, bonjour, c'est Mme Lemaire, j'ai déjà appelé *deux* (1) fois.
– Ah, oui !
– Écoutez, j'ai un problème, je n'ai plus de chauffage, et j'attends votre ouvrier.
– Oui, madame, désolé, nous avons eu ...... (2) travail aujourd'hui.
– D'accord, mais je suis ...... (3) ennuyée, j'ai un bébé, et il fait ...... (4) froid.
– Écoutez, ce soir, il est ...... (5) tard, les ouvriers sont partis. Mais à ...... (6) heures demain matin, ils seront là.

16 **Complétez.**

trois – *assez* – quatre – très (2 fois) – un peu de (2 fois) – pas assez – trop

Chers Mamie et Papi,
Ces vacances à la montagne sont super, mais *assez* (1) sportives !
Voici le programme : le matin, ... (2) gymnastique avant un bon petit déjeuner et c'est le départ : une marche de ...... (3) ou ...... (4) heures sur des chemins magnifiques !
Ensuite : pique-nique, ... (5) repos, et on repart ! Quand on arrive au chalet, le soir, on est fatigués, mais tout le monde est ...... (6) heureux. Les soirées passent vite : il ne fait ...... (7) clair pour dîner dans le jardin, et nous sommes ...... (8) fatigués pour aller danser ! Je suis ...... (9) contente de ce séjour ici.
Je vous embrasse. Léa.

17 **À vous ! Vous faites une activité particulière pendant une semaine de vacances et vous envoyez une lettre pour raconter.**

16 L'expression de la comparaison

Le comparatif avec un adjectif ou un adverbe

Observez

- Voici deux exercices. Le premier est **plus long** mais **moins difficile que** le deuxième. Ils sont tous les deux **aussi intéressants**.
- – Avec mon nouveau travail, je commence **moins tôt** mais je finis un peu **plus tard qu'**avant.
  – Tu travailles **aussi longtemps** alors ?
  – Oui, c'est ça, je fais le même nombre d'heures.

a. Complétez le tableau.

	Supériorité (+)	Infériorité (–)	Égalité (=)
Adjectif	…… long que	…… difficile que	…… intéressants que
Adverbe	…… tard que	…… tôt que	…… longtemps que

b. Devant une voyelle ou un *h* muet *que* devient …… .

Entraînez-vous

1 Mettez les mots dans l'ordre.

Entre toi et moi, ce n'est pas très différent.

1. travail / aussi / Mon / intéressant / est → *Mon travail est aussi intéressant.*
2. Mon / plus / petit / appartement / est
3. est / voiture / rapide / Ma / aussi
4. maison / est / Ma / grande / moins
5. belles / Mes / sont / aussi / fleurs
6. Mes / moins / sont / bavards / voisins
7. jardin / plus / est / joli / Mon

2 Transformez. (Attention à l'accord des adjectifs.)

1. Jamel est plus fort que Jean-Charles.
   Jean-Charles *est moins fort que* Jamel.
2. Charlotte est plus grosse que Laura.
   Laura …… Charlotte.

3. Ma mère est moins patiente que mon père.
   Mon père ...... ma mère.
4. Émile est plus âgé que Louis.
   Louis ...... Emile.
5. Mes sœurs sont moins bruyantes que mes frères.
   Mes frères ...... mes sœurs.
6. Alice est moins intelligente que Clément.
   Clément ...... Alice.
7. Ma voisine est plus sympathique que mon voisin.
   Mon voisin .... ma voisine.

3 **Faites des phrases comme dans les exemples.**

Exemples : Il est (= rapide) – son frère. → Il est aussi rapide que son frère.
Il est (≠ rapide) – son frère. → Il n'est pas aussi rapide que son frère.

1. Elle est (= jolie) – sa cousine.
2. Ils sont (≠ beaux) – les autres.
3. Je suis (≠ riche) – vous.
4. Elles sont (= amusantes) – leurs amies.
5. Tu es (≠ bavard) – ta sœur.
6. Vous êtes (= intelligents) – nous.

4 **À vous ! Êtes-vous très différent(e) des personnes de votre entourage (frères, sœurs, parents, amis, voisins, …) ?**

grand(e) – bruyant(e) – bavard(e) – âgé(e) – patient(e) – ...

5 **Mettez les mots dans l'ordre.**

Différences

1. vous / loin / On / que / plus / habite → *On habite plus loin que vous.*
2. aussi / que / frère / Tu / mal / écris / ton
3. vite / copain / court / Il / plus / son / que
4. chantons / bien / nos / que / amis / aussi / Nous
5. Elles / leur / que / fort / moins / parlent / professeur
6. viens / souvent / que / frère / plus / Je / mon

6 **Complétez.**

1. Tu n'es pas très correct. Parle *plus poliment* (+ poliment) !
2. Vous pouvez parler ...... (– fort), s'il vous plaît ?
3. Avancez ...... (+ lentement), c'est dangereux ici.
4. Il est prudent maintenant, il ne conduit pas ...... (= vite) qu'avant.
5. Ma grand-mère vieillit. Elle marche ...... (– facilement).
6. Nous habitons ...... (+ près) du métro, maintenant.
7. Je ne suis pas un artiste. Je ne dessine pas ...... (= bien) que vous.

Observez

- – Hum ! Cette glace à l'ananas est vraiment très bonne !
  – Eh bien, moi, je préfère ma glace à la mangue, elle est **meilleure**.
- – Je ne dors pas bien en ce moment.
  – Fais comme moi ! Je prends une infusion tous les soirs et je dors **mieux** !

a. On ne dit pas ~~plus bon~~, on dit ....

b. On ne dit pas ~~plus bien~~, on dit ....

c. Associez.

meilleur • • est invariable.

mieux • • s'accorde avec le nom.

Entraînez-vous

7 Complétez avec *meilleur*. (Attention à l'accord.)

Pour la santé :

1. Les crudités (fp) sont *meilleures* que la charcuterie.
2. Le lait (ms) est ...... que le café.
3. L'eau (fs) est ...... que les sodas.
4. Les fruits (mp) sont ...... que les bonbons.
5. Les fraises (fp) sans sucre sont ...... que les fraises à la crème.
6. La salade (fs) de fruits est ...... que le gâteau au chocolat.

8 Faites des phrases avec *meilleur*. (Attention à l'accord.)

Pour moi ...

1. Le chocolat (ms) noir / le chocolat blanc.
   → *Le chocolat noir est meilleur que le chocolat blanc.*
2. Le café (ms) noir / le café crème.
3. La glace (fs) à la vanille / la glace à la fraise.
4. Les sandwichs (mp) au jambon / les sandwichs au fromage.
5. L'eau (fs) plate / l'eau gazeuse.
6. Les frites (fp) / les pâtes.

9 À vous ! Pour vous, qu'est-ce qui est meilleur ?

Les sodas, le lait ou l'eau ? les fruits, les gâteaux ou les yaourts ? le sucre, la crème ou la glace ? ...

10 Complétez avec *mieux* ou *meilleur*. (Attention à l'accord.)

1. Les résultats (mp) de Bertrand sont meilleurs que l'année dernière. Il travaille ....
2. Mon oncle va .... Sa santé (fs) est ....
3. L'actrice (fs) Sarah Viala est ...... que Ruth Magan. Elle joue ....
4. J'ai changé de lunettes. Maintenant, je vois ....
5. Nous aimons ...... ce chocolat (ms). Il est ...... que l'autre.
6. Il a fait des progrès, sa prononciation (fs) est .... Il parle ....

Le comparatif avec un nom ou un verbe

Observez

- Kevin et Clément travaillent dans la même société : Kevin a **plus de** diplômes **que** Clément. Il a **moins d'**expérience mais il gagne **autant d'**argent.
- Agnès et Inès sont jumelles mais assez différentes : Agnès pleure **plus**, Inès dort **moins** mais elles mangent **autant** !

a. Complétez le tableau.

	Supériorité (+)	Infériorité (–)	Égalité (=)
Avec un nom	plus de … que	……	……
Avec un verbe	… plus que	……	……

b. Devant un nom qui commence par une voyelle ou un *h* muet, *de* devient …… .

Entraînez-vous

11 Transformez comme dans l'exemple.

Exemple : Grégoire gagne plus d'argent que Baptiste. (moins)
→ Grégoire gagne moins d'argent que Baptiste.

1. Mes amis ont plus de temps libre que moi. (autant)
2. Vous avez moins de travail que nous. (plus)
3. Je lis autant de livres que vous. (plus)
4. Tu vois plus de films que moi. (moins)
5. Yasmine visite moins d'expositions que Xavier. (autant)
6. Roland fait autant de sport que son frère. (moins)

12 Mettez les mots dans l'ordre.

1. que / travaille / Il / toi / autant → *Il travaille autant que toi.*
2. pleurez / que / Vous / plus / d'habitude
3. Je / moins / m'ennuie / vous / que
4. jouons / que / moins / Nous / les enfants
5. Tu / autant / ta sœur / ris / que
6. s'amuse / que / plus / l'année dernière / On

13 Complétez comme dans l'exemple.

Véry	Manceau
3 écoles 2 piscines 4 lignes d'autobus 3 boulangeries 2 pharmacies 30 cabines téléphoniques 2 salles de cinéma	2 écoles 2 piscines 6 lignes d'autobus 4 boulangeries 2 pharmacies 25 cabines téléphoniques 2 salles de cinéma

À Véry, il y a

1. *plus d'écoles*
2. ......
3. ......
4. ......
5. ......
6. ......
7. ......

qu'à Manceau.

14 Transformez comme dans l'exemple.

Exemples : Il mange beaucoup. → Il mange plus qu'avant.
Il ne mange pas beaucoup → Il mange moins qu'avant.

1. Elle dort beaucoup. → Elle ...... d'habitude.
2. Nous lisons beaucoup. → Nous ...... vous.
3. Il ne fume pas beaucoup. → Il ...... son frère.
4. Tu ne parles pas beaucoup. → Tu ...... avant.
5. Ils voyagent beaucoup. → Ils ...... leurs enfants.
6. On ne dépense pas beaucoup. → On ...... les autres.

15 **À vous !** Comparez vos habitudes de vie, vos loisirs avec vos amis.

visiter des musées – sortir – travailler – envoyer des lettres ou des courriels – voyager – ...

16 **Complétez. (Attention à l'accord des adjectifs.)**

– Alors, vous êtes contents de votre nouvel appartement ?
– Très. Il est un peu *moins grand* (– grand), mais ...... (+ confortable), ... (+ clair) que l'autre. Et surtout, la rue est ...... (– bruyant).
– Et le loyer est ...... (= cher) ?
– Non, ça aussi, c'est très bien. Il n'est pas ...... (= cher) que l'autre appartement.
– Et il est ...... (= bien situé) ?
– Un peu ...... (+ bien situé) encore : on est seulement à 2 minutes de la gare !

17 **Complétez. (Attention à l'accord des adjectifs.)**

– Monsieur, s'il vous plaît, quelles sont les différences entre ces deux modèles de voiture ?
– Les deux modèles (mp) sont *aussi récents* (= récent). Le modèle 201 est ...... (+ confortable), parce qu'il y a ...... (+ place) entre les sièges.
– Et l'autre voiture ?
– Elle est un peu ...... (– grand), elle consomme ...... (– essence) mais le moteur fait ...... (+ bruit), surtout à grande vitesse. Elle roule ...... (+ bien) en ville.
– Le modèle 201 est ...... (+ cher) ?
– Un peu, oui. Mais vous ferez ...... (+ kilomètres) !!
– Bon, je vous remercie. Je vais réfléchir.

18 **Complétez. (Attention à l'accord des adjectifs.)**

Bien chers tous,

Mon stage en France se passe très bien cette année. C'est assez différent de l'année dernière. La famille Doucet est plus accueillante (+ accueillant) que les Favier. Les enfants sont ...... (+ âgé) et nous faisons ...... (+ activités) ensemble. La maison est ...... (– loin) du centre-ville et je vais ...... (+ souvent) visiter des musées. Je crois que j'apprends ...... (+ choses) en français que l'année dernière, je m'ennuie ...... (–) et la nourriture est ...... (+ bon) !!!

Écrivez-moi. Je vous embrasse.

Pélagie

17 Les relations logiques

L'expression de la cause : *parce que* et *à cause de*

Observez

- – Pourquoi tu fermes la fenêtre ? – **Parce que** j'ai froid.
- Il reste à la maison **parce qu'**il est fatigué.
- J'ai mal dormi **à cause de l'**orage (ms), **à cause de la** chaleur (fs), **à cause du** vent (ms) et **à cause des** cris (mp) des enfants !

a. Cochez.

***Parce que* s'utilise avec :**	***À cause de* s'utilise avec :**
☐ **un verbe conjugué**	☐ **un verbe conjugué**
☐ **un adjectif**	☐ **un adjectif**
☐ **un nom**	☐ **un nom**

b. Quand on pose une question avec *Pourquoi*, on répond avec …… .

c. L'explication avec *parce que* est :

☐ **dans la première partie de la phrase.**

☐ **dans la deuxième partie de la phrase.**

d. Devant une voyelle, *parce que* devient …… .

e. On ne dit pas *à cause ~~de le~~* mais *à cause* …… .

On ne dit pas *à cause ~~de les~~* mais *à cause* …… .

Entraînez-vous

1 Associez.

1. *Pourquoi tu pleures ?*
2. Pourquoi tu ris ?
3. Pourquoi tu fermes les yeux ?
4. Pourquoi tu cours ?
5. Pourquoi tu ne dors pas bien ?
6. Pourquoi tu mets des lunettes ?
7. Pourquoi tu ne dis rien ?

a. Parce que je suis en retard.
b. Parce qu'il fait trop chaud.
c. Parce que c'est amusant.
d. Parce que je suis fatigué, j'ai sommeil.
e. Parce que je ne connais pas la réponse.
f. Parce que je ne vois pas bien.
g. *Parce que je suis tombé, j'ai mal.*

2 Mettez les mots dans l'ordre. (Attention à *que* ou *qu'*.)

1. tu es / te coucher / Tu vas / parce que / fatigué
   → *Tu vas te coucher parce que tu es fatigué.*
2. soif / un verre d'eau / Je bois / j'ai / parce que
3. elle a / Elle achète / parce que / un sandwich / faim

4. parce que / avons peur / nous / Nous crions
5. froid / On allume / parce que / le chauffage / il fait
6. pressés / vous êtes / parce que / vite / Vous marchez
7. la fenêtre / chaud / Ils ouvrent / ils ont / parce que

3 Soulignez la cause et faites des phrases comme dans l'exemple.

Exemple : Elle veut maigrir. Elle fait un régime. → Elle fait un régime parce qu'elle veut maigrir.
1. J'étudie beaucoup. Je prépare un examen.
2. Nous restons à la maison. Nous sommes fatigués.
3. Je suis en retard. Je cours.
4. Nous préparons nos valises. Nous partons en voyage.
5. Elle a trop chaud. Elle dort mal.

4 Associez.

C'est
1. à cause du
2. à cause de la
3. à cause de l'
4. à cause des

a. *chômage (ms).*
b. grèves (fp).
d. tabac (ms).
c. alcoolisme (ms).
e. accidents (mp) de la route.
f. chaleur (fs).
g. humidité (fs).
h. froid (ms).
i. politique (fs).

1	2	3	4
a, ...			

5 Faites des phrases comme dans l'exemple.

Exemple : L'avion a du retard. – Le mauvais temps (ms). → L'avion a du retard à cause du mauvais temps.
1. Il y a beaucoup d'accidents de voitures. – La vitesse (fs).
2. Je ferme la fenêtre. – Le bruit (ms).
3. La route est glissante. – La pluie (fs).
4. Il y a des embouteillages. – Les travaux (mp).
5. La route est fermée. – Les inondations (fp).
6. Je ne peux pas garer ma voiture. – L'autobus (ms).

L'expression du but : *pour*

Observez

Le verbe à l'infinitif après *pour* a le même sujet que le verbe principal. Vrai ☐ Faux ☐

Entraînez-vous

6 **Mettez dans l'ordre.**

1. sors / prendre / Je / pour / l'air → *Je sors pour prendre l'air.*
2. les Alpes / Il / dans / va / faire / pour / du ski
3. fais / pour / moins d'argent / du camping / Je / dépenser
4. de l'aéroport / un taxi / prenons / Nous / rentrer / pour
5. en voyage organisé / partent / rencontrer / Ils / pour / des gens
6. Vous / en train / arriver / partez / pour / plus vite
7. le plan / Je / pour / plus facilement / regarde / me repérer

7 **Faites des phrases comme dans l'exemple.**

Exemple : étudier beaucoup – réussir son examen → *Il étudie beaucoup pour réussir son examen.*
1. prendre des cours – faire des progrès → Ils ....
2. faire du sport – être en forme → Elle ....
3. consulter les petites annonces – trouver un travail → Tu ....
4. faire des économies – acheter un appartement → Je ....
5. téléphoner – prendre rendez-vous → Nous ....
6. aller à la banque – retirer de l'argent → Vous ....

Les conjonctions *mais* et *donc*

Observez

- J'ai beaucoup travaillé et j'ai réussi, **donc** je suis très content.
- J'ai beaucoup travaillé, **mais** je n'ai pas réussi : je ne suis pas content du tout.

a. ***Mais*** **et** ***donc*** **sont synonymes. Vrai ☐ Faux ☐**
b. Pour exprimer la conséquence, on peut utiliser ....
c. Pour exprimer l'opposition, on peut utiliser ....

Entraînez-vous

8 Soulignez la suite logique de la phrase.

1. Vous êtes malade, (mais vous allez chez le médecin – *donc vous allez chez le médecin*).
2. Il a très bien dormi, (mais il est en forme – donc il est en forme).
3. Je parle français, (mais je fais beaucoup d'erreurs – donc je fais beaucoup d'erreurs).
4. Il y a beaucoup de monde, (mais on ne peut pas entrer – donc on ne peut pas entrer).
5. J'ai réussi mon examen, (mais je suis contente – donc je suis contente).
6. J'ai bien écouté, (mais je n'ai pas compris – donc je n'ai pas compris).
7. Elle a de l'argent, (mais elle peut payer – donc elle peut payer).

9 Complétez avec *mais* ou *donc*.

1. J'écoute, *mais* je n'entends rien.
   J'écoute, *donc* je comprends bien.
2. Elle a gagné son match, ... elle a mal joué.
   Elle a gagné son match, ... elle est qualifiée.
3. Il fait noir, ... je ne vois rien.
   Il fait noir, ... je vois très bien.
4. Il a bien dormi, ... il est en pleine forme.
   Il a bien dormi, ... il est fatigué.
5. Je mange beaucoup, ... je ne grossis pas.
   Je mange beaucoup, ... je grossis.
6. Le métro est plein, ... je peux monter.
   Le métro est plein, ... je ne peux pas monter.
7. Je réfléchis, ... je n'ai pas d'idée !
   Je réfléchis ...... je ne fais pas d'erreurs.

10 Complétez avec *pour* ou *parce que*.

1. Je travaille *pour* gagner de l'argent
   Je travaille ...... j'ai besoin d'argent.
2. Je lis les journaux ...... les informations m'intéressent.
   Je lis les journaux ...... m'informer.
3. Je vais au cinéma ...... me distraire.
   Je vais au cinéma ...... j'aime le cinéma.
4. Je fais mes courses dans les grandes surfaces ...... aller plus vite.
   Je fais mes courses dans les grandes surfaces ...... je n'ai pas beaucoup de temps.
5. Je fais du sport ...... je dois maigrir.
   Je fais du sport ...... rester en forme.
6. Je vais au restaurant ...... discuter avec mes amis.
   Je vais au restaurant ...... j'aime la bonne cuisine.

11 Complétez avec *pour*, *parce que* ou *à cause de*. (Attention à la transformation de *de* et de *que*)

1. Je fais une sieste pour me reposer.
2. Nous nous dépêchons ...... nous sommes en retard.
3. Elle est triste ...... une mauvaise nouvelle.
4. Elle est fatiguée ...... elle dort très mal.
5. Je reste au lit ...... je suis malade.
6. Il réfléchit ...... comprendre.
7. Je ne sors pas ...... mauvais temps (ms).
8. Il est en colère ...... grèves (fp).

12 Faites deux phrases, l'une avec *parce que*, l'autre avec *donc*, comme dans l'exemple.

Exemple : Elle a marché vite. Elle est arrivée à l'heure.
→ *Elle est arrivée à l'heure parce qu'elle a marché vite.*
→ *Elle a marché vite, donc elle est arrivée à l'heure.*

En ville

1. Ils ont eu un accident de voiture. Ils ne sont pas prudents.
2. Il est 22 heures. Les magasins sont fermés.
3. Le bus a du retard. Il y a de la circulation.
4. Il y a une grève. On ne trouve pas de taxi.
5. La route est glissante. Il pleut.
6. Il y a une piste cyclable. Les vélos roulent bien.

4e PARTIE

Les différents types de phrases

18 La phrase interrogative

La question totale et la question avec *est-ce que ...* ?

Observez

- – Paul habite à Madrid ? – Oui, depuis 3 ans.
  – **Est-ce que** Paul habite à Madrid ? – Je ne sais pas.
- – Elle vient nous voir ? – Non, elle n'a pas le temps.
  – **Est-qu'**elle vient nous voir ? – Peut-être, ce n'est pas sûr.

a. Quand on pose une question, quel signe de ponctuation termine la phrase ? ......

b. Les deux questions *Paul habite à Madrid ?* et *Est-ce que Paul habite à Madrid ?* ont le même sens.
Vrai ☐ Faux ☐

c. Devant une voyelle, *est-ce que* devient ....

Entraînez-vous

1 Dites si la phrase est une question ou une affirmation.

	Question	Affirmation
1. Vous venez avec moi ?	☑	☐
2. C'est le week-end.	☐	☐
3. Tu pars à la campagne ?	☐	☐
4. Il ne fait pas beau.	☐	☐
5. Vous restez ici ?	☐	☐
6. Vous avez du travail ?	☐	☐
7. Ils n'ont pas le temps ?	☐	☐
8. Je dois étudier ce dossier.	☐	☐
9. Tu ne peux pas venir ?	☐	☐
10. Je suis désolé.	☐	☐

2 Complétez avec *Est-ce qu'* ou *Est-ce que*.

1. *Est-ce que* tu viens à la fête de Claire ?
2. ...... on apporte quelque chose ?
3. ...... tes sœurs sont invitées ?
4. ...... elles peuvent venir ?
5. ...... il faut faire un cadeau ?
6. ...... tu peux me téléphoner ?

3 **Mettez les mots dans l'ordre.**

1. Est-ce que / étudiant / êtes / vous / ? → *Est-ce que vous êtes étudiant ?*
2. Est-ce que / une brochure / ? / avez / vous
3. il / des places / ? / Est-ce qu' / reste
4. aujourd'hui / Est-ce que / peux / venir / je / ?
5. il y a / ? / ce soir / Est-ce qu' / un cours
6. vous / ? / avez rempli / votre dossier / Est-ce que
7. vous / Est-ce que / revenir / ? / pouvez / demain

Les mots interrogatifs *qui* et *quoi*

Observez

- – Tu connais **qui** à cette fête ?
  – Seulement quelques amis.
- – **Qui** habite ici ?
  – Les amis de Victor.
- – **Qui** est-ce ?
  – Julien, mon petit ami.
- – C'est **qui** ?
  – Une collègue.

a. ***Qui*** **pose une question sur :**

☐ **une (ou des) personne(s)**
☐ **une (ou des) chose(s)**

- – Tu fais **quoi** ce soir ?
  – Rien de spécial.
- – **Qu'est-ce que** tu bois ?
  – Un jus d'orange.
- – **Qu'est-ce que** c'est ?
  – Mes nouvelles chaussures !
- – C'est **quoi** ?
  – Un cadeau pour mon père.

b. ***Quoi*** **pose une question sur :**

☐ **une (ou des) personne(s)**
☐ **une (ou des) chose(s)**

c. ***Qu'est-ce que*** **a le même sens que** ***quoi*****.** **Vrai** ☐ **Faux** ☐

d. Associez :

Qu'est-ce que • • **est au début de la phrase**
Quoi • • **est après le verbe**

e. Complétez le tableau.

Question sans *est-ce que*	Question avec *est-ce que*
…… ? C'est quoi ?	Qu'est-ce que tu fais ? …… ?

Entraînez-vous

4 Posez les questions comme dans l'exemple.

Exemple : Romain et Alice travaillent dans cette entreprise. → *Qui travaille dans cette entreprise ?*

1. Michel habite ici.
2. Ma sœur vient ce soir.
3. Les enfants arrivent dimanche.
4. Jeanne reste à la maison.
5. Il va se marier.
6. Nous partons demain.
7. Stéphane et Julie ont un examen.
8. Je peux traduire ce texte.

5 Posez les questions comme dans l'exemple.

Exemple : Je regarde les invités. →Tu regardes qui ?
Elle attend un courriel. → Elle attend quoi ?

1. Nous écoutons le conférencier.
2. Il achète des fleurs.
3. C'est mon amie Laura.
4. Ils invitent leurs voisins.
5. Nous préparons un gâteau.
6. C'est mon nouveau sac.
7. J'invite tous mes amis.
8. Elle écrit une lettre.

6 Complétez avec *qu'est-ce que, qu'est-ce qu'* ou *quoi.*

1. *Qu'est-ce que* tu fais ?
2. Vous mangez ...... ?
3. ...... il lit ?
4. ...... nous achetons ?
5. Tu bois ...... ?
6. ...... elles disent ?
7. Elle écrit ...... ?
8. ...... vous vendez ?

7 Posez les questions comme dans l'exemple.

Exemple : J'achète ce plan et deux stylos. → Qu'est-ce que tu achètes ? / Tu achètes quoi ?

1. Nous prenons une glace.
2. Ils demandent l'addition.
3. Ils boivent du lait chaud.
4. Elle prépare une tarte aux pommes.
5. Je lis un roman historique.
6. Elle écrit un poème.
7. Nous dansons la rumba.
8. Je chante une chanson de Jacques Brel.

Les mots interrogatifs : *quand, où, comment, pourquoi* et *combien*

Observez

• – **Quand est-ce que** vous partez ?
– Demain soir.
– Et vous rentrez **quand** ?
– Dimanche prochain.

• – **Où est-ce qu'**on va ce soir ?
– Au restaurant.
– On se donne rendez-vous **où** ?
– Devant le restaurant, c'est plus facile.

• – **Comment** s'appelle le restaurant ?
– *Le petit Resto.*
– On y va **comment** ?
– En métro.
– Et **comment est-ce qu'**on va rentrer ?
– En taxi.

• – **Pourquoi est-ce que** vous apprenez le français ?
– Parce que je vais en France.
– **Pourquoi** vous allez en France ?
– Parce que je vais faire un stage.

• – Il y a **combien de** roses ?
– 7.
– Et **combien est-ce que** tu as payé ?
– 28 €.

a. Quels mots est-ce qu'on utilise pour poser une question sur :
– le temps (moment) : ......
– le lieu : ......
– la manière : ......
– la cause : ......
– la quantité : ......

b. ***est-ce que*** **est placé :**
☐ **derrière le mot interrogatif.**
☐ **devant le mot interrogatif.**

c. Complétez le tableau.

Question simple sans *est-ce que*	Question avec *est-ce que*
Vous partez quand ?	...... ?
...... ?	Où est-ce qu'on se donne rendez-vous ?
...... ?	Combien est-ce que tu as payé ?
On va rentrer comment ?	...... ?
Pourquoi il dort ?	...... ?

Entraînez-vous

8 Associez.

1. *Pourquoi est-ce que ça commence à 18 heures seulement ?*
2. Où est-ce que la conférence a lieu ?
3. Combien de personnes est-ce qu'il y a ?
4. Comment on y va ?
5. Quand est-ce que ça finit ?
6. Pourquoi Arthur ne vient pas ?

a. Il n'est pas libre.
b. Vers 20 heures.
c. En voiture, si tu veux.
d. *Parce que la salle n'est pas libre avant.*
e. Dans le grand amphithéâtre.
f. Une centaine, je pense.

9 Complétez avec un mot interrogatif.

1. – *Combien* de jours de vacances est-ce que tu as ? – Quatre.
2. – ...... tu vas ? – En Normandie.
3. – ...... est-ce que tu pars ? – Samedi.
4. – ...... tu ne pars pas avec tes amis ? – Parce qu'ils ne sont pas libres.
5. – ...... est-ce que tu vas te déplacer ? – Je loue une voiture.
6. – ...... de villes tu vas visiter ? – Deux ou trois.
7. – ...... tu prends le bateau ? – Parce que c'est moins cher.
8. – ...... est-ce que tu reviens ? – La semaine prochaine.

10 Mettez les mots dans l'ordre.

1. venez / est-ce que / Quand / vous / ? → *Quand est-ce que vous venez ?*
2. ça / ? / Combien / coûte
3. il / Où / ? / est-ce qu' / va
4. il y a / est-ce qu' / du monde / Pourquoi / ?
5. va / ? / Comment / ça
6. je / ? / venir / peux / est-ce que / Quand
7. ne / ? / Pourquoi / pas / tu / réponds
8. Vous / ? / appelez / vous / comment

11 Posez les questions comme dans l'exemple.

Exemple : Ils vont au Portugal. → Où est-ce qu'ils vont ?

1. Elles viennent en bus.
2. On doit payer 34 €.
3. Nous arrivons le 17 juillet.
4. Je paye en espèces.
5. Nous habitons à Venise.
6. Nous restons dix jours.
7. Elle revient demain.

Quel(s), quelle(s) … ?

Observez

- À **quelle heure** (fs) est-ce que votre train arrive ?
- Chez **quel médecin** (ms) est-ce qu'il va ?
- Avec **quels collègues** (mp) est-ce que vous préférez travailler ?
- **Quelles qualités** (fp) sont importantes pour ce travail ?

Complétez le tableau.

masculin singulier	……
féminin singulier	……
masculin pluriel	……
féminin pluriel	……

Entraînez-vous

12 **Complétez les questions avec *quel* ou *quelle* puis associez.**

1. *Quel est votre nom (ms) ?*
2. …… est votre nationalité (fs) ?
3. Tu as …… âge (ms) ?
4. …… est votre adresse (fs) ?
5. Il fait …… temps (ms) ?
6. …… heure (fs) il est ?
7. Nous sommes …… jour (ms) ?

a. 34, rue de Babylone.
b. 19 ans.
c. 4 heures moins le quart.
d. Il ne pleut plus.
e. Mardi.
f. *Darven, D, A, R, V, E, N.*
g. Je suis français.

13 **Complétez avec *quel, quelle* ou *quels*.**

1. Tu habites dans *quelle* résidence (fs)?
2. Vous allez à …… étage (ms) ?
3. C'est …… porte (fs) ?
4. On sort à …… station (fs) ?
5. …… dossiers (mp) j'apporte ?
6. C'est …… ligne (fs) de métro ?

14 **Complétez avec *quel, quelle, quelles* ou *quels*.**

Au théâtre

1. C'est à *quel* théâtre (ms) ?
2. C'est dans …… salle (fs) ?
3. C'est pour …… spectacle (ms) ?
4. Les billets sont à …… prix (ms) ?
5. C'est à …… heure (fs) ?
6. On a …… places (fp) ?
7. On est à …… rang (ms) ?
8. Vous avez …… numéros (mp) ?

La question : *Qu'est-ce que … comme … ?*

Observez

• – Votre fils fait du sport ?
– Oui, c'est un sportif.
– **Qu'est-ce qu**'il fait **comme** sport ?
– Du tennis, et il joue au rugby.

• – Tu écoutes de la musique avec tes amis ?
– Oui, souvent.
– Et **qu'est-ce que** tes amis écoutent **comme** musique ?
– Toutes sortes de musiques !

a. ***Qu'est-ce qu'il fait comme sport ?*** **a le même sens que** ***Quel sport est-ce qu'il fait ?*****.**
Vrai ☐ **Faux** ☐

b. Mettez dans l'ordre : musique / Qu'est-ce que / écoutent / comme / tes amis / ? → ……

Entraînez-vous

15 Mettez les mots dans l'ordre.

Au restaurant

1. dessert / Qu'est-ce que / voulez / comme / vous / ?
→ *Qu'est-ce que vous voulez comme dessert ?*
2. Qu'est-ce que / tu / comme / ? / prends / entrée
3. commande / ? / Qu'est-ce qu' / on / vin / comme
4. il y a / comme / Qu'est-ce qu' / ? / plat du jour
5. sauce / ? / Qu'est-ce que / comme / c'est
6. Qu'est-ce que / ? / comme / avez / eau minérale / vous

16 Transformez comme dans l'exemple.

Exemple : Quel travail est-ce que vous faites ? → Qu'est-ce que vous faites comme travail ?

1. Quelle veste est-ce que tu mets ?
2. Quelle robe est-ce que vous choisissez ?
3. Quel sac est-ce que tu emportes ?
4. Quelle couleur est-ce qu'elle préfère ?
5. Quel cadeau est-ce qu'ils offrent ?
6. Quel parfum est-ce que tu achètes ?
7. Quelles chaussures est-ce que vous avez ?

17 Trouvez la question.

1. J'ai une voiture de sport. → *Qu'est-ce que tu as / vous avez comme voiture ?*
2. Je cherche un magazine d'histoire.
3. Elle met un parfum très léger.
4. Ils regardent un film comique.
5. Nous écoutons de la musique classique.
6. Elles portent des couleurs claires.
7. J'aime les bijoux en argent.

18 Complétez.

comment (2 fois) – combien de (2 fois) – qu'est-ce que ... comme – *est-ce que* – quelles

– Bonjour madame, *est-ce que* (1) je peux vous aider ?
– Oui, je voudrais des renseignements sur l'excursion du 1er juin en Bretagne.
– Oui, alors, voilà le descriptif.
– Elle dure ...... (2) temps ?
– Trois jours.
– .... (3) on y va ?
– En TGV jusqu'à Rennes, et après en car.
– Et ...... (4) on visite ...... (5) sites ?
– Alors, la ville de Rennes d'abord, et puis le Mont-Saint-Michel bien sûr, et la côte.
– Et on s'arrête dans ...... (6) villes ?
– Le premier jour, à Rennes, et ensuite vous avez deux jours à Saint-Malo.
– Bon, très bien, je vais réserver.
– Oui, c'est pour ...... (7) personnes ?
– Deux personnes.
– D'accord. Voilà vos billets. Ça fait 365 euros pour les deux personnes. ...... (8) est-ce que vous payez ?
– Je vais faire un chèque.

19 À vous ! Vous voulez visiter une région, vous demandez des informations à l'office du tourisme.

20 Associez.

A la recherche d'un appartement

1. *Où est-ce qu'il est situé ?*
2. Il fait quelle surface ?
3. Est-ce qu'il y a un ascenseur ?
4. À quel étage il se trouve ?
5. Est-ce que la cuisine est équipée ?
6. Qu'est-ce qu'il y a comme stations, à proximité ?
7. Quand est-ce que je peux le visiter ?
8. Et je demande qui ?

a. Vous avez les stations Bastille et St-Paul, tout près.
b. Oui, la cuisine est équipée.
c. Demain matin, venez à l'agence.
d. Non, il n'y a pas d'ascenseur.
e. *Il est situé dans le quartier du Marais.*
f. Vous demandez M. Dudreuil.
g. C'est un deux-pièces de 45 mètres carrés.
h. Il est au troisième étage.

21 Complétez.

quand – comment – qu'est-ce qu'... comme – quelle – est-ce qu' – où – combien

1. *Quand* est-ce qu'on peut demander les renseignements ?
2. À ...... heure est-ce que les bureaux ferment ?
3. ...... d'argent est-ce qu'on doit changer ?
4. ...... est-ce qu'on peut se renseigner ? Par téléphone ?
5. ...... il faut avoir ...... papiers ?
6. ...... on peut payer avec la carte de crédit ?
7. ...... est-ce que je peux m'inscrire ? Au secrétariat ?

22 **Posez la question comme dans l'exemple.**

Exemple : Je suis né le 2 décembre 1981. → Quand est-ce que tu es né ?

1. J'habite à Lyon.
2. Je fais des études de droit.
3. Je viens à pied.
4. Oui, je suis marié.
5. Non, je n'ai pas d'enfants.
6. Je suis arrivé le mois dernier.

23 **À vous ! Vous faites la connaissance d'un nouvel ami, d'un nouveau collègue, vous lui posez des questions.**

19 La phrase négative

La négation *ne… pas*

Observez

– Allô, bonsoir madame. Est-ce qu'Eric est là ?
– Non, je regrette, il **n'**est **pas** là. Il **ne** rentre **pas** à la maison ce soir.
– Et demain ?
– Je **ne** sais **pas.** Vous **n'**avez **pas** son numéro de téléphone portable ?
– Si, si. Merci madame. Au revoir.

a. La négation est formée de deux mots. Vrai ☐ Faux ☐

b. Cochez la réponse correcte.

***ne* est placé :**	***pas* est placé :**
☐ derrière le verbe	**☐ derrière le verbe**
☐ devant le verbe	**☐ devant le verbe**

c. Mettez dans l'ordre : pas / à la maison / Il / rentre / ne → ……
avez / n' / Vous / son numéro de téléphone / pas → ……

d. Devant une voyelle ou un *h* muet, *ne* devient …… .

Entraînez-vous

1 Complétez avec *ne* ou *n'*.

1. Je *ne* suis pas en forme.
2. Il …… a pas faim.
3. Nous …… sommes pas bien.
4. Ils …… sortent pas.
5. Elle …… a pas soif.
6. Vous …… allez pas bien.
7. On …… a pas faim.

2 Transformez à la forme négative comme dans l'exemple.

Exemple : C'est normal. → Ce n'est pas normal.

1. C'est possible.
2. C'est juste.
3. C'est exact.
4. C'est vrai.
5. C'est bien.
6. C'est bon.
7. C'est facile.

3 Faites des phrases comme dans l'exemple.

Exemple : une veste en lin / une veste en coton → C'est une veste en lin, ce n'est pas une veste en coton.

des chaussures d'hiver / des chaussures d'été → Ce sont des chaussures d'hiver, ce ne sont pas des chaussures d'été.

1. une bague en or / une bague en argent
2. un chemisier en soie / un chemisier en nylon
3. des gants en laine / des gants en cuir
4. un pantalon à rayures / un pantalon à carreaux
5. une tunique à fleurs / une tunique à pois
6. des chaussettes noires / des chaussettes bleu marine

4 Mettez les mots dans l'ordre.

1. suis / Je / marié / pas / ne → *Je ne suis pas marié.*
2. pas / est / n' / divorcé / Il
3. loin d'ici / habitons / pas / Nous / n'
4. Ils / d'enfants / pas / ont / n'
5. travailles / Tu / ne / pas
6. pas / On / d'études / ne / fait
7. fumez / ne / pas / Vous

5 Transformez à la forme négative comme dans l'exemple.

Exemple : Tu viens avec nous ? → Tu ne viens pas avec nous ?

1. Vous sortez ce soir ?
2. Vous arrivez ensemble ?
3. Tu restes encore un peu ?
4. Vous allez au théâtre ?
5. Tu accompagnes les autres ?
6. Vous invitez vos voisins ?

6 Complétez.

Chère Mamie,

Nous passons des vacances épouvantables. Il ...... (ne pas faire) beau. Nous ...... (ne pas sortir) beaucoup de l'hôtel. Nous ...... (ne pas aller) à la plage. La nourriture ...... (ne pas être) bonne. Je ...... (ne pas avoir) de copains. La télévision ...... (ne pas fonctionner). Papa et Maman ...... (ne pas être) de bonne humeur. Je ...... (ne pas savoir) quoi faire. Tu ...... (ne pas avoir) une idée ? Ecris-moi vite. Je t'embrasse.

Mickaël

Observez

auxiliaire — participe passé

– Je **ne** suis **pas** sortie hier soir.
– Tu **n'**as **pas** pu ?
– Non, Eric **n'**est **pas** venu et il **n'**a **pas** téléphoné.

a. Dans la forme négative d'un verbe au passé composé,

***ne* est placé :**	***pas* est placé :**
☐ **après l'auxiliaire**	☐ **après le participe passé**
☐ **avant l'auxiliaire**	☐ **avant le participe passé**

b. Mettez dans l'ordre : sortie / pas / Je / suis / ne → ......
n' / venu / pas / est / Eric → ......

Entraînez-vous

7 Mettez les mots dans l'ordre.

1. fini / mon travail / ai / Je / n' / pas. → *Je n'ai pas fini mon travail.*
2. Il / fait / pas / a / n'/ ses devoirs
3. n'/ ses leçons / pas / appris / a / Elle
4. es / Tu / pas / rentré / n' / assez tôt
5. ne / allé / pas / Je / suis / à la bibliothèque
6. rangé / avons / n' / Nous / nos affaires / pas
7. Vous / pas / arrivé / êtes / n' / à l'heure

8 Conjuguez les verbes au passé composé à la forme négative.

Une mauvaise soirée

1. dîner → *Je n'ai pas dîné.*
2. regarder la télévision → Tu ....
3. inviter mes voisins → Je ....
4. téléphoner à nos amis → Nous ....
5. lire → Elles ....
6. faire la fête → Vous ....
7. sortir → Il ....

9 Complétez comme dans l'exemple.

Exemple : Tous les soirs, nous écoutons les nouvelles, mais hier soir, nous n'avons pas écouté les nouvelles.

1. Le samedi, elle va au marché, mais samedi dernier, ...
2. D'habitude, ils regardent le journal télévisé mais avant-hier, ...
3. Tous les dimanches, nous allons chez mes parents, mais dimanche dernier, ...
4. En général, elle achète les journaux. Pendant une semaine, ...
5. D'habitude, il travaille dans son jardin. Ces derniers jours, ...
6. Normalement, on prend le train mais hier, ...

10 **Conjuguez les verbes au passé composé à la forme négative.**

1. Je *n'ai pas écouté* (ne pas écouter), donc je *n'ai pas entendu* (ne pas entendre).
2. Vous ...... (ne pas chercher), donc vous ...... (ne pas trouver).
3. Ils ...... (ne pas regarder), donc ils ...... (ne pas voir).
4. Nous ...... (ne pas apprendre), donc nous ...... (ne pas répondre) aux questions.
5. Tu ...... (ne pas jouer), donc tu ...... (ne pas gagner).
6. Elle ...... (ne pas étudier), donc elle ...... (ne pas réussir) son examen.
7. On ...... (ne pas expliquer), donc elles ...... (ne pas comprendre).

Observez

1er verbe — 2e verbe à l'infinitif

– Éric ne va pas bien en ce moment. Il **ne** peut **pas** travailler.
– Pourquoi ? Il est malade ?
– Non, il a des problèmes de mémoire.
– Il **ne** va **pas** passer ses examens ?
– Je **ne** peux **pas** répondre, je ne sais pas.

a. Quand un verbe est suivi d'un deuxième verbe à l'infinitif,

***ne* est placé :**	***pas* est placé :**
☐ **derrière le premier verbe**	☐ **derrière le deuxième verbe**
☐ **devant le premier verbe**	☐ **devant le deuxième verbe**

b. Mettez dans l'ordre : va / pas / Il / passer / ne / ses examens → ......
Je / répondre / pas / peux / ne → ......

Entraînez-vous

11 **Mettez les mots dans l'ordre.**

Exemple : Il a la jambe cassée. → pas / Il / marcher / ne / peut → Il ne peut pas marcher.

1. Je suis fatigué. → veux / sortir / Je / pas / ne
2. Elle est trop jeune. → conduire / Elle / doit / ne / pas
3. Tu n'as pas l'air content. → aimes / danser / n' / Tu / pas ?
4. C'est interdit. → ne / faut / Il / courir / pas
5. Ils n'ont pas appris. → pas / savent / Ils / ne / nager
6. Vous buvez trop de café. → allez / n' / Vous / dormir / pas

12 **Répondez à la forme négative comme dans l'exemple.**

Exemple : Vous aimez jouer aux cartes ? – Non, nous n'aimons pas jouer aux cartes.

1. – Tu sais danser la valse ? – Non, je ....
2. – Vous préférez sortir en boîte ? – Non, nous ....
3. – Vous voulez aller à la piscine ? – Non, nous ....
4. – Tu aimerais chanter dans une chorale ? – Non, je ....
5. – Tu aimes voir les films en V.O. ? – Non, je ....
6. – Tu veux lire ce roman ? – Non, je ....

13 Mettez les mots dans l'ordre.

C'est le règlement de l'école !

1. dans l'école / ne / fumer / Nous / devons / pas → *Nous ne devons pas fumer dans l'école.*
2. pas / Il / en retard / ne / faut / arriver
3. ne / porter / pas / Nous / de mini-jupes / devons
4. devez / ne / Vous / faire de bruit / pas
5. trop fort / Il / pas / parler / faut / ne
6. courir / On / ne / dans les escaliers / pas / doit
7. ne / la copie / Vous / pas / de votre voisin / devez / regarder

14 Répondez à la forme négative comme dans l'exemple.

Exemple : – Tu viens ? On sort un peu ?
– Non, je ne dois pas sortir (ne pas devoir sortir).

1. – Allez, tu nous chantes quelque chose ?
   – Non, je suis désolé, je ...... (ne pas savoir chanter).
2. – Tu veux une cigarette ?
   – Non merci, il ...... (ne pas falloir fumer) ici.
3. – Vous pouvez me dire ce qui est écrit là-bas ?
   – Non, excusez-moi, je ...... (ne pas pouvoir lire), c'est trop petit.
4. – On invite Claire à regarder un DVD ce soir ?
   – Non, ce n'est pas une bonne idée, elle ...... (ne pas aimer voir) les films sur un petit écran.
5. – Alors, vous quittez bientôt Paris ?
   – Non, je ne crois pas, Gustave ...... (ne pas vouloir aller) en province.
6. – Vous prenez un verre avec nous ?
   – Oui, mais nous ...... (ne pas pouvoir rester) longtemps.

Observez

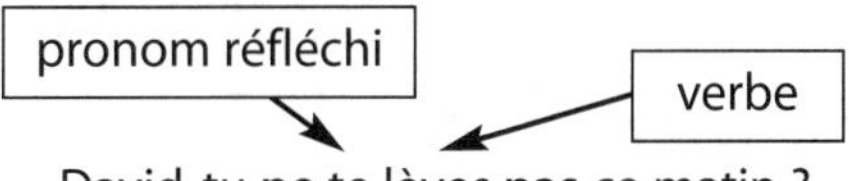

- David, tu **ne** te lèves **pas** ce matin ?
- Non, je **ne** me sens **pas** bien.
- Mais, qu'est-ce que tu as fait hier soir ?
- Je **ne** me souviens **pas** !!!

a. Cochez la réponse correcte. Avec un verbe pronominal,

***ne* est placé :**
- ☐ **derrière le pronom réfléchi**
- ☐ **devant le pronom réfléchi**

***pas* est placé :**
- ☐ **derrière le verbe**
- ☐ **devant le verbe**

b. Mettez dans l'ordre : te / Tu / ne / pas / lèves → ......
Je / pas / me / ne / souviens → ......

Entraînez-vous

15 Transformez à la forme négative.

Pendant la semaine :		Pendant le week-end :
1. Je me lève tôt.	→	*Je ne me lève pas tôt.*
2. Il se rase.	→	....
3. Tu te maquilles.	→	....
4. Nous nous dépêchons.	→	....
5.	→	Je me couche tard.
6.	→	Elle se repose.
7.	→	Ils s'amusent.

16 Choisissez et complétez.

ne te sens pas bien – *ne te promènes pas* – ne me souviens pas – ne se dépêche pas – ne nous couchons pas tard – ne s'ennuient pas – ne vous amusez pas – ne nous reposons pas

1. Tu restes enfermé dans ta chambre d'hôtel. Tu *ne te promènes pas.*
2. J'ai tout oublié. Je ....
3. Nous sortons tous les soirs. Nous ....
4. Nous sommes fatigués. Nous ....
5. Vous n'avez rien à faire. Vous ....
6. Elles sont très occupées. Elles ....
7. Il ne va pas vite. Il ....
8. Tu as l'air malade. Tu ...... ?

17 Complétez.

1. — Nous *ne nous reposons pas* (ne pas se reposer) avant de continuer ?
   — Non, nous n'avons pas le temps.
2. — Tu ...... (ne pas s'asseoir) ?
   — Non, je préfère rester debout.
3. — Elle ...... (ne pas s'allonger) sur la plage ?
   — Non, elle n'aime pas rester en plein soleil.
4. — Vous ...... (ne pas s'arrêter) un peu ?
   — Non, nous devons finir notre travail avant midi.
5. — Il ...... (ne pas s'en aller) avec ses parents ?
   — Non, il va voyager avec des copains.
6. — Vous ...... (ne pas s'installer) près de la fenêtre ?
   — Non, j'ai peur d'avoir froid.
7. — On ...... (ne pas se réveiller) de bonne heure demain ?
   — Non, ce n'est pas nécessaire.

Les négations *ne… pas encore, ne… plus, ne… jamais*

Observez

- – Paul a 17 ans, il vote déjà ?
  – Non, il est trop jeune, il **ne** vote **pas encore**.
- – Max a arrêté de fumer. Il tousse encore ?
  – Non, c'est fini, il **ne** tousse **plus**.
- – On part toujours en vacances en août.
  – Ah ! Moi, je **ne** pars **jamais** en été.

a. Associez les formes contraires.

déjà •   **• ne… jamais**
toujours •   **• ne… pas encore**
encore •   **• ne… plus**

b. Mettez dans l'ordre : ne / pas encore / Il / vote → ……
tousse / plus / Il / ne → ……
Je / jamais / ne / en été / pars → ……

Entraînez-vous

18 **Transformez les phrases avec *ne… jamais*.**

Carole et Christelle sont jumelles mais…

Carole :	Christelle :
1. Elle sourit tout le temps.	*Elle ne sourit jamais.*
2. Elle chante tout le temps.	…… .
3. Elle rit tout le temps.	…… .
4. Elle danse tout le temps.	…… .
5. Elle s'amuse tout le temps.	…… .
6. Elle est toujours gaie.	…… .

19 **Associez puis répondez en utilisant *ne… jamais*.**

Habitudes

1. *Est-ce que tu prends le bus quelquefois ?*
2. Est-ce que vous regardez la télé le matin ?
3. Est-ce qu'ils vont au cinéma en semaine ?
4. Est-ce qu'elle travaille tard de temps en temps ?
5. Est-ce qu'il part en vacances avec ses parents ?

a. Ils préfèrent sortir le week-end.
b. Elle termine à 17 heures.
c. Nous préférons écouter la radio.
d. Il voyage avec ses copains.
e. *Je me déplace toujours en métro.*

1. *Je ne prends jamais le bus, je me déplace toujours en métro.*
2. …… .
3. …… .
4. …… .
5. …… .

20 **Répondez avec *ne … pas encore*.**

En Normandie

1. Vous avez visité le musée de Caen ? Non, nous *n'avons pas encore visité* le musée de Caen.
2. Ils ont joué au casino de Deauville ? Non, ils ...... au casino de Deauville.
3. Tu es allé sur les plages du Débarquement ? Non, je ...... sur les plages du Débarquement.
4. Elles ont traversé le pont de Normandie ? Non, elles ...... le pont de Normandie.
5. Ils ont goûté le cidre normand ? Non, ils ...... le cidre normand.
6. Elle est montée en haut du Mont-Saint-Michel ? Non, elle ....
7. Vous avez vu les falaises d'Etretat ? Non, nous ...... les falaises d'Étretat.
8. Il a découvert la Normandie ? Non, il ...... de Normandie.

21 **Répondez avec *ne … plus* comme dans l'exemple.**

Exemple : – Vous travaillez encore chez Thomson ? – Non, nous ne travaillons plus chez Thomson.

1. – Tu vis encore chez tes parents ? – ....
2. – Elles viennent encore dîner tous les soirs ? – ....
3. – Il a encore sa vieille moto ? – ....
4. – Il fume encore la pipe ? – ....
5. – Il pleut encore ? – ....
6. – Ils sont encore là ? – ....

Les négations *ne… rien, ne… personne*

Observez

– Tu vois quelque chose là-bas ?
– Non, il fait trop sombre, je **ne** vois **rien**.

– Vous connaissez quelqu'un ici ?
– Non, nous **ne** connaissons **personne**, c'est la première fois que nous venons. Et toi ?

– Quel week-end ennuyeux ! Je **n'**ai **rien** fait, je **n'**ai rencontré **personne.** Je t'assure, je suis contente de reprendre le travail.

a. *ne … rien* est le contraire de *quelque chose*. Vrai ☐ Faux ☐

b. *ne … personne* est le contraire de *quelqu'un*. Vrai ☐ Faux ☐

c. Au présent, *rien* et *personne* sont placés derrière le verbe. Vrai ☐ Faux ☐

d. Au passé composé, *personne* est placé :
☐ **devant le verbe.**
☐ **derrière le verbe.**

e. Mettez dans l'ordre : vois / ne / rien / Je → ……
Nous / personne / connaissons / ne → ……
fait / rien / n' / Je / ai → ……
rencontré / n' / Je / personne / ai → ……

Entraînez-vous

22 Répondez avec *rien* ou *personne*.

1. – Tu lis quoi ? – *Rien.*
2. – Qu'est-ce que tu fais ? – ....
3. – Vous attendez quelqu'un ? – Non, ...
4. – Tu téléphones à qui ? – À ....
5. – Qu'est-ce que vous voulez ? – ....
6. – Tu penses à quoi ? – À ....
7. – Qu'est-ce que tu prends ? – ....
8. – De quoi est-ce que vous parlez ? – De ....
9. – Avec qui est-ce qu'elle joue ? – Avec ....

23 Répondez avec *ne ... personne* comme dans l'exemple.

Exemple : – Vous voyez quelqu'un ? – Non, nous ne voyons personne.

1. – Elle attend quelqu'un ? – ....
2. – Ils cherchent quelqu'un ? – ....
3. – Vous recevez quelqu'un ? – ....
4. – Ils connaissent quelqu'un ? – ....
5. – Elles écoutent quelqu'un ? – ....
6. – Ils invitent quelqu'un ? – ....

24 Répondez avec *ne... rien* comme dans l'exemple.

Exemple : Elle veut quelque chose ? – Non, elle ne veut rien.

1. Il comprend quelque chose ? – ....
2. Ils répondent quelque chose ? – ....
3. Vous demandez quelque chose ? – ....
4. Vous faites quelque chose ce soir ? – ....
5. Tu achètes quelque chose ? – ....
6. Tu bois quelque chose ? – ....

25 Mettez les mots dans l'ordre.

1. n'/ Je / personne / entendu / ai → *Je n'ai entendu personne.*
2. rien / avez / Vous / n' / fait
3. personne / a / On / vu / n'
4. avons / n' / remarqué / Nous / personne
5. dit / Ils / rien / ont / n'
6. Je / ai / pris /n' / rien
7. ont / personne / n' / Elles / appelé

26 Mettez les mots dans l'ordre. (Rétablissez l'apostrophe si nécessaire.)

1. du restaurant / Je / pas / ai / ne / l'adresse → *Je n'ai pas l'adresse du restaurant.*
2. de réserver / Il / pas / faut / ne / oublier
3. choisi / Vous / pas encore / ne / avez / ?
4. plus / avons / de tarte au citron / ne / Nous
5. de sodas / sert / ne / Le restaurant / pas
6. prendre / Il / pas / de dessert / va / ne

27 Mettez les mots dans l'ordre. (Rétablissez l'apostrophe si nécessaire.)

1. pas / Vous / ne / de réduction / avez → *Vous n'avez pas de réduction.*
2. ne / Je / les horaires / connais / pas
3. ouvert / ne / Le buffet / pas encore / est
4. en gare / Le train / ne / entré / pas encore / est
5. de composter / faut / oublier / pas / Il / les billets / ne
6. en première classe / Nous / jamais / ne / voyagé / avons
7. plus / Il / de train / y / après 23 heures / a / ne

28 Répondez à la forme négative.

De retour du travail

1. – Chloé, tu as sorti les poubelles ? – *Non, je n'ai pas sorti les poubelles.*
2. – Le dîner est déjà prêt ? – ....
3. – La facture de téléphone est arrivée ? – ....
4. – Les enfants, vous avez déjà terminé vos devoirs ? – ....
5. – Le réparateur de télé est passé ? – ....
6. – Clément, tu as acheté le pain ? – ....
7. – Mme Nolet va passer ce soir ? – ....

PRÉCIS grammatical

I Le groupe du nom et les pronoms

Le nom

Le nom indique l'identité ou désigne des personnes, des animaux, des événements, des choses ou des idées.

Le genre

Tous les noms sont du genre masculin ou féminin :
• Les noms de choses ont un genre fixe.
→ *Exemples : train (masculin) / bureau (masculin) / voiture (féminin) / réception (féminin).*
• Le genre des noms de personnes et d'animaux correspond presque toujours au sexe.

Pour former le féminin :

	Masculin	Féminin
On ajoute **e** au masculin	*marchand*	*marchand**e***
-er → -ère	*boulang**er***	*boulang**ère***
-en → -enne	*pharmaci**en***	*pharmaci**enne***
-eur → -rice	*conduct**eur***	*conduct**rice***
-eur → -euse	*coiff**eur***	*coiff**euse***
Noms terminés par –*e*, pas de changement	*journaliste*	*journaliste*
Forme très différente	*frère*	*sœur*

Le nombre

Les noms comptables peuvent être au singulier et au pluriel.

Pour former le pluriel :

	Singulier	Pluriel
On ajoute **s** au singulier	*chaise*	*chaise**s***
Noms terminés par –*eu* et -*eau* → On ajoute **x** au singulier	*bureau* *cheveu*	*bur**eaux*** *chev**eux***
-al → -aux	*journal*	*journ**aux***
Noms terminés par *s* et *x* → pas de changement	*tapis* *prix*	*tapis* *prix*

L'article

	Masculin singulier	Féminin singulier	Pluriel
Article défini	***le*** *père* ***l'****oncle*	***la*** *mère* ***l'****amie*	***les*** *enfants* ***les*** *amis*
Article indéfini	***un*** *cadeau*	***une*** *lettre*	***des*** *messages*
Article partitif	***du*** *pain* ***de l'****argent*	***de la*** *volonté* ***de l'****eau*	

Devant une voyelle ou un *h* muet, *le* et *la* deviennent *l'*.

On emploie l'article défini pour désigner une personne ou une chose connue ou déterminée par le contexte.
On emploie aussi l'article défini pour désigner une généralité.
On emploie l'article indéfini devant les noms comptables indéterminés ou pour désigner une personne ou une chose non identifiée.
On emploie l'article partitif pour indiquer une quantité indéterminée.

Les articles contractés

Les articles *le* et *les* ont une forme contractée avec les prépositions *à* et *de*.

	Masculin singulier	Féminin singulier	Nom masculin ou féminin commençant par une voyelle ou un *h* muet	Pluriel
Je parle	(*~~à le~~*) ***au** monsieur*	***à la** dame*	***à l'**enfant*	(*~~à les~~*) ***aux** artistes*
C'est le sac	(*~~de le~~*) ***du** monsieur*	***de la** dame*	***de l'**enfant*	(*~~de les~~*) ***des** artistes*

Les adjectifs qualificatifs et ordinaux

Les adjectifs qualificatifs

L'adjectif qualificatif sert à décrire ou à caractériser le nom et le pronom.
→ *Exemples : un pull vert / une robe longue / Paul est grand, il est brun.*
Les adjectifs s'accordent en genre et en nombre avec le nom.

Pour former le féminin :

	Masculin	Féminin
On ajoute ***e*** au masculin	*petit*	*petit**e***
Adjectifs terminés par un ***e*** → pas de changement	*calme* *agréable*	*calme* *agréable*
-er → -ère	*lég**er***	*lég**ère***
-en → -enne	*brésili**en***	*brésili**enne***
-eux → -euse	*heur**eux***	*heur**euse***
-f → -ve	*neu**f***	*neu**ve***
Forme très différente	*fou*	*folle*

Les adjectifs ordinaux

Pour former un adjectif ordinal, on ajoute *ième* au nombre (*trois-ième :* ***troisième***).
Exception : un → **premier, première.**

Les adjectifs démonstratifs

Masculin singulier	Féminin singulier	Pluriel
Ce *disque* ***Cet*** *ordinateur*	***Cette*** *cassette*	***Ces*** *livres*

Lorsque le nom masculin commence par une voyelle ou un *h* muet, *ce* devient *cet*.

Les adjectifs possessifs

La forme de l'adjectif possessif varie selon la personne du possesseur et le genre et le nombre du nom qu'il détermine.

Possesseur	Nom masculin singulier	Nom féminin singulier	Nom pluriel
je	***mon*** *sac*	***ma*** *valise* – ***mon*** *adresse**	***mes*** *parents*
tu	***ton*** *stylo*	***ta*** *place* – ***ton*** *histoire**	***tes*** *affaires*
il/elle/on	***son*** *argent*	***sa*** *voisine* – ***son*** *amie**	***ses*** *collègues*
nous	***notre*** *ville*		***nos*** *bagages*
vous	***votre*** *quartier*		***vos*** *idées*
ils/elles	***leur*** *maison*		***leurs*** *filles*

*Lorsque le nom féminin commence par une voyelle ou un *h* muet :
– *ma* devient *mon*
– *ta* devient *ton*
– *sa* devient *son*

Les pronoms personnels

Le pronom personnel remplace un nom ou un groupe nominal :
Bruno est avocat. → Il est avocat.
Je connais cet avocat célèbre. → Je le connais.

Les pronoms sujets et les pronoms toniques

Pronom tonique	Pronom sujet	Exemples
moi	je	***Moi, je*** *suis comédien.*
toi	tu	***Toi, tu*** *travailles à l'Opéra.*
lui	il	***Lui, il*** *vend des livres.*
elle	elle	***Elle, elle*** *écrit des romans.*
nous	nous	***Nous, nous*** *sortons souvent.*
vous	vous	***Vous, vous*** *préférez rester chez vous.*
eux	ils	***Eux, ils*** *habitent ici.*
elles	elles	***Elles, elles*** *sont danseuses.*

Le pronom sujet *on* :
• *On* désigne une personne indéterminée.
→ *Exemple : En France, on parle français.*

• *On* est souvent employé à la place de *nous* dans la langue familère.
→ *Exemple : Dimanche, avec des amis, on va partir à la campagne.*

Les pronoms compléments d'objet direct

Les pronoms compléments d'objet direct sont utilisés avec un verbe transitif direct (Cf. 2. Le verbe).

Pronoms personnels sujets	Pronoms personnels compléments	Exemples
je	me / m'	*Il **me** comprend, il **m'**aide.*
tu	te / t'	*Je **te** vois, je **t'**entends.*
il	le / l'	*On **le** regarde, on **l'**appelle.*
elle	la / l'	*Tu **la** connais, tu **l'**aimes beaucoup.*
on		
nous	nous	*Elle **nous** attend.*
vous	vous	*Je **vous** entends.*
ils /elles	les	*On **les** emmène.*

Les pronoms *le* et *la* deviennent *l'* devant un verbe qui commence par une voyelle ou un *h* muet.

Les pronoms compléments d'objet indirect

Les pronoms compléments d'objet indirect sont utilisés avec un verbe transitif indirect (Cf. 2. Le verbe).

Pronoms personnels sujets	Pronoms personnels compléments	Exemples
je	me / m'	*Il **me** parle, il **m'**écrit.*
tu	te / t'	*Je **te** téléphone, je **t'**envoie un mail.*
il	lui	*On **lui** explique.*
elle	lui	*Je **lui** réponds.*
on		
nous	nous	*Ils **nous** demandent le chemin.*
vous	vous	*Je **vous** montre les photos.*
ils / elles	leur	*Nous **leur** disons « bonjour ».*

Les pronoms relatifs

Le pronom relatif remplace un nom ou un groupe nominal.
Il relie deux propositions dans une phrase.
La proposition relative précise un nom, de la même façon qu'un adjectif.

Pronom relatif sujet	**qui**	*C'est **la personne qui** travaille avec moi.* *C'est **le livre qui** a les plus belles photos.*
Pronom relatif complément d'objet direct	**que / qu'**	*C'est le collègue **que** tu connais / **qu'**on connaît.* *C'est la voiture **qu'**il veut acheter / **que** nous voudrions.*

Que devient *qu'* devant une voyelle ou un *h* muet.

Les constructions verbales

Les verbes transitifs

Ces verbes sont suivis d'un complément d'objet.

- Les verbes sont **transitifs directs** s'ils sont suivis d'un complément d'objet direct (COD). Il n'y a pas de préposition entre le verbe et le complément.
  → *Exemples : regarder quelque chose, inviter quelqu'un → Je regarde la télévision. J'invite mes amis.*
- Les verbes sont **transitifs indirects** s'ils sont suivis d'un complément d'objet indirect (COI). Il y a une préposition entre le verbe et le complément.
  → *Exemple : parler à quelqu'un. → Je parle à mes parents.*

Les verbes intransitifs

Ils ne peuvent pas être suivis de complément d'objet.
→ *Exemples : La neige tombe. / Mon ami est parti.*

Les verbes pronominaux

Ces verbes se conjuguent avec un pronom réfléchi de la même personne que le sujet.
Exemples : Je me lève. / Nous nous promenons. / Vous vous écrivez souvent ?
Presque tous les verbes transitifs peuvent être employés à la forme pronominale.
Exemples : Elle lave sa voiture. / Elle se lave.

Les verbes impersonnels

Ces verbes s'emploient seulement avec le pronom sujet *il.*
→ *Exemple : Il faut arriver à l'heure.*
Les verbes qui décrivent la météo sont à la forme impersonnelle.
→ *Exemples : Il pleut. / Il fait beau.*

Les formes du verbe

La forme du verbe varie selon le mode, le temps, la personne et le nombre. L'ensemble de ces formes s'appelle la conjugaison.
L'infinitif est la forme que l'on trouve dans le dictionnaire.

Les conjugaisons du présent, de l'imparfait et du futur de l'indicatif

Pour former ces conjugaisons, on ajoute des terminaisons au radical du verbe. Au présent, le radical est très irrégulier.

Les terminaisons du présent, de l'imparfait et du futur :

		Terminaisons			
		Présent		Imparfait	Futur
Singulier	1re pers. 2e pers. 3e pers.	-e -es -e	-s / -ds -s / -ds -t / -d	-ais -ais -ait	-ai -as -a
Pluriel	1re pers. 2e pers. 3e pers.	-ons -ez -ent		-ions -iez -aient	-ons -ez -ont

Les terminaisons des verbes *pouvoir* et *vouloir* au présent sont : *–x*, *–x* et *–t* au singulier.

Le futur proche

Il se forme avec le verbe *aller* au présent et l'infinitif du verbe.
→ *Exemple : Je vais partir en vacances en Grèce.*

Le passé composé

Il se forme avec l'auxiliaire *avoir* ou l'auxiliaire *être* et le participe passé du verbe.

- Pour la majorité des verbes, le passé composé se forme avec l'auxiliaire *avoir.*
  → *Exemples : J'ai bien dormi. / Vous avez fini ?*
- Pour une quinzaine de verbes, le passé composé se forme avec l'auxiliaire *être.*
  → *Exemples : Je suis allé au cinéma. / Il est arrivé en retard.*
- Pour les verbes pronominaux, le passé composé se forme avec l'auxiliaire *être.*
  → *Exemple : Il s'est réveillé tard ce matin.*

Le participe passé du verbe ressemble à un adjectif.
→ *Exemples : infinitif : prendre → participe passé : pris. / infinitif : donner → participe passé : donné.*
Le participe passé des verbes conjugués avec *être* s'accorde en genre et en nombre avec le sujet du verbe
→ *Exemple : Caroline est sorti**e** avec des amis mais son mari, John, est rest**é** à la maison.*

L'impératif

Ce mode a seulement 3 personnes : la 2e personne du singulier, les 1re et 2e personnes du pluriel. Il s'emploie sans pronom sujet.
→ *Exemple : Sors ! Sortons ! Sortez !*
Pour les verbes pronominaux, il y a un trait d'union entre le verbe et le pronom placé après.
→ *Exemple : Asseyez-vous.*

L'expression du lieu

Les prépositions et les noms géographiques

Je suis *Je vais*	***à***	*Berlin* *Istanbul*	Nom de ville
	en	*Italie (f), Grèce (f)* *Iran (m)*	Nom de pays féminin Nom de pays masculin qui commence par une voyelle
	au	*Mexique (m)*	Nom de pays masculin qui commence par une consonne
	aux	*États-Unis (pl)*	Nom de pays pluriel

Je suis *(originaire)* *Je viens*	***de***	*Londres,* *Pologne (f)*	Nom de ville Nom de pays féminin
	d'	*Istanbul,* *Irlande (f)* *Ouganda (m)*	Nom de ville et de pays qui commencent par une voyelle
	du	*Mexique (m)*	Nom de pays masculin qui commence par une consonne
	des	*États-Unis (pl)*	Nom de pays pluriel

Les prépositions *à* et *de*

à	*Je vais / je suis*	*à la gare (fs).* *à l'aéroport (ms).* *au bureau (ms).* *aux caisses (fp).*
de	*Je sors*	*de la banque (fs).* *de l'université (fs).* *du café (ms).* *des toilettes (fp).*

On utilise la préposition ***chez*** devant un nom de personne.
→ *Exemples : J'ai rendez-vous chez la coiffeuse. / Je vais chez le dentiste. / Je passe la soirée chez ma cousine.*

Les moments dans le temps

L'heure	*Il est 8 h.* *Nous arrivons vers 8 h.* *Ils commencent à 8 heures 30.*
Le jour	*Nous sommes lundi.*
La date	*Nous sommes le 6 janvier.*
Le mois	*Je pars en janvier.*
La saison	*Au printemps, en été, en automne, en hiver.*
L'année	*Il est né en 1973.*

Avant	**Hier**	**Aujourd'hui**	**Demain**	**Après**
La semaine dernière Le mois dernier L'année dernière	Hier matin Hier après-midi Hier soir	Ce matin Cet après-midi Ce soir	Demain matin Demain après-midi Demain soir	La semaine prochaine Le mois prochain L'année prochaine
		Maintenant		
		Cette semaine Ce mois-ci Cette année		

Les expressions de fréquence

pas du tout →	jamais
un peu →	rarement, de temps en temps, quelquefois, pas souvent, pas toujours, pas tout le temps
régulièrement →	généralement, toutes les semaines, tous les mois, tous les ans, une fois par semaine, deux fois par mois, trois fois par an…
beaucoup →	souvent, très souvent
énormément →	toujours, tout le temps, tous les jours

Les adverbes *jamais, pas souvent, pas toujours, pas tout le temps* sont des négations. Le verbe est alors précédé de *ne / n'*.
→ *Exemples : Je n'écoute jamais la radio. / Il ne prend pas tout le temps sa voiture.*

Des prépositions

avant	indique qu'un événement (1) précède un autre événement (2)	*Je déménage (1) avant mes vacances (2).*
après	Indique qu'un événement (2) suit un autre événement (1)	*Je pars en vacances (2) après le déménagement (1).*
pendant	indique une durée, une période limitée.	*Ils ont fait connaissance pendant les vacances.*
jusqu'à	indique la fin d'une durée, d'une période	*Je reste jusqu'à l'année prochaine.*
de… à…	indique le début et la fin d'une période.	*Elle est chez elle du lundi au vendredi, de 8 h à 15 h.*
dans	indique un moment, un point dans le futur	*Nous serons en vacances dans 3 semaines.*
depuis	indique qu'un fait/une action a commencé dans le passé et dure encore maintenant.	*Ils étudient le français depuis plusieurs mois.*
il y a	indique un moment, un point dans le passé.	*Il s'est cassé la jambe il y a une semaine.*

Devant un mot masculin qui commence par une consonne, *de* devient *du* et *à* devient *au*.

L'expression de la quantité et de l'intensité

un peu de assez de beaucoup de trop de un paquet de un kilo de un litre de	+ nom	*Tu veux un peu d'eau ?* *Tu as assez de temps ?* *Tu prends beaucoup de vacances ?* *Tu as trop de travail ?* *Tu as un paquet de mouchoirs ?* *Tu as acheté un kilo d'abricots ?* *Tu bois un litre de lait par jour ?*
verbe	+ { un peu beaucoup assez	*Tu travailles un peu.* *Tu joues beaucoup.* *Tu dors assez.*
un peu assez très trop	+ adjectif + adverbe	*Tu es un peu malade.* *Tu dessines assez bien.* *Tu as l'air très fatigué.* *Tu conduis trop vite.*

De devient *d'* devant un nom (singulier ou pluriel) qui commence par une voyelle ou un *h* muet.

La comparaison

	Supériorité (+)	Infériorité (–)	Égalité (=)
Adjectif	*Elle est **plus** grande **que** sa mère.*	*Ils sont **moins** grands **que** leurs cousins.*	*Il est **aussi** grand **que** son père.*
Adverbe	*Tu cours **plus** vite **que**. Roland*	*Tu cours **moins** vite **qu'**Emile.*	*Tu cours **aussi** vite **que** Pierrot.*
Nom	*J'ai **plus de** travail **qu'**avant.*	*J'ai **moins de** travail **que** Caroline.*	*Vous avez **autant de** travail **que** l'année dernière.*
Verbe	*Elles mangent **plus que** les autres.*	*En été, on mange **moins qu'**en hiver.*	*Il mange **autant que** son frère.*

Le comparatif de supériorité de l'adjectif ***bon*** est ***meilleur***.
Le comparatif de supériorité de l'adverbe ***bien*** est ***mieux***.
Devant une voyelle ou un *h* muet, *que* devient *qu'* et *de* devient *d'*.

Les relations logiques

L'expression de la cause

*J'ouvre toutes les fenêtres **parce qu'**il fait très chaud.*
*J'ouvre toutes les fenêtres **à cause de** la chaleur.*

L'expression du but

*Je vais au marché **pour** acheter des fleurs.*
*Nous nous asseyons **pour** nous reposer.*

L'expression de la conséquence

*Il pleut, **donc** je prends mon parapluie.*
*Personne n'est venu, **donc** elle est restée seule.*

L'expression de l'opposition

*Je parle fort, **mais** ma grand-mère n'entend pas bien.*
*Il lit les journaux et il écoute la radio, **mais** il ne regarde jamais la télévision.*

4 Les différents types de phrases

L'interrogation

Il y a toujours un point d'interrogation à la fin d'une phase interrogative.

Les différentes manières de poser une question :

La question porte sur toute la phrase.	*Tu viens ?* *Est-ce que tu viens ?*
Qui : pour interroger sur une personne. ***Quoi*** ou ***qu'est-ce que :*** pour interroger sur des choses. ***Quand :*** pour interroger sur le temps, le moment. ***Où :*** pour interroger sur le lieu. ***Comment :*** pour interroger sur la manière. ***Pourquoi :*** pour interroger sur la cause. ***Combien :*** pour interroger sur la quantité. ***Quel, quelle, quels, quelles :*** pour interroger sur l'identité.	*Qui vient ?* *Vous demandez qui ?* *Tu veux quoi ?* *Qu'est-ce que vous voulez ?* *Elle arrive quand ?* *Quand est-ce qu'elle arrive ?* *Vous allez où ?* *Où est-ce que vous allez ?* *Tu fais comment ?* *Comment est-ce que vous faites ?* *Pourquoi il ne vient pas ?* *Pourquoi est-ce qu'il ne vient pas ?* *Ça coûte combien ?* *Combien est-ce que ça coûte ?* *On emporte quel sac, quelle valise, quels livres et quelles cassettes ?*
Qu'est-ce que … comme : pour demander une précision	*Qu'est-ce que vous préférez comme gâteaux ?*

La négation

La négation est formée de deux mots qui encadrent le verbe aux temps simples :

ne… pas → *– Vous fumez ? – Non, je* ***ne*** *fume* ***pas****.*
ne… plus → *– Vous travaillez ? – Non, je* ***ne*** *travaille* ***plus****, je suis retraité.*
ne… jamais → *– Vous sortez le soir ? – Non, je* ***ne*** *sors* ***jamais*** *le soir.*
ne… rien → *– Vous cherchez quelque chose ? – Non, je* ***ne*** *cherche* ***rien****.*
ne… personne → *– Vous attendez quelqu'un ? – Non, je* ***n'****attends* ***personne****.*

Au passé composé, généralement, les deux mots encadrent l'auxiliaire.
→ *Exemples : Je* ***n'****ai* ***pas*** *mangé. / Je* ***ne*** *suis* ***jamais*** *allé en Belgique.*
Devant une voyelle ou un *h* muet, *ne* devient *n'*.

Tableau de conjugaison

INFINITIF	INDICATIF				IMPÉRATIF
	Présent	Passé composé	Imparfait	Futur	Présent
Être (auxiliaire)	je **suis** tu **es** il/elle **est** nous **sommes** vous **êtes** ils/elles **sont**	**j'ai été** tu as été il/elle a été nous avons été vous avez été ils/elles ont été	j'**étais** tu étais il/elle était nous étions vous étiez ils/elles étaient	je **ser**ai tu seras il/elle sera nous serons vous serez ils/elles seront	sois soyons soyez
Avoir (auxiliaire)	j'**ai** tu **as** il/elle **a** nous **av**ons vous **av**ez ils/elles **ont**	**j'ai eu** tu as eu il/elle a eu nous avons eu vous avez eu ils/elles ont eu	j'**av**ais tu avais il/elle avait nous avions vous aviez ils/elles avaient	j'**aur**ai tu auras il/elle aura nous aurons vous aurez ils/elles auront	aie ayons ayez
Aller	je **vais** tu **vas** il/elle **va** nous **all**ons vous **all**ez ils/elles **vont**	je **suis allé**(e) tu es allé(e) il/elle est allé(e) nous sommes allé(e)s vous êtes allé(e)(s) ils/elles sont allé(e)s	j'**all**ais tu allais il/elle allait nous allions vous alliez ils/elles allaient	j'**ir**ai tu iras il/elle ira nous irons vous irez ils/elles iront	va allons allez
Boire	je **bois** tu bois il/elle boit nous **buv**ons vous buvez ils/elles **boiv**ent	**j'ai bu** tu as bu il/elle a bu nous avons bu vous avez bu ils/elles ont bu	je **buv**ais tu buvais il/elle buvait nous buvions vous buviez ils/elles buvaient	je **boir**ai tu boiras il/elle boira nous boirons vous boirez ils/elles boiront	bois buvons buvez
Chanter	je **chante** tu chantes il/elle chante nous chantons vous chantez ils/elles chantent	**j'ai chanté** tu as chanté il/elle a chanté nous avons chanté vous avez chanté ils/elles ont chanté	je **chant**ais tu chantais il/elle chantait nous chantions vous chantiez ils/elles chantaient	je **chanter**ai tu chanteras il/elle chantera nous chanterons vous chanterez ils/elles chanteront	chante chantons chantez
Choisir	je **chois**is tu choisis il/elle choisit nous **choisiss**ons vous choisissez ils/elles choisissent	**j'ai choisi** tu as choisi il/elle a choisi nous avons choisi vous avez choisi ils/elles ont choisi	je **choisiss**ais tu choisissais il/elle choisissait nous choisissions vous choisissiez ils/elles choisissaient	je **choisir**ai tu choisiras il/elle choisira nous choisirons vous choisirez ils/elles choisiront	choisis choisissons choisissez
Connaître	je **connais** tu connais il/elle connaît nous **connaiss**ons vous connaissez ils/elles connaissent	**j'ai connu** tu as connu il/elle a connu nous avons connu vous avez connu ils/elles ont connu	je **connaiss**ais tu connaissais il/elle connaissait nous connaissions vous connaissiez ils/elles connaissaient	je **connaîtr**ai tu connaîtras il/elle connaîtra nous connaîtrons vous connaîtrez ils/elles connaîtront	connais connaissons connaissez
Devoir	je **dois** tu dois il/elle doit nous **dev**ons vous devez ils/elles **doiv**ent	**j'ai dû** tu as dû il/elle a dû nous avons dû vous avez dû ils/elles ont dû	je **dev**ais tu devais il/elle devait nous devions vous deviez ils/elles devaient	je **devr**ai tu devras il/elle devra nous devrons vous devrez ils/elles devront	*n'existe pas*

INFINITIF	INDICATIF				IMPÉRATIF
	Présent	Passé composé	Imparfait	Futur	Présent
Écrire	j'**écris** tu écris il/elle écrit nous **écriv**ons vous écrivez ils/elles écrivent	**j'ai écrit** tu as écrit il/elle a écrit nous avons écrit vous avez écrit ils/elles ont écrit	j'**écriv**ais tu écrivais il/elle écrivait nous écrivions vous écriviez ils/elles écrivaient	j'**écrir**ai tu écriras il/elle écrira nous écrirons vous écrirez ils/elles écriront	écris écrivons écrivez
Faire	je **fais** tu fais il/elle fait nous **fais**ons vous **faites** ils/elles **font**	**j'ai fait** tu as fait il/elle a fait nous avons fait vous avez fait ils/elles ont fait	je **fais**ais tu faisais il/elle faisait nous faisions vous faisiez ils/elles faisaient	je **fer**ai tu feras il/elle fera nous ferons vous ferez ils/elles feront	fais faisons faites
Falloir	il **faut**	il **a fallu**	il **fallait**	il **faudr**a	*n'existe pas*
Pouvoir	je **peux** tu peux il/elle peut nous **pouv**ons vous pouvez ils/elles **peuv**ent	**j'ai pu** tu as pu il/elle a pu nous avons pu vous avez pu ils/elles ont pu	je **pouv**ais tu pouvais il/elle pouvait nous pouvions vous pouviez ils/elles pouvaient	je **pourr**ai tu pourras il/elle pourra nous pourrons vous pourrez ils/elles pourront	*n'existe pas*
Prendre	je **prends** tu prends il/elle prend nous **pren**ons vous prenez ils/elles **prenn**ent	**j'ai pris** tu as pris il/elle a pris nous avons pris vous avez pris ils/elles ont pris	je **pren**ais tu prenais il/elle prenait nous prenions vous preniez ils/elles prenaient	je **prendr**ai tu prendras il/elle prendra nous prendrons vous prendrez ils/elles prendront	prends prenons prenez
Savoir	je **sais** tu sais il/elle sait nous **sav**ons vous savez ils/elles savent	**j'ai su** tu as su il/elle a su nous avons su vous avez su ils/elles ont su	je **sav**ais tu savais il/elle savait nous savions vous saviez ils/elles savaient	je **saur**ai tu sauras il/elle saura nous saurons vous saurez ils/elles sauront	sache sachons sachez
Venir	je **viens** tu viens il/elle vient nous **ven**ons vous venez ils/elles **vienn**ent	je **suis venu**(e) tu es venu(e) il/elle est venu(e) nous sommes venu(e)s vous êtes venu(e)(s) ils/elles sont venu(e)s	je **ven**ais tu venais il/elle venait nous venions vous veniez ils/elles venaient	je **viendr**ai tu viendras il/elle viendra nous viendrons vous viendrez ils/elles viendront	viens venons venez
Voir	je **vois** tu vois il/elle voit nous **voy**ons vous voyez ils/elles voient	**j'ai vu** tu as vu il/elle a vu nous avons vu vous avez vu ils/elles ont vu	je **voy**ais tu voyais il/elle voyait nous voyions vous voyiez ils/elles voyaient	je **verr**ai tu verras il/elle verra nous verrons vous verrez ils/elles verront	vois voyons voyez
Vouloir	je **veux** tu veux il/elle veut nous **voul**ons vous voulez ils/elles **veul**ent	**j'ai voulu** tu as voulu il/elle a voulu nous avons voulu vous avez voulu ils/elles ont voulu	je **voul**ais tu voulais il/elle voulait nous voulions vous vouliez ils/elles voulaient	je **voudr**ai tu voudras il/elle voudra nous voudrons vous voudrez ils/elles voudront	veuillez

INDEX

LES CORRIGÉS

Chapitre 1

Le nom

Observez *page 6*

a. Faux – **b.** Vrai – **c.** Vrai – **d.** Vrai

1 **1.** une élève – **2.** une stagiaire – **3.** une libraire – **4.** une pianiste – **5.** une photographe – **6.** une architecte – **7.** une collègue – **8.** une journaliste

2 **1.** un ami – **2.** un employé – **3.** un salarié – **4.** un invité – **5.** un inconnu – **6.** un marié – **7.** un retraité – **8.** un apprenti

3 **1.** Finlandaise – **2.** Chinois – **3.** Mexicaine – **4.** Américain – **5.** Thèque – **6.** Espagnol – **7.** Sénégalaise – **8.** Russe

Observez *page 7*

a. -ère – **b.** -enne – **c.** -teuse ou -trice – **d.** -euse – **e.** Vrai

4 **1.** ☑ – **2.** banquière – **3.** ☑ – **4.** vendeuse – **5.** ☑ – **6.** ☑ – **7.** directrice – **8.** boulangère – **9.** avocate – **10.** gardienne

5 **1.** informaticien – **2.** pharmacienne – **3.** assistante – **4.** musicien – **5.** infirmière – **6.** traducteur – **7.** caissière – **8.** serveur – **9.** boulanger – **10.** actrice

6 **Noms masculins** : ingénieur, décorateur, photographe, chanteur, spectateur, compositeur
Noms féminins : réalisatrice, costumière, assistante, actrice, danseuse, photographe, musicienne

7 **1.** ouvrière – **2.** directeur – **3.** coiffeuse – **4.** cuisinier – **5.** dessinatrice – **6.** commerçante – **7.** comédienne – **8.** étudiant

8 **1.** coiffeuse – **2.** épicière – **3.** éducateur – **4.** dentiste – **5.** architecte – **6.** couturier – **7.** opticien – **8.** peintre – **9.** fermier – **10.** fleuriste – **11.** danseur – **12.** libraire

9 fils/fille – grand-père/grand-mère – frère/sœur – neveu/nièce – oncle/tante – père/mère – mari/femme

10 **1.** fils – **2.** grand-mère – **3.** frère – **4.** mère – **5.** fille – **6.** sœur

Observez *page 9*

a. Vrai – **b.** Vrai

12 **1.** f, m, f, m – **2.** m, f, m, m – **3.** m, m, f, m – **4.** m, f, m, f – **5.** m, f, m, m
Noms masculins qui se terminent par e : un dictionnaire, un livre, un imperméable, un concombre
Noms féminins qui ne se terminent pas par *e* : une maison, une main

13 **a.** f – **b.** m – **c.** m – **d.** m – **e.** f – **f.** m – **g.** m – **h.** f

14 **1.** un incendie – **2.** une page – **3.** un cœur – **4.** une eau – **5.** une chanson – **6.** un musée – **7.** un avion
1. féminin – **2.** masculin – **3.** féminin – **4.** masculin – **5.** masculin – **6.** féminin – **7.** féminin

Observez *page 10*

a. Vrai – **b.** Faux – **c.** –x – **d.** —aux – **e.** Vrai

15 un verre/des verres – une assiette/des assiettes – un plat/des plats – un couteau/des couteaux – une fourchette/des fourchettes – une cuillère/des cuillères – un plateau/des plateaux – un couvert/des couverts – une bouteille/des bouteilles – un bol/des bols
Plateau et couteau se terminent par *x*.

16 **1.** des lettres – **2.** des enveloppes – **3.** des timbres – **4.** des cartes – **5.** des noms – **6.** des adresses

17 souris – tapis – nez – paix – poids – bus – prix – voix

18 table – assiettes – placard – verres – fourchettes – couteaux – cuillères – tiroir – nappe – nappes – armoire – chambre – serviettes – carafe – bouteilles

19 **1.** ☑ – **2.** jambes – **3.** têtes – **4.** mains – **5.** yeux – **6.** ☑ – **7.** doigts – **8.** ☑ – **9.** pieds – **10.** cheveux – **11.** dents – **12.** oreilles

20 **1.** des hôpitaux – **2.** un canal – **3.** des lieux – **4.** un château – **5.** des feux – **6.** un oiseau – **7.** des autobus – **8.** des signaux

21 travaux – boulevard – quais – château – panneaux – feux – hôpital – canal

22 **1.** Christian – **2.** Christian et Nicole – **3.** Nicole – **4.** Christian et Nicole – **5.** Nicole – **6.** Nicole – **7.** Christian et Nicole – **8.** Nicole – **9.** Christian et Nicole – **10.** Christian et Nicole – **11.** Christian – **12.** Christian

23 **1.** Mesdames – **2.** Messieurs – **3.** guides – **4.** châteaux – **5.** bus – **6.** billets – **7.** entrées – **8.** journaux – **9.** expositions – **10.** explications

24 **1.** Mes copines sont infirmières. – **2.** Mes voisines sont dessinatrices. – **3.** Mes cousines sont vendeuses. – **4.** Mes soeurs sont étudiantes. – **5.** Mes filles sont danseuses. – **6.** Mes amies sont cuisinières.

Chapitre 2

Les articles

Observez *page 13*

a.

	Devant une consonne	Devant une voyelle ou un *h* muet
Au masculin singulier	le	l'
Au féminin singulier	la	l'
Au masculin et au féminin pluriel	les	

b. Ils n'aiment pas l'art moderne.

1 **1.** meubles : le lit, les chaises, la table, le fauteuil, l'étagère, l'armoire, les placards, le canapé, la commode.
2. vêtements : les collants, la chemise, le pantalon, le manteau, l'écharpe, les chaussures, la robe.

2 **1.** le – **2.** la – **3.** le – **4.** la, les – **5.** les – **6.** le – **7.** l' – **8.** la – **9.** le – **10.** la – **11.** le – **12.** le

3 **1.** la – **2.** l' – **3.** le – **4.** la – **5.** les – **6.** le – **7.** le – **8.** l' – **9.** la – **10.** la – **11.** l' – **12.** le

4 **1.** Non, je ne fais pas le ménage. – **2.** Non, je ne fais pas le repassage. – **3.** Non, je ne fais pas la cuisine. – **4.** Non, je ne fais pas la lessive. – **5.** Non, je ne fais pas les courses. – **6.** Non, je ne fais pas la vaisselle.

5 **1.** a, d – **2.** f, h – **3.** e, g – **4.** b, c, i, j

Observez *page 15*

a. au – **b.** aux – **c.** du – **d.** des

7 **1.** de l' – **2.** de l' – **3.** de la – **4.** de l' – **5.** des – **6.** de la – **7.** du – **8.** de la

8 **1.** du – **2.** de la – **3.** de l' – **4.** du – **5.** des – **6.** des – **7.** du – **8.** des – **9.** du – **10.** de la – **11.** des – **12.** de l'

9 **1.** Le départ du train pour Marseille – **2.** Le prix du billet – **3.** Le tarif des péages – **4.** Les guichets de la gare – **5.** Le hall de l'aéroport – **6.** Le quai du métro – **7.** Le bureau des renseignements – **8.** L'arrêt du bus 63 – **9.** L'enregistrement des bagages.

10 **1.** le, la, du – **2.** les, les, de la – **3.** la, de la, le, du, de l' – **4.** les, l', de la – **5.** les, du, la, du

11 **1.** b, f, j – **2.** a, e, g – **3.** h, i – **4.** c, d

12 **1.** à la – **2.** aux – **3.** au – **4.** à l' – **5.** à l' – **6.** au – **7.** au – **8.** à la

13 **1.** de l' – **2.** de l' – **3.** de l' – **4.** des – **5.** du – **6.** de la – **7.** du

Observez *page 17*

a. un – **b.** une – **c.** des

14 **1.** b, d, e, g, j – **2.** f, h – **3.** a, c, i

15 **1.** une – **2.** une – **3.** un – **4.** une – **5.** un – **6.** une – **7.** un – **8.** un – **9.** une – **10.** une – **11.** une – **12.** un

16 **1.** des, une – **2.** un, une – **3.** des, des – **4.** un – **5.** un, un – **6.** une, un

Observez *page 18*

a. Faux – **b.** Vrai – **c.** d'

d. C'est une photo. / Ce n'est pas une photo.
C'est un dessin. / Ce n'est pas un dessin.
Ce sont des peintures. / Ce ne sont pas des peintures.
Il y a un jardin. / Il n'y a pas de jardin.
Nous avons des fleurs. / Nous n'avons pas de fleurs.
Il y a des arbres. / Il n'y a pas d'arbres.
Nous mettons des chaises. / Nous ne mettons pas de chaises.

17 **1.** ce n'est pas un torrent – **2.** ce ne sont pas des vaches – **3.** ce sont des sapins – **4.** ce n'est pas une voiture – **5.** c'est une piste de ski – **6.** ce ne sont pas des oiseaux

18 **1.** des, de, un, de, un, de, une, un, d' – **2.** une, de, des, d', un, de – **3.** une, de, une, de, un, de, des, de

Observez *page 19*

a. les articles indéfinis – **b.** les articles définis – **c.** les articles définis

20 **1.** les – **2.** l' – **3.** la – **4.** la – **5.** les – **6.** le

21 **1.** Le perroquet est un oiseau. – **2.** Les rosiers sont des plantes fragiles. – **3.** Le saumon est un poisson. – **4.** L'érable est un arbre. – **5.** Le citron est un fruit. – **6.** Le poireau est un légume. – **7.** Le chien et le chat sont des animaux domestiques. – **8.** Le bambou est une herbe.

Observez *page 20*

a.

	Devant une consonne	**Devant une voyelle ou un *h* muet**
Au masculin singulier	du	de l'
Au féminin singulier	de la	

b. Vrai

23 **1.** du – **2.** du – **3.** de l' – **4.** du – **5.** du – **6.** de la – **7.** du – **8.** de la – **9.** du – **10.** du – **11.** de la – **12.** du – **13.** de l' – **14.** du
1.b – **2.**a – **3.**b – **4.**c – **5.**d – **6.**d – **7.**a – **8.**b – **9.**b – **10.**c – **11.**a – **12.**b – **13.**c – **14.**d

24 du – du – du – de la – de l' – de la – de la – du

Observez *page 21*

a. Faux – **b.** Vrai – **c.** d'
d. Je mange du pain. / Je ne mange pas de pain.
Je mange de la viande. / Je ne mange pas de viande.
Je bois de l'alcool. / Je ne bois pas d'alcool.
C'est du sel. / Ce n'est pas du sel.

25 **1.** pas de gâteau – **2.** pas de fromage – **3.** pas d'eau – **4.** pas de sucre – **5.** pas de café – **6.** pas d'omelette – **7.** pas de bière – **8.** pas de crème

26 **1.** Non, ce n'est pas du sucre, c'est du sel – **2.** Non, ce n'est pas de la crème anglaise, c'est de la crème chantilly – **3.** Non, ce n'est pas du parfum, c'est de l'eau de toilette – **4.** Non, ce n'est pas de la mayonnaise, c'est de la sauce tomate – **5.** Non, ce n'est pas du poivre, c'est du cumin – **6.** Non, ce n'est pas de l'huile, c'est du vinaigre.

27 **1.** du, pas de – **2.** de la, pas de – **3.** du, pas d' – **4.** du, pas de – **5.** de la, pas de – **6.** du, pas de – **7.** de la, pas de

28 **1.** des, à la – **2.** une, aux – **3.** un, au – **4.** des, aux – **5.** un, aux – **6.** des, à l' – **7.** des, au – **8.** un, au – **9.** un, aux – **10.** une, à la – **11.** des, à la – **12.** un, à l'

29 **1.** la, la – **2.** les, les – **3.** l', des – **4.** la, des – **5.** le, des, du

30 l' – un – un – un – une – une – une – des – une – la – une – un – un – un – un – le

31 un – une – une – une – des – une – pas d' – de la – pas de – pas de

Chapitre 3

L'adjectif qualificatif

Observez *page 24*

a. brune, charmante, distinguée, grande, jeune, privée, tranquille – **b.** Faux – **c.** Vrai

1 **1.** fragile – **2.** charmante – **3.** solide – **4.** lourde – **5.** confortable – **6.** petite – **7.** jolie – **8.** originale – **9.** agréable – **10.** contente – **11.** calme – **12.** connue – **13.** moderne – **14.** forte – **15.** large – **16.** propre

2 **1.** froid – **2.** chaude – **3.** salée – **4.** sucrée – **5.** cuit – **6.** parfaite – **7.** glacé – **8.** verte – **9.** épicé – **10.** excellente

3 **1.** grise – **2.** bleu – **3.** verte – **4.** noir – **5.** haut – **6.** grand

4 **1.** espagnole – **2.** japonais – **3.** allemand – **4.** chinoise – **5.** polonais – **6.** mexicaine – **7.** argentin – **8.** américaine

5 **1.** animé – **2.** grand – **3.** large – **4.** tranquille – **5.** petit – **6.** agréable

6 **1.** brun – **2.** bruyant – **3.** bavarde – **4.** charmant – **5.** passionnante – **6.** âgée

Observez *page 26*

a. exceptionnelle, chère, européenne, merveilleuse, neuve **b.** –elle **c.** –ère **d.** –enne **e.** –euse **f.** –ve

7 **1.** sérieuse – **2.** agressif – **3.** amoureux – **4.** active – **5.** généreuse – **6.** léger – **7.** sportive – **8.** fière – **9.** intellectuel **10.** iranienne **11.** brésilien

8 **1.** Un journal actuel, professionnel, trimestriel, annuel – **2.** Une émission culturelle, mensuelle, traditionnelle, sérieuse

9 étrangère, égyptienne, joyeuse, active, curieuse, fière, généreuse

Observez *page 27*

blanc/blanche – vieux/vieille – beau/belle – gentil/gentille

10 **1.** beau/belle – **2.** blanc/blanche – **3.** bon/bonne – **4.** faux/fausse – **5.** fou/folle – **6.** frais/fraîche – **7.** long/longue – **8.** nouveau/nouvelle – **9.** roux/rousse – **10.** vieux/vieille – **11.** gentil/gentille – **12.** doux/douce – **13.** jaloux/jalouse – **14.** gros/grosse

11 **1.** belle – **2.** nouveau – **3.** faux – **4.** folle – **5.** beau – **6.** fou – **7.** fraîche – **8.** rousse – **9.** jaloux – **10.** long

12 **1.** jolie – **2.** contente – **3.** important – **4.** heureuse – **5.** facile – **6.** fou – **7.** fin – **8.** difficile – **9.** connu – **10.** sportif – **11.** frais – **12.** grosse – **13.** comique – **14.** gentille – **15.** bon – **16.** cultivée

Observez *page 29*

a. grand/grands – élégant/élégants – sportive/sportives – intelligente/intelligentes – heureux/heureux – gros/gros – **b.** par *x* par *s*

14 **1.** agréable – **2.** chaud – **3.** magnifique – **4.** gentils – **5.** bruyants – **6.** confortable – **7.** bonne – **8.** courtes

16 masculin singulier : 3, 6, 9 – masculin pluriel : 5, 7, 10 – masculin singulier ou pluriel : 1, 2, 4, 8, 11

17 **1.** difficiles – **2.** anciens – **3.** intéressantes – **4.** sérieux – **5.** originales – **6.** faux – **7.** nettes – **8.** épais – **9.** personnels – **10.** précieux

Observez *page 30*

a. –aux – **b.** –eaux

18 **1.** normal, spéciaux – **2.** national, régionaux – **3.** nouveau, beaux – **4.** original, internationaux

Observez *page 31*

a. Les adjectifs peuvent être devant ou derrière le nom. – **b.** Vrai

19 Les adjectifs placés devant le nom : petit, gros, vieille, grands, jolie, nouveau, bons, belle, mauvais, jeune, première
Les adjectifs placés derrière le nom : blanc, affectueux, confortable, froids, japonaise, numérique, traditionnels, classique, comique, singapourien, universitaire

20 **1.** une petite table basse – **2.** un bon musicien américain – **3.** un grand bâtiment moderne – **4.** une jolie chanson italienne – 5. un vieux livre passionnant – 6. un gros manteau chaud – 7. une jeune secrétaire bilingue – **8.** un nouveau tapis gris

22 **1.** une belle chemise bleue / un petit chapeau gris – **2.** un joli pantalon noir / une vieille robe verte – **3.** une grosse omelette norvégienne / un bon gâteau italien – **4.** un grand restaurant libanais / une bonne salade grecque

Observez *page 32*

a. –ième – **b.** premier – première

23 **a.**3 – **b.**6 – **c.**8 – **d.**14 – **e.**16 – **f.**12 – **g.**1 – **h.**7 – **i.**13 – **j.**17 – **k.**9 – **l.**2 – **m.**10 – **n.**4 – **o.**5 – **p.**15

24 **1.** troisième – **2.** deuxième – **3.** premier – **4.** quatorzième – **5.** quatrième – **6.** première

25 **1.**c – **2.**d – **3.**a – **4.**b – **5.**g – **6.**h – **7.**f – **8.**e

26 **1.** lumineuse – **2.** petite – **3.** blanc – **4.** belle – **5.** neuve – **6.** grand

27 serré – chauds – pressée – beurrées – sucré – froid

28 **1.** âgé, âgée, âgés, âgées – **2.** normal, normale, normaux, normales – **3.** heureux, heureuse, heureux, heureuses – **4.** beau, belle, beaux, belles – **5.** gros, grosse, gros, grosses – **6.** timide, timide, timides, timides – **7.** original, originale, originaux, originales – **8.** gris, grise, gris, grises – **9**. joli, jolie, jolis, jolies – **10.** jeune, jeune, jeunes, jeunes – **11.** sportif, sportive, sportifs, sportives – **12.** nouveau, nouvelle, nouveaux, nouvelles

29 **1.** ☑ – **2.** égoïstes – **3.** ☑ – **4.** ☑ – **5.** ☑ – **6.** originaux – **7.** ☑ – **8.** nouveaux – **9.** oraux – **10.** confiants – **11.** sûrs – **12.** hauts – **13.** bons – **14.** ☑ – **15.** fins – **16.** brutaux – **17.** maigres – **18.** ordinaires – **19.** ☑ – **20.** anciens – **21.** écrits – **22.** ☑ – **23.** ☑ – **24.** ☑

30 **1.** régionale – **2.** national – **3.** culturel – **4.** exceptionnelle – **5.** merveilleux – **6.** sérieuse – **7.** français – **8.** française

31 composée – verte – salée – minérale – gazeuse, plate – blonde – brûlée – frais – allongés – chaude

32 **1.** Un grand salon avec une table ovale. – **2.** Une belle cheminée de style ancien. – **3.** Un joli miroir dans une entrée spacieuse. – **4.** Une moquette épaisse en laine blanche. – **5.** Un petit tapis aux dessins géométriques. – **6.** Un canapé confortable en cuir bleu. – **7.** Des livres rares dans une grande bibliothèque. – **8.** Une pièce agréable avec une atmosphère chaleureuse.

Chapitre 4

Les adjectifs démonstratifs et possessifs

Observez *page 36*

	Devant une consonne	Devant une voyelle ou un *h* muet
Au masculin singulier	ce	cet
Au féminin singulier	cette	cette
Au masculin et au féminin pluriel	ces	

1 **1.** a, e, j – **2.** b, c, f, h – **3.** d, g, i, k

2 **1.** cette – **2.** ces – **3.** cette – **4.** ces – **5.** ces – **6**. cette – **7.** cet – **8.** ce

3 **1.** ce métro – **2.** cette voiture – **3.** cette moto – **4.** ce train – **5.** cet avion – **6.** ce compartiment – **7.** ce taxi – **8.** ce wagon – **9.** cet autobus – **10.** cette mobylette

4 **1.** ce, cette – **2.** ce, cette – **3.** cette, ce – **4.** cette, ce – **5.** cette, ce – **6.** ce, cette

5 **1.** cet – **2.** cet – **3.** ce – **4.** cet – **5.** ce – **6.** cet – **7.** cet – **8.** cet – **9.** ce – **10.** cet

6 **1.** cet, ce – **2.** cet, ce – **3.** cet, cette – **4.** ce, cette

7 **1.** ce – **2.** cet/cette – **3.** ce – **4.** cette – **5.** cette – **6.** cet – **7.** cet – **8.** ce – **9.** cette

8 **1.** ce – **2.** ces – **3.** cette – **4.** cette – **5.** ce – **6.** ce – **7.** ces – **8.** cette

9 **1.** ce – **2.** cette – **3.** ce – **4.** ces – **5.** cet – **6.** ces – **7.** cette – **8.** cet

10 ce – ce – ce– cet – ces – ce – ces – cette

Observez *page 39*

Nom masculin singulier ou nom féminin qui commence par une voyelle	Nom féminin singulier qui commence par une consonne	Nom masculin ou féminin pluriel
mon	ma	mes
ton	ta	tes
son	sa	ses
notre	notre	nos
votre	votre	vos
leur	leur	leurs

11 **1.** a, e, f, g – **2.** c, h – **3.** b, d

12 **1.** mon adresse – **2.** ton entreprise – **3.** son agence – **4.** ma responsabilité – **5.** ta proposition – **6.** sa nationalité – **7.** son amie

13 **1.** ma, mon — **2.** ton, ton — **3.** ma, mon — **4.** ton – **5.** ton, mon – **6.** son, sa – **7.** son

14 **1.** mon, ma, mon – **2.** mes, tes – **3.** ton, ta – **4.** son, sa, ses

15 **1.** b – **2.** g – **3.** a – **4.** f – **5.** i – **6.** c – **7.** k – **8.** l – **9.** o – **10.** m – **11.** n – **12.** g – **13.** j – **14.** h – **15.** l – **16.** e – **17.** o – **18.** d

16 **1.** Vos – **2.** votre – **3.** votre – **4.** Votre – **5.** vos, votre, votre – **6.** vos

17 – Moi, j'ai ma chambre pour moi tout seul : avec mon lit, mon armoire pour mes vêtements, mon bureau et ma chaise. J'ai toutes mes affaires : mon ordinateur, mon imprimante, mon téléphone et ma télévision.
– Chez moi, c'est différent. Mon frère et moi partageons une chambre. Il y a notre armoire avec nos vêtements. Notre bureau est assez grand pour deux et nos livres sont sur la même étagère. Nous mettons nos affaires personnelles sous nos lits.

18 **1.** sa robe – **2.** ses bijoux – **3.** son pantalon – **4.** sa chemise – **5.** ses chaussures – **6.** leur chambre – **7.** leurs jouets

19 **1.** ses – **2.** leur – **3.** leurs – **4.** leur – **5.** leurs – **6.** ses – **7.** leur – **8.** ses – **9.** leur – **10.** leurs

21 **1.** cette, ma – **2.** ces, mes – **3.** ce, mon – **4.** ces, mes – **5.** cet, mon – **6.** ces, mes

22 **1.** cet, vos – **2.** ce, ma – **3.** ce, notre – **4.** mon, cette – **5.** mes, cet, nos – **6.** ces, leurs

23 **1.** *vos*, ce, ces, cette, cet, cette – **2.** ce, mes, mon, ton, tes

24 Ma chère Marianne,
Je suis en vacances chez mes amis Christian et Tomomi, dans leur maison de campagne, près de Toulouse. Cette semaine, il fait un temps vraiment superbe. C'est bien ! Je me repose, j'oublie complètement mon travail. Samedi dernier, j'ai vu Nadia et Bruno : tu sais que leur fils aîné est admis à Polytechnique ? Ils sont très contents. Cet/cette après-midi, je vais me promener à Toulouse : je ne connais pas du tout cette ville, et toi ?
Au fait, j'ai oublié mon carnet d'adresses à Paris. Peux-tu m'envoyer l'adresse de Sophie ?
Je t'embrasse.
Sonia

Chapitre 5

Les pronoms personnels

Observez *page 43*

a.

Pronom tonique	Pronom sujet
moi	je
toi	tu
lui	il
elle	elle
nous	nous
vous	vous
eux	ils
elles	elles

b. Vrai – **c.** Vrai – **d.** Vrai

1 **1.** je – **2.** tu – **3.** il – **4.** elle – **5.** nous – **6.** vous – **7.** ils – **9.** elles

2 **1.** Moi – **2.** Toi – **3.** Lui – **4.** Elle – **5.** Nous – **6.** Vous – **7.** Eux – **8.** Elles

3 **1.** On a beaucoup de cours – **2.** On va à la bibliothèque – **3.** On prend des livres – **4.** On fait des recherches – **5.** On présente des exposés – **6.** On est très sérieux

4 **1.** d – **2.** a – **3.** b – **4.** c – **5.** b – **6.** c, d – **7.** a – **8.** d

5 1. *vous* – **2.** vous/toi – **3.** eux – **4.** vous – **5.** vous, moi – **6.** elles

6 **1.** *Vous*, moi – **2.** Moi, lui – **3.** nous, eux – **4.** ils, nous – **5.** elle, je – **6.** Toi, elles

Observez ***page 45***

a. Le pronom *le* remplace : ton poème, ce monsieur
Le pronom *la* remplace : ta leçon, cette dame
Le pronom *les* remplace : tes leçons, tes voisins
Le pronom *l'* remplace : poème, leçon
b. Vrai – **c.** Vrai – **d.** Vrai
e.

Pronoms personnels sujets	Pronoms personnels compléments d'objet direct	
	Devant une consonne	Devant une voyelle ou un *h* muet
Je	me	m'
Tu	te	t'
Il	le	l'
Elle	la	l'
Nous	nous	
Vous	vous	
Ils	les	
Elles	les	

f. Je ne vous connais pas.

8 **1.** m' – **2.** m' – **3.** m' – **4.** me – **5.** m' – **6.** me – **7.** m' – **8.** m'

9 **1.** t' – **2.** te – **3.** t' – **4.** t' – **5.** te – **6.** t' – **7.** te – **8.** t'

10 **1.** vous – **2.** nous – **3.** vous – **4.** nous – **5.** nous – **6.** vous – **7.** vous – **8.** vous

11 **1.** la télévision – **2.** l'ascenseur – **3.** la valise – **4.** la bicyclette – **5.** les magazines – **6.** la clé – **7.** les journaux

12 **1.** c – **2.** e – **3.** b – **4.** f – **5.** a – **6.** g – **7.** d

13 **1.** Oui, il le prépare tous les matins. – **2.** Oui, elle les écoute souvent. – **3.** Oui, mais je ne l'achète pas régulièrement. – **4.** Oui, ils l'allument à 7 heures. – **5.** Oui, mais elles ne la regardent pas tous les soirs. – **6.** Oui, nous les accompagnons tous les matins. – **7.** Oui, mais il ne le fait pas chaque jour.

14 **1.** le – **2.** l' – **3.** le – **4.** l' – **5.** les – **6.** la – **7.** les

15 **1.** Oui, je les connais. – **2.** Oui, il les accompagne. – **3.** Oui, je l'appelle. – **4.** Non, il ne les emmène pas. – **5.** Non, je ne la rencontre pas souvent. – **6.** Oui, nous les invitons. – **7.** Non, elle ne le voit pas souvent.

Observez ***page 48***

a. Le pronom *lui* remplace : à ton frère, à ta sœur
Le pronom *leur* remplace : à tes parents, à tes cousines
b. Vrai – **c.** Je ne lui écris pas. – **d.** Vrai – **e.** Vrai
f.

Pronoms personnels sujets	Pronoms personnels compléments d'objet indirect	
	Devant une consonne	Devant une voyelle ou un *h* muet
Je	me	m'
Tu	te	t'
Il	lui	
Elle	lui	
Nous	nous	
Vous	vous	
Ils	leur	
Elles	leur	

17 **1.** m' – **2.** me – **3.** me – **4.** me – **5.** m' – **6.** me

18 **1.** te – **2.** – te – **3.** t' – **4.** te – **5.** te – **6.** t'

19 **1.** nous – **2.** nous – **3.** vous – **4.** nous – **5.** nous – **6.** vous – **7.** nous – **8.** nous

20 **1.** g – **2.** a – **3.** e – **4.** h – **5.** f – **6.** d – **7.** c – **8.** b

21 **1.** Il m'écrit tous les mois. – **2.** Elle ne leur téléphone pas. – **3.** Vous ne lui parlez pas. – **4.** Tu nous demandes notre adresse. – **5.** Je ne te réponds pas tout de suite. – **6.** Ils t'expliquent clairement. – **7.** Nous vous posons une question.

22 **1.** Oui, bien sûr, il leur montre ses photos. – **2.** Non, nous ne lui vendons pas la voiture. – **3.** Oui, elles lui envoient un message. – **4.** Oui, nous lui offrons un cadeau. – **5.** Non, pas question, on ne leur laisse pas l'appartement. – **6.** Oui, évidemment, elle leur donne son adresse. – **7.** Non, certainement pas, je ne lui prête pas l'ordinateur.

Observez ***page 50***

a. Vrai – **b.** Vrai – **c.** Je n'y vais pas souvent.

23 **1.** J'y vais souvent. – **2.** Il y va souvent. – **3.** Tu y vas souvent. – **4.** Vous y allez souvent. – **5.** Ils y vont souvent. – **6.** Nous y allons souvent.

24 **1.** Elle n'y va pas souvent. – **2.** Je n'y vais pas souvent. – **3.** Nous n'y allons pas souvent. – **4.** Vous n'y allez pas souvent. – **5.** Ils n'y vont pas souvent. – **6.** Tu n'y vas pas souvent.

25 **1.** Oui, ses parents y vivent depuis longtemps. – **2.** Oui, nous y allons souvent. – **3.** Oui, j'y passe mes vacances. – **4.** Oui, on y habite depuis un an. – **5.** Oui, elle y vient souvent. – **6.** Oui, ils y vont tous les étés.

26 **1.** Oui, ils y vont avec des amis. – **2.** Oui, j'y vais ce matin. – **3.** Oui, elle y va en bus. – **4.** Oui, nous y allons/j'y vais en taxi. – **5.** Oui, elles y vont ensemble.– **6.** Oui, j'y vais à vélo.

Observez ***page 51***

a. Vrai, Vrai, Vrai, Vrai, Vrai – **b.** Vrai – **c.** Je n'en ai pas.

27 **1.** c – **2.** f – **3.** d – **4.** e – **5.** b – **6.** a

28 **1.** Oui, j'en ai une. – **2.** Oui, il en a une. – **3.** Oui, j'en ai. – **4.** Oui, ils en ont. – **5.** Oui, elles en ont un. – **6.** Oui, j'en ai.

29 **1.** Non, je n'en ai pas. – **2.** Non, je n'en ai pas. – **3.** Non, il n'en a pas. – **4.** Non, ils n'en ont pas. – **5.** Non, elle n'en a pas. – **6.** Non, je n'en ai pas.

30 **1.** Elle en a un dans son sac. – **2.** Ils en prennent une à l'agence. – **3.** Nous en visitons souvent. – **4.** Tu en envoies toujours. – **5.** On en achète à l'avance. – **6.** Vous en réservez une par téléphone.

31 **1.** Oui, j'en fais beaucoup. – **2.** Oui, il en a quatre. – **3.** Oui, ils en lisent beaucoup. – **4.** Oui, elle en boit trop. – **5.** Oui, j'en ai une/nous en avons une. – **6.** Oui, elles en prennent un peu.

32 **1.** Je n'en lis pas beaucoup. – **2.** Ils n'en voient pas beaucoup. – **3.** Je n'en fais pas. – **4.** Elle n'en organise pas souvent. – **5.** On n'en écoute pas beaucoup. – **6.** Nous n'en achetons pas.

33 **1.** Non, nous n'en avons pas. – **2.** Oui, il en cherche un. – **3.** Non, nous n'en buvons pas. – **4.** Non, elles n'en ont pas. – **5.** Oui, ils en ont trois. – **6.** Oui, j'en ai une.

34 **1.** Je, eux – **2.** Nous – **3.** Vous, Moi, j', nous – **4.** Je, ils – **5.** en, elles – **6.** Vous, en – **7.** Tu, y, Tu – **8.** nous, nous, leur/vous

35 **1.** moi – **2.** tu – **3.** J' – **4.** la – **5.** l' – **6.** t' – **7.** la – **8.** y – **9.** j'/on – **10.** le – **11.** Tu – **12.** nous – **13.** t' – **14.** elle – **15.** lui – **16.** Nous

Chapitre 6

Les pronoms relatifs *qui* et *que*

Observez ***page 55***

a. Vrai
b. exemple 1 : sœur
exemple 2 : garçon
exemple 3 : fauteuils
exemple 4 : chaises
c. une personne ☑ une chose ☑ – **d.** Vrai

1 **1.** homme – **2.** musiciens – **3.** film – **4.** artistes – **5.** spectacles – **6.** jeune fille – **7.** homme

2 **1.** se trouve – **2.** sont – **3.** viennent – **4.** est posé – **5.** prennent – **6.** servent

3 **1.** d – **2.** g – **3.** a – **4.** b – **5.** f – **6.** e – **7.** c
1. C'est un meuble qui est souvent confortable. – **2.** C'est un véhicule qui transporte beaucoup de personnes. – **3.** C'est un animal qui ronronne. – **4.** C'est un objet qui sert à écrire. – **5.** C'est un objet qui éclaire. – **6.** C'est un animal qui vit dans l'eau. – **7.** C'est un véhicule qui a quatre roues.

5 **1.** J'ai une belle chambre qui donne sur un parc. – **2.** J'ai un professeur de maths qui explique très bien .– **3.** J'ai des voisins qui ont cinq enfants. – **4.** Je suis inscrit dans un gymnase qui se trouve près de la maison. – **5.** J'ai des amis qui habitent au même étage. – **6.** J'ai trouvé un travail qui semble intéressant.

6 **1.** Je lis un livre qui parle du Canada. – **2.** Tu regardes un film qui raconte une histoire triste. – **3.** Il va voir un spectacle qui dure trois heures. – **4.** J'écoute une chanson qui me plaît beaucoup. – **5.** Vous allez voir une pièce de théâtre qui est jouée en plein air. – **6.** Je vais souvent dans une discothèque qui reste ouverte toute la nuit.

7 **1.** Je vois une dame qui conduit son fils à l'école. – **2.** Je vois deux amoureux qui s'embrassent. – **3.** Je vois un bus qui arrive. – **4.** Je vois deux adolescents qui sortent du métro. – **5.** Je vois une vieille dame qui promène son chien. – **6.** Je vois trois enfants qui s'amusent. – **7.** Je vois un homme qui mange un sandwich. – **8.** Je vois des piétons qui traversent la rue.

8 **1.** e – **2.** a – **3.** f – **4.** d – **5.** b – **6.** g – **7.** c
1. Un boulanger est une personne qui fait le pain. – **2.** Un médecin est une personne qui soigne les malades. – **3.** Une hôtesse d'accueil est une personne qui reçoit les clients. – **4.** Un couturier est une personne qui crée de beaux vêtements. – **5.** Un cinéaste est une personne qui réalise des films. – **6.** Un cuisinier est une personne qui prépare de bons petits plats. – **7.** Un commandant est une personne qui donne des ordres.

Observez ***page 58***

a. exemple 1 : voisins
exemple 2 : jeune femme
exemple 3 : livre
exemple 4 : affiche
b. une personne, une chose – **c.** qu' – **d.** Vrai

9 **1.** examen – **2.** exercices – **3.** femme – **4.** professeur – **5.** résultats – **6.** lettre – **7.** gens

10 **1.** que – **2.** que – **3.** qu' – **4.** que – **5.** qu' – **6.** que – **7.** qu'

11 **1.** J'aime bien les chaussures que tu mets pour le sport. – **2.** C'est le sac que je prends pour voyager. – **3.** Ferme la valise qu'on emporte demain. – **4.** J'aime beaucoup la robe que Camille va porter ce soir. – **5.** Comment est le foulard que tu donnes à ma sœur. – **6.** Regarde le collier que j'offre à ma mère. – **7.** C'est le journal que j'achète pour mon père. – **8.** Voilà les photos qu'on envoie à Pierre.

12 **1.** Le film que nous regardons est passionnant. – **2.** La sauce qu'elle prépare est délicieuse. – **3.** L'homme que j'aime est merveilleux. – **4.** La chanson qu'il écoute est très connue. – **5.** L'appartement qu'ils ont visité est confortable. – **6.** Les amis que nous invitons sont sud-africains.

13 **1.** La mousse au chocolat est un dessert que je fais souvent. – **2.** Le soufflé au fromage est un plat que ma mère prépare le dimanche soir. – **3.** Les haricots verts sont des légumes qu'on mange cuits. – **4.** Le chocolat chaud est une boisson que les enfants prennent au petit déjeuner. – **5.** Les fraises sont des fruits que nous aimons beaucoup. – **6.** Le camembert est un fromage qu'on fabrique en Normandie.

14 **1.** qui – **2.** qui – **3.** que – **4.** qui – **5.** qui – **6.** qui – **7.** que – **8.** qui – **9.** que – **10.** qui

15 **1.** qui – **2.** que – **3.** qui – **4.** qu' – **5.** qui – **6.** qui – **7.** qui – **8.** que – **9.** qui – **10.** qui

16 **1.** qui – **2.** qu' – **3.** que – **4.** qui – **5.** qu' – **6.** que – **7.** qui

17 **1.** qui – **2.** qui – **3.** qu' – **4.** qu' – **5.** que, qui – **6.** qui – **7.** qui – **8.** que

Chapitre 7

Être et *avoir* au présent de l'indicatif

Observez ***page 62***

a. Je suis
Tu es
Il/Elle/On est
Nous sommes
Vous êtes
Ils/Elles sont
b. Vrai – **c.** es, est.

1 **1.** b.– **2.** e – **3.** b – **4.** e – **5.** f – **6.** b – **7.** e – **8.** d – **9.** b – **10.** b – **11.** e – **12.** a – **13.** c

2 êtes – suis – sont – est – est – sommes

3 **1.** Elle – **2.** Tu – **3.** Ils/Elles – **4.** Vous – **5.** Nous – **6.** Il – **7.** Je – **8.** Elle

4 **1.** sont – **2.** est – **3.** suis – **4.** es – **5.** sommes – **6.** êtes – **7.** sont – **8.** est – **9.** es – **10.** êtes – **11.** suis – **12.** sont

5 **1.** est – **2.** sommes – **3.** sont – **4.** es – **5.** êtes – **6.** sont – **7.** est – **8.** est – **9.** suis – **10.** est

7 **1.** sommes – **2.** sont – **3.** êtes – **4.** sont – **5.** sont – **6.** sommes

8 **1.** ils sont / vous êtes – **2.** vous êtes – **3.** ils sont / vous êtes – **4.** nous sommes – **5.** elles sont / vous êtes – **6.** ils sont

Observez ***page 64***

a. J'ai
Tu as
Il/Elle/On a
Nous avons.
Vous avez
Ils/Elles ont
b. as, a – **c.** j'ai

9 **1.** a, a – **2.** ai, ont – **3.** avez, a – **4.** as, a – **5.** ont, avons – **6.** avez, ai

10 **1.** as, ai – **2.** avez, avons – **3.** a, a – **4.** ont – **5.** as

11 **1.** Elle a 15 ans. – **2.** Elles ont entre 40 et 50 ans. – **3.** Il a 15 ans. – **4.** Ils ont entre 40 et 50 ans. – **5.** J'ai 25 ans. – **6.** Nous avons 60 ans. – **7.** On a 15 ans. – **8.** Tu as 31 ans. – **9.** Vous avez 18 ans.

12 **1.** Tu – **2.** Il / Elle / On – **3.** Ils / Elles – **4.** J' – **5.** Vous – **6.** Tu – **7.** Nous – **8.** Vous

14 **1.** êtes, suis – **2.** es, suis – **3.** a, a – **4.** est, est – **5.** sommes, avons – **6.** ont, sont – **7.** est, a – **8.** êtes, avez

15 **1.** ai – **2.** es – **3.** a – **4.** est – **5.** est – **6.** avons – **7.** êtes – **8.** ont – **9.** sont – **10.** as

16 **1.** est, suis – **2.** est, sommes – **3.** avez, avons – **4.** as, j'ai – **5.** sont, ont, sont – **6.** suis, es, es – **7.** a, a, est, est, a, est, suis, j'ai –

17 **1.** avez – **2.** j'ai – **3.** ont – **4.** j'ai – **5.** sont – **6.** a – **7.** avons – **8.** est – **9.** avons

Chapitre 8

Le présent de l'indicatif

Observez ***page 66***

a. Je/J' → e
Tu → es
Il/Elle/On → e
Nous → ons
Vous → ez
Ils/Elles → ent
b. j'

1 Étudier : J'étudie – Tu étudies – Il/Elle/On étudie – Nous étudions – Vous étudiez – Ils/Elles étudient
Hésiter : J'hésite – Tu hésites – Il/Elle/On hésite – Nous hésitons – Vous hésitez – Ils/elles hésitent
Chercher : Je cherche – Tu cherches – Il/Elle/On cherche – Nous cherchons – Vous cherchez – Ils/Elles cherchent

2 **1.** chante – **2.** dansons – **3.** regardez – **4.** joues – **5.** écoutez – **6.** collectionnons – **7.** parlez – **8.** créent – **9.** étudie

3 **1.** c, h, i, j – **2.** b, e – **3.** a, f – **4.** c, i, j – **5.** d, l – **6.** i – **7.** g, k – **8.** c, h, j – **9.** b, e – **10.** c, h, i, j

4 **1.** Tu refuses ou tu acceptes ? – **2.** Elle hésite puis elle décide. – **3.** Je continue mais tu arrêtes. – **4.** Elle cherche et ils trouvent. – **5.** Ils demandent et j'explique. – **6.** On pousse ou on tire ? – **7.** Tu coupes et je colle. – **8.** Ils jouent et ils gagnent.

Observez ***page 67***

Nous mangeons et nous commençons.

5 **1.** mange, mangeons – **2.** plaçons, places – **3.** changes, changez – **4.** voyagez, voyageons – **5.** commençons, commence – **6.** corrige, corrigeons

6 **1.** voyages – **2.** changeons – **3.** mangent – **4.** commençons – **5.** corrige – **6.** placez

Observez ***page 68***

a. je (1re personne du singulier) / tu (2e personne du singulier) / il/elle/on (3e personne du singulier) /

ils/elles (3e personne du pluriel)
b. Espérer : J'espère – Tu espères – Il/Elle/On espère – Nous espérons – Vous espérez – Ils/Elles espèrent
Préférer : Je préfère – Tu préfères – Il/Elle/On préfère – Nous préférons – Vous préférez – Ils/Elles préfèrent
Répéter : Je répète –Tu répètes – Il/Elle/On répète – Nous répétons – Vous répétez – Ils/Elles répètent

7 1. préférez, préfère – **2.** répète – **3.** espérons, j'espère – **4.** préfères, préfère – **5.** espèrent

Observez *page 69*

a. J'achète
Tu achètes
Il/Elle/On achète
Nous achetons
Vous achetez
Ils/Elles achètent
b. je (1re personne du singulier) / tu (2e personne du singulier) / il/elle/on (3e personne du singulier) / ils/elles (3e personne du pluriel)

8 **1.** achetez – **2.** achetons – **3.** achète – **4.** achète – **5.** achètes

Observez *page 69*

a. J'appelle
Tu appelles
Il/Elle/On appelle
Nous appelons
Vous appelez
Ils/Elles appellent
b. je (1re personne du singulier) / tu (2e personne du singulier) / il/elle/on (3e personne du singulier), /ils/elles (3e personne du pluriel)

9 **1.** appelons – **2.** appelez, appelle – **3.** appelle – **4.** appellent – **5.** appelles

Observez *page 70*

Je vais
Tu vas
Il/Elle/On va
Nous allons
Vous allez
Ils/Elles vont

10 **1.** va – **2.** vas – **3.** vais – **4.** va – **5.** allez – **6.** vont – **7.** allons – **8.** va

11 **1.** va – **2.** allons – **3.** allez – **4.** va – **5.** vas – **6.** vais – **7.** vont

Observez *page 71*

a. Je finis
Tu finis
Il/Elle/On finit
Nous finissons
Vous finissez
Ils/Elles finissent
b. Vrai – **c.** nous réussissons, vous choisissez, ils réussissent

12 On réunit toute la famille dimanche.
Je finis mes études cette année.
Vous rajeunissez chaque jour.
Nous choisissons nos amis.
Tu atterris à quelle heure ?
Les enfants grandissent vite.

13 **1.** choisissez, réfléchissons – **2.** finis – **3.** réussis – **4.** atterrit – **5.** applaudissez – **6.** remplissez

14 **1.** applaudissent – **2.** réfléchis – **3.** finissez, finis – **4.** choisis – **5.** atterrissons – **6.** réussit

Observez *page 72*

Partir : Je pars – Tu pars – Il/Elle/On part – Nous partons – Vous partez – Ils/Elles partent
Dormir : Je dors – Tu dors – Il/Elle/On dort – Nous dormons – Vous dormez – Ils/Elles dorment

15 **1.** sors – **2.** sors – **3.** pars – **4.** partons – **5.** dormez – **6.** dors – **7.** dorment – **8.** servez – **9.** servons – **10.** sent – **11.** sens

Observez *page 73*

Venir : Je viens – Tu viens – Il/Elle/On vient – Nous venons – Vous venez – Ils/Elles viennent
Tenir : Je tiens – Tu tiens – Il/Elle/On tient – Nous tenons – Vous tenez – Ils/Elles tiennent

16 **1.** viens – **2.** venez – **3.** tiens – **4.** viennent – **5.** venons – **6.** tenez – **7.** viens – **8.** vient

Observez *page 74*

a. -s, -s, -t
b. Vous lisez – Tu dis – On lit – Nous écrivons – Je traduis – Ils disent – Vous écrivez – Elle dit – Je lis – Vous dites – Ils écrivent – Nous traduisons
c. Vous dites

17 **1.** e, – **2.** i – **3.** e, i – **4.** b, j – **5.** f – **6.** d, g – **7.** a, c, h

18 **1.** lis – **2.** écris – **3.** traduisons – **4.** écrit – **5.** lisez – **6.** dites/traduisez – **7.** écrivent – **8.** dis

Observez *page 75*

a. Attendre : J'attends – Tu attends – Il/Elle/On attend – Nous attendons – Vous attendez – Ils /Elles attendent
Entendre : J'entends – Tu entends – Il/Elle/On entend – Nous entendons – Vous entendez – Ils /Elles entendent
Répondre : Je réponds – Tu réponds – Il/Elle/On répond – Nous répondons – Vous répondez – Ils /Elles répondent
b. Prendre : Je prends – Tu prends – Il/Elle/On prend – Nous prenons – Vous prenez – Ils /Elles prennent
Apprendre : J'apprends – Tu apprends – Il/Elle/On apprend – Nous apprenons – Vous apprenez – Ils /Elles apprennent
Comprendre : Je comprends – Tu comprends – Il/Elle/On comprend – Nous comprenons – Vous comprenez – Ils /Elles comprennent
c. -ds, -ds, -d
d. Vrai
e. Faux

19 **1.** Vous comprenez – **2.** Tu apprends – **3.** On entend – **4.** Nous prenons – **5.** Je réponds – **6.** Ils comprennent – **7.** Vous répondez – **8.** Ils attendent – **9.** J'apprends – **10.** Vous attendez – **11.** Ils prennent – **12.** Nous entendons

20 **1.** entends, entends – **2.** attendez, attendons – **3.** prenez, prend – **4.** répondent – **5.** comprends – **6.** apprend

Observez *page 76*

Je mets
Tu mets
Il/Elle/On met
Nous mettons
Vous mettez
Ils/Elles mettent

21 **1.** mets – **2.** mettez – **3.** mets – **4.** mettons – **5.** mettent – **6.** met

Observez *page 77*

Je fais
Tu fais
Il/Elle/On fait
Nous faisons
Vous faites
Ils/Elles font.

22 **1.** fais – **2.** faites – **3.** font – **4.** faisons – **5.** fais – **6.** fait

Observez *page 77*

Je vis
Tu vis
Il/Elle/On vit
Nous vivons
Vous vivez
Ils/Elles vivent

23 **1.** vivez – **2.** vit – **3.** vivent – **4.** vivons – **5.** vit – **6.** vis

Observez *page 78*

Je connais. Tu connais. Il/Elle/On connaît. Nous connaissons. Vous connaissez. Ils/Elles connaissent.

24 **1.** connais – **2.** connaissez – **3.** connaît – **4.** connaissent – **5.** connais – **6.** connaissons

Observez *page 78*

Je bois
Tu bois
Il/Elle/On boit
Nous buvons
Vous buvez
Ils/Elles boivent

25 **1.** bois – **2.** bois – **3.** boit – **4.** boivent – **5.** buvez – **6.** buvons – **7.** boit

Observez *page 79*

Pouvoir : Je peux – Tu peux – Il/Elle/On peut – Nous pouvons – Vous pouvez – Ils/Elles peuvent
Vouloir : Je veux – Tu veux – Il/Elle/On veut – Nous voulons– Vous voulez – Ils/Elles veulent

26 **1.** peut, peux – **2.** pouvons, peux – **3.** peux, pouvez – **4.** peut – **5.** peuvent – **6.** pouvez

27 **1.** voulez, veux, veux – **2.** voulez, veulent, veut, voulons

Observez ***page 80***

Je sais
Tu sais
Il/Elle/On sait
Nous savons
Vous savez
Ils/Elles savent

28 **1.** sais, sais – **2.** savons, sais – **3.** sais, savons – **4.** savez, sait

Observez ***page 80***

Je dois. Tu dois. Il/Elle/On doit. Nous devons. Vous devez. Ils/Elles doivent.

29 **1.** dois – **2.** devez – **3.** devons – **4.** doit – **5.** doivent

Observez ***page 81***

Je vois
Tu vois
Il/Elle/on voit
Nous voyons
Vous voyez
Ils/Elles voient

30 **1.** voyez – **2.** vois – **3.** voit – **4.** voient – **5.** vois – **6.** voyez – **7.** voyons

Observez ***page 81***

a. Vrai
b. m', t', s'
c.

Je	Tu	Elle, Mon ami, On, Ils, Les hommes	Nous	Vous
me	te	se	nous	vous

31 **1.** se lève – **2.** te réveilles – **3.** se lavent – **4.** nous préparons – **5.** m'habille – **6.** se coiffe – **7.** se maquillent – **8.** se rase – **9.** me repose

32 **1.** se retrouve – **2.** vous téléphonez – **3.** se rencontre – **4.** nous écrivons – **5.** se séparent

33 cherche – m'appelle – j'habite – vivons – devons – viennent – vais – prépare – veux – j'aime – préfère – prends – lis – j'adore – allons – pouvez

35 **1.** prennent – **2.** part – **3.** boit – **4.** commençons – **5.** nous retrouvons – **6.** lisons – **7.** fais – **8.** dormez – **9.** mettez – **10.** mangeons – **11.** me maquille – **12.** s'écrivent – **13.** sortons – **14.** faites – **15.** vont – **16.** vit

36 vas – sais – me réveille – dois – mets – finis – fais – partage – préfère – sortons – discutons – parlons – dormons – prenons – faisons – mangeons – j'espère

38 **1.** ferme – **2.** peuvent – **3.** faisons – **4.** roule – **5.** devez – **6.** écrivons – **7.** attend – **8.** acceptons – **9.** est – **10.** j'achète

Chapitre 9

Les temps du passé

Observez ***page 85***

a. être ou avoir
b. Vrai

Observez ***page 85***

Le participe passé des verbes en *–er* se termine par *–é*.

1 **1.** demandé – **2.** regarder – **3.** essayé – **4.** marché – **5.** remercier – **6.** donné – **7.** apporté – **8.** échanger

2 **1.** parler → parlé – **2.** voyager → voyagé – **3.** acheter → acheté – **4.** aller → allé – **5.** commencer → commencé – **6.** neiger → neigé – **7.** remercier → remercié – **8.** regarder → regardé

Observez ***page 86***

a. être → été, avoir → eu
b. -i, -it, -ert, -is, – u

3 **1.** n – **2.** j – **3.** o – **4.** m – **5.** e – **6.** d – **7.** k – **8.** l – **9.** c. – **10.** b – **11.** g – **12.** h – **13.** i – **14.** f – **15.** a

4 **1.** e – **2.** b – **3.** h – **4.** j – **5.** s – **6.** p – **7.** l – **8.** n – **9.** m – **10.** c – **11.** i – **12.** f – **13.** q – **14.** k – **15.** a – **16.** r – **17.** o – **18.** d – **19.** g

5 **1.** offrir – **2.** avoir – **3.** être – **4.** faire – **5.** mourir – **6.** naître – **7.** ouvrir – **8.** découvrir

6 -*é* : été
-*i* : choisi, dormi, fini, réussi, ri, sorti
-*it* : dit, écrit
-*is* : appris, compris, mis, pris
-*u* : attendu, eu, couru, entendu, lu, perdu, pu, répondu, su, venu, voulu
-*ert* : offert, ouvert

Observez *page 88*

a. Vrai
b. Faux
c. j', n'
d. Je n'ai pas terminé.

7 Je n'ai pas téléphoné à Pierre. – Tu n'as pas écouté. – Il a acheté un CD. – Nous avons parlé longtemps. – Vous avez corrigé les exercices. – Elles ont regardé la télé.

8 **1.** as acheté – **2.** avez réservé – **3.** a confirmé – **4.** J'ai payé – **5.** avons voyagé – **6.** ont visité

9 **1.** a vu – **2.** ont gagné, ont perdu – **3.** J'ai lu, j'ai relu – **4.** avons sonné, a répondu – **5.** J'ai rencontré

10 **1.** Je n'ai pas téléphoné. – **2.** Il n'a pas écrit. – **3.** Nous n'avons pas appelé. – **4.** Vous n'avez pas répondu. – **5.** Tu n'as pas signé. – **6.** Elles n'ont pas compris. – **7.** On n'a pas entendu.

11 **1.** Ils n'ont pas écouté les nouvelles. – **2.** Je n'ai pas regardé la télévision. – **3.** Nous n'avons pas lu le journal. – **4.** Tu n'as pas consulté Internet. – **5.** Vous n'avez pas allumé la radio. – **6.** Elle n'a pas ouvert le courrier.

12 **1.** j'ai couru – **2.** avons pris – **3.** a acheté – **4.** avons déménagé – **5.** n'ai pas fait – **6.** a offert – **7.** as invité – **8.** n'avons pas pu

13 **1.** a neigé – **2.** j'ai étudié – **3.** ont dormi – **4.** avez attendu – **5.** n'a pas duré – **6.** ont visité – **7.** avons fait – **8.** a plu – **9.** n'avons pas utilisé – **10.** a continué – **11.** avez enseigné – **12.** n'ai pas écrit

14 a entendu – a vu – ont eu – n'ont pas crié – j'ai remarqué – j'ai voulu – j'ai couru – n'ai pas pu

15 a révisé – a passé – n'a pas fini – a raté – a réfléchi – a recommencé – a réussi – a choisi – a fêté – n'a pas dormi

16 avez passé – avons dîné – a bu – a soufflé – a ouvert – a eu – a été – a fait – J'ai gagné – avez pris

17 Hier, j'ai commencé la journée avec un bon café. Puis j'ai fait de la gymnastique et j'ai pris une douche. Après j'ai lu le journal, j'ai rangé ma chambre et j'ai travaillé. J'ai écrit toute la journée, j'ai arrêté un peu pour déjeuner. Vers 19 h, j'ai couru dans le parc et après, j'ai dîné.

Observez *page 91*

a. Vrai
b. Vrai
c. aller, arriver, descendre, entrer, monter, mourir, naître, partir, passer, rentrer, retourner, rester, sortir, tomber, venir
d. Nous ne sommes pas sortis.

19 **1.** c, e – **2.** a. – **3.** d. – **4.** c, e. – **5.** a. – **6.** b. – **7.** d. – **8.** c, e

20 Je ne suis pas parti tôt. – Tu n'es pas venu chez moi. – Elle n'est pas restée ici. – Nous ne sommes pas sortis hier soir. – Vous n'êtes pas arrivés vite. – Ils ne sont pas passés par ici.

21 **1.** a, b – **2.** a, b – **3.** b – **4.** a – **5.** c, d – **6.** a, b, c, d – **7.** c – **8.** d – **9.** c

22 **1.** suis sorti – **2.** es venu – **3.** est arrivé – **4.** ne sommes pas restés – **5.** n'êtes pas partis – **6.** sont rentrés

23 **1.** sorti(e) – **2.** partis – **3.** morte – **4.** entré – **5.** montée, descendue – **6.** retournés – **7.** restées – **8.** venu(e)(s) – **9.** arrivé – **10.** passé(e)s – **11.** née – **12.** tombé(e) – **13.** allés

24 **1.** Je ne suis pas né à Paris. – **2.** Elle n'est pas retournée chez ses parents. **3.** Vous n'êtes pas allé à l'étranger. – **4.** Nous ne sommes pas partis à la campagne. – **5.** Tu n'es pas resté en France. – **6.** Ils ne sont pas morts dans leur pays.

25 **1.** suis arrivé(e), es parti(e) – **2.** êtes monté(e)(s), sommes descendu(e)s – **3.** est né, est tombé, est mort – **4.** sommes entré(e)s, êtes sorti(e)(s) – **5.** sont venues, ne sont pas restées, sont allées – **6.** sont passés, sont retournés, suis resté

26 **1.** Samedi dernier, ils sont venus à Paris en voiture, ils sont passés par Lyon, ils sont arrivés très tard le soir. – **2.** La semaine dernière, elle est tombée malade, elle n'est pas sortie de chez elle, elle est restée à la maison. – **3.** Hier soir, nous sommes sorti(e)s, nous sommes allé(e)s à l'Opéra, nous sommes rentré(e)s en taxi.

Observez *page 93*

a. Vrai.
b. Vrai.
c. Ils ne se sont pas couchés.

27 Je me suis réveillé de très bonne heure. – Tu t'es lavé ? – Il s'est rasé ? – Nous nous sommes couchés à minuit. – Vous vous êtes endormis à quelle heure ? – Elles se sont habillées rapidement ?

28 **1.** levée – **2.** réveillé / réveillée – **3.** baignés – **4.** reposées / reposés – **5.** promenées – **6.** perdu – **7.** couché / couchée – **8.** amusées / amusé / amusée / amusés

29 **1.** Je ne me suis pas trompé de chemin. – **2.** Elle ne s'est pas promenée dans le parc. **3.** Vous ne vous êtes pas amusées en vacances. – **4.** Nous ne nous sommes pas rencontrés en ville. – **5.** Tu ne t'es pas perdu sur la route. – **6.** Elles ne se sont pas baignées dans le lac.

30 **1.** Elle ne s'est pas réveillée tard. – **2.** Ils ne se sont pas préparés vite. – **3.** Je ne me suis pas dépêchée. – **4.** Vous ne vous êtes pas habitués. – **5.** Nous ne nous sommes pas habillés. – **6.** Tu ne t'es pas coiffé.

31 Hier soir, je me suis réveillée à sept heures et je me suis levée tout de suite. Je me suis lavée et je me suis habillée. Hier soir, je ne me suis pas couchée trop tard et je me suis endormie avec un bon livre.

32 **1.** me suis trompé(e). – **2.** se sont rencontrés – **3.** ne se sont pas inscrites – **4.** nous sommes perdus – **5.** me suis endormie

Observez *page 95*

a.

Personnes	Terminaisons
Je	-ais
Tu	-ais
Il/Elle/On	-ait
Nous	-ions
Vous	-iez
Ils/Elles	-aient

b. Ils avaient – Nous dormions – J'écoutais – Elle était – Vous finissiez – Tu lisais – Je prenais – Elles voulaient
c. Vrai
d. être
e. décrivent une situation passée

33 **1.** Je travaillais avec mon père le soir. – **2.** Tu croyais au Père Noël. – **3.** Elle adorait aller dans la forêt. – **4.** Nous avions peur des chiens. – **5.** Vous aimiez beaucoup les animaux. – **6.** Ils buvaient beaucoup de chocolat.

34 **1.** lisais – **2.** dessinait – **3.** chantiez – **4.** dormaient – **5.** étudiais – **6.** parlais – **7.** faisais – **8.** buviez – **9.** finissait – **10.** avaient – **11.** dansions – **12.** écrivais

35 **1.** Ils allaient – **2.** Je buvais – **3.** Nous choisissions – **4.** Tu comprenais – **5.** Vous connaissiez – **6.** Elle croyait – **7.** On devait – **8.** Elles écrivaient – **9.** J'étais – **10.** Tu faisais

36 **1.** vous travailliez – **2.** nous arrivions – **3.** vous viviez – **4.** nous faisions – **5.** vous preniez – **6.** nous avions

37 **1.** voulait – **2.** faisait – **3.** lisaient – **4.** allaient – **5.** aimait – **6.** jouait – **7.** partait

39 **1.** Il s'est arrêté à midi. / Elle s'est arrêtée à midi. – **2.** Il est allé à la cantine. / Elle est allée à la cantine. – **3.** Il a repris à 14 heures. / Elle a repris à 14 heures. – **4.** Il a continué son travail jusqu'à 17 heures. / Elle a continué son travail jusqu'à 17 heures. – **5.** Il est sorti avec des collègues. / Elle est sortie avec des collègues. – **6.** Il a dîné au restaurant. / Elle a dîné au restaurant. – **7.** Il a regardé un film. / Elle a regardé un film.
Le participe passé change au féminin dans les phrases 1, 2 et 5.

40 **1.** F. Nous sommes arrivées, nous avons fermé la fenêtre, nous avons allumé les lumières, nous avons rangé la pièce. – **2.** M. Nous avons garé la voiture, nous sommes descendus, nous avons acheté le journal, nous sommes repartis. – **3.** F. Nous sommes entrées, nous avons pris le courrier, nous avons vu la gardienne, nous sommes montées à la maison. – **4.** F. Nous avons acheté des fleurs, nous avons payé, nous sommes sorties du magasin, nous avons rencontré le voisin.

41 suis née – a dû – a déménagé – avons vécu – sommes revenues – est resté – avons habité – est reparti.

42 j'ai eu – j'ai pris – je suis entré(e) – j'ai appuyé – s'est refermée – n'a pas bougé – j'ai attendu – est monté – s'est arrêté – est reparti – s'est ouverte – suis sorti(e)

43 **1.** Mon arrière-grand-père Alphonse est né dans un petit village près de Bordeaux. – **2.** Il est allé à l'école jusqu'à l'âge de 13 ans. – **3.** Il a commencé à travailler dans les vignes de Saint-Émilion. – **4.** Il a rencontré Alice. – **5.** Il s'est marié à 20 ans. – **6.** Il a gagné un premier prix pour son vin. – **7.** Il a reçu une grosse somme d'argent. – **8.** Il a acheté un petit château. – **9.** Il a eu 4 enfants. – **10.** Il a pris sa retraite à 65 ans. – **11.** Il a donné son vignoble à son fils aîné. – **12.** Il est mort l'an dernier.

44 Ma sœur et moi, nous avons pris le train. Nous sommes allées sur le quai et nous avons attendu quelques minutes. Le train est entré en gare. Il s'est arrêté. Des gens sont descendus. Nous sommes montées. Nous nous sommes assises en face d'un homme bizarre. Le train est reparti. Deux contrôleurs sont entrés. Ils ont demandé les billets. L'homme s'est levé, il est allé de l'autre côté et il est descendu du train en marche ! Tout le monde a regardé sans rien faire ! Incroyable, non ? À bientôt. Alice.

45 **1.** était – **2.** ne conduisait pas – **3.** habitiez – **4.** ne savaient pas – **5.** te trouvais – **6.** partais – **7.** nous réveillions.

Chapitre 10

Les temps du futur

Observez *page 99*

a. Le futur proche d'un verbe est formé du verbe aller conjugué au présent et de l'infinitif du verbe.
b. Je vais me reposer. – Je ne vais pas être en forme. – Je ne vais pas me reposer.

1 Le train va partir. – Vous allez perdre du temps. – Tu vas manquer le rendez-vous. – Tes amis vont attendre. – Je vais arriver tard. – Nous allons faire vite.

2 **1.** vais acheter – **2.** vas conduire – **3.** vont quitter – **4.** allons arriver – **5.** allez dormir – **6.** va trouver – **7.** allons passer

3 **1.** Je vais partir. – **2.** Tu vas monter. – **3.** Il va venir. – **4.** Nous allons descendre. – **5.** Vous allez sortir. – **6.** Ils vont arriver.

4 Présent : 1, 4, 5, 6, 8, 11, 12
Futur proche : 2, 3, 7, 9, 10

5 **1.** Je vais suivre un cours de cuisine. – **2.** Tu vas faire un stage. – **3.** Il va travailler dans un restaurant. – **4.** Nous allons passer un examen. – **5.** Vous allez envoyer un CV. – **6.** Ils vont lire les petites annonces. – **7.** Elles vont écrire des lettres de candidature.

6 **1.** allez faire, allons chercher – **2.** vas partir, vais retrouver – **3.** vont arriver, vont appeler – **4.** vas déjeuner, vais voir – **5.** va venir

7 **1.** va neiger – **2.** allez casser – **3.** vais raconter – **4.** vont arriver – **5.** va partir – **6.** allons commencer – **7.** va avoir

8 **1.** Je vais me dépêcher. – **2.** Tu vas te coiffer. – **3.** Il va se raser. – **4.** Nous allons nous doucher. – **5.** Vous allez vous préparer. – **6.** Elles vont se maquiller.

9 **1.** te blesser – **2.** te couper – **3.** me fâcher – **4.** nous perdre – **5.** vous faire mal – **6.** se pincer les doigts

10 **1.** Tu vas t'asseoir. – **2.** Je vais me lever. – **3.** Il va se coucher. – **4.** Nous allons nous reposer. – **5.** Vous allez vous réveiller. – **6.** Elles vont s'endormir.

11 **1.** vais me souvenir – **2.** vont se reposer – **3.** vas t'amuser – **4.** allons nous marier – **5.** va s'ennuyer – **6.** va se promener

13 **1.** ne va pas venir – **2.** ne va pas danser – **3.** ne vas pas acheter – **4.** ne vont pas sortir – **5.** n'allons pas rester – **6.** n'allez pas boire – **7.** ne vont pas préparer

14 **1.** Ils ne vont pas se promener. – **2.** Nous

n'allons pas nous amuser. – **3.** Tu ne vas pas t'ennuyer. – **4.** Vous n'allez pas vous reposer. – **5.** Ils ne vont pas s'inquiéter. – **6.** Je ne vais pas me coucher.

Observez *page 102*

a. J'arriverai
Tu arriveras
Il/Elle/On arrivera
Nous arriverons
Vous arriverez
Ils/Elles arriveront
b. Vrai
c. Vrai
d. Nous n'oublierons pas
e. Oublier : J'oublierai – Tu oublieras – Il/Elle/On oubliera – Nous oublierons – Vous oublierez – Ils/Elles oublieront
Écrire : J'écrirai – Tu écriras – Il/Elle/On écrira – Nous écrirons – Vous écrirez – Ils/Elles écriront

15 **1.** f, h – **2.** c, k – **3.** e, g – **4.** f, h – **5.** b, l – **6.** d, i – **7.** j – **8.** a – **9.** f, h – **10.** j

16 **1.** attendrai – **2.** descendront – **3.** réserverez – **4.** garderas – **5.** choisirez – **6.** arriverons – **7.** laissera – **8.** retrouverons – **9.** aimeront – **10.** passerons

17 **1.** On se dépêchera. – **2.** Vous vous réveillerez tôt. – **3.** Tu t'habilleras chaudement. – **4.** Vous vous préparerez vite. – **5.** On s'arrêtera pour déjeuner vers midi. – **6.** Nous roulerons toute la journée. – **7.** Vous vous reposerez plus tard. – **8.** Nous nous doucherons le soir.

18 **1.** quitteras – **2.** changerons – **3.** partiront – **4.** commencera – **5.** m'installerai – **6.** habiterez – **7.** déménageront – **8.** resteras

19 **1.** refuseras, accepteras – **2.** hésitera, décidera – **3.** continuerai, arrêteras – **4.** cherchera, trouvera – **5.** demandera, expliquerai – **6.** chantera, criera – **7.** étudierai, jouerai – **8.** resteras, te marieras

20 **1.** organiserai – **2.** invitera – **3.** découvriront – **4.** joueront – **5.** dansera – **6.** dormirons

Observez *page 104*

Infinitif	Radical	Futur
aller	ir	Tu iras
avoir	aur	Nous aurons
devoir	devr	Il devra
envoyer	enverr	On enverra
être	ser	Elles seront
faire	fer	Il fera
pouvoir	pourr	Vous pourrez
recevoir	recevr	Elles recevront
savoir	saur	Nous saurons
tenir	tiendr	Vous tiendrez
venir	viendr	Je viendrai
voir	verr	Tu verras
vouloir	voudr	Nous voudrons

21 **1.** e, g – **2.** d, j – **3.** a – **4.** c, i – **5.** h – **6.** b, k – **7.** f, l

22 **1.** serez, serons – **2.** auras, aurai – **3.** aura, saura – **4.** auront, seront – **5.** serons, serez – **6.** auras, saurai

23 **1.** b, l – **2.** g, j – **3.** e, h, k – **4.** a, m – **5.** c, i – **6.** d – **7.** c, i – **8.** e, h, k – **9.** c, i – **10.** f

24 **1.** ferez – **2.** ferai – **3.** j'irai – **4.** fera – **5.** feront – **6.** iront

25 **1.** enverras, enverrai, verra – **2.** enverrons, verras, enverra – **3.** enverrez, verrons

26 **1.** viendrons, viendrez – **2.** tiendrez – **3.** reviendrai – **4.** reviendront

27 **1.** voudras, pourra – **2.** voudront, voudra, voudrons, pourrons

28 **1.** devrez – **2.** devras – **3.** devrons – **4.** devront – **5.** devra

29 vas te mettre – vas t'asseoir – allez vous parler – vont s'approcher – vas te lever – allez rester – va s'arrêter – va rire – allez rire

30 **1.** Ma sœur ne va pas se marier en décembre. – **2.** On va faire une grande fête. – **3.** Ses amis vont venir. – **4.** Cela ne va pas être un grand mariage. – **5.** Nous allons danser et chanter. – **6.** Les mariés ne vont pas partir en voyages de noces. – **7.** Nous n'allons pas nous amuser.

31 Samedi prochain, c'est sûr, comme d'habitude, je ne me lèverai pas trop tard. Je prendrai un bon petit déjeuner, comme ça, je n'aurai pas besoin de déjeuner. Je me préparerai et je quitterai la maison. J'irai me promener ou j'irai voir une exposition, cela dépendra du temps. Dans la soirée, je passerai chez des amis et nous prendrons un verre. Nous dînerons ensemble. Je rentrerai chez moi un peu fatigué mais content.

33 serons – fera – resteront – traversera – reviendra – soufflera – devront – y aura – attendrons

34 descendras – seras – continueras – tourneras – iras – traverseras – verras – attendrai – visiterons – pourrons

36 **1.** Votre vie sera passionnante. – **2.** Vous rencontrerez une jeune fille merveilleuse. – **3.** Elle aura une voix extraordinaire. – **4.** Elle deviendra une chanteuse célèbre. – **5.** Vous vous marierez avec elle. – **6.** Vous déciderez d'être son imprésario. – **7.** Ensemble, vous aurez quatre beaux enfants. – **8.** Ils formeront un groupe musical. – **9.** Vous organiserez des spectacles dans le monde entier. – **10.** Votre famille connaîtra un succès international.

Chapitre 11

L'impératif

Observez *page 109*

a.

Infinitif	Présent de l'indicatif	Impératif
Venir Écouter Rêver Aller	Tu viens Tu écoutes Tu rêves Tu vas	Viens Écoute Rêve Va
Aller	Nous allons	Allons
Écrire	Vous écrivez	Écrivez

b. trois

c. À la deuxième personne du singulier, la terminaison *-es* du présent devient *-e* à l'impératif.

d. À la deuxième personne du singulier, l'impératif du verbe *aller* est *va*

e. Ne rêve pas.

1 **1.** Ouvre – **2.** Range – **3.** Plie – **4.** Ne laisse rien – **5.** Passe – **6.** Jette – **7.** Vide

2 **1.** Achetez – **2.** Réservez – **3.** N'oubliez pas – **4.** Compostez – **5.** Vérifiez – **6.** Ne fumez pas

3 **1.** Achetez – **2.** Coupez – **3.** Versez – **4.** Mettez – **5.** Épluchez – **6.** Ajoutez – **7.** Salez, poivrez – **8.** Faites – **9.** Servez

5 **1.** Descends – **2.** Prends – **3.** Monte – **4.** Traverse – **5.** Passe – **6.** Cherche – **7.** Demande – **8.** Va

7 **1.** passe, achète, n'oublie pas – **2.** ne faites pas – **3.** va – **4.** Pense/Pensez – **5.** ne parle pas – **6.** dites

8 **1.** Ne sortez pas seul ! – **2.** Ne va pas dans ce quartier ! – **3.** Ne passons pas dans ce souterrain ! – **4.** Ne traverse pas là ! – **5.** Ne prenons pas cette petite rue ! – **6.** Ne partez pas à pied ! – **7.** Ne fais pas demi-tour ! – **8.** Ne tournez pas ici.

Observez *page 111*

Personne	Être	Avoir
Tu Nous Vous	sois soyons soyez	aie ayons ayez

9 **1.** Soyez prudents ! – **2.** N'aie pas peur ! – **3.** Ayons confiance ! – **4.** Sois courageux ! – **5.** N'ayez pas honte ! – **6.** Sois gentil ! – **7.** Ne soyons pas tristes ! – **8.** Soyez ponctuels !

Observez *page 112*

a. derrière le verbe
b. devant le verbe
c. Assieds-toi – Ne t'énerve pas – Ne te couche pas
d. Ne vous inquiétez pas.

10 **1.** b – **2.** a – **3.** g – **4.** f – **5.** e – **6.** d – **7.** c

11 **1.** Réveille-toi ! – **2.** Lève-toi ! – **3.** Lave-toi ! – **4.** Rase-toi ! – **5.** Habille-toi ! – **6.** Coiffe-toi ! – **7.** Repose-toi ! – **8.** Calme-toi !

12 **1.** Ne vous éloignez pas ! – **2.** Ne t'assieds pas ! – **3.** Ne t'approche pas ! – **4.** Ne nous battons pas ! – **5.** Ne vous arrêtez pas ! – **6.** Ne te perds pas ! – **7.** Ne t'inquiète pas ! – **8.** Ne te dépêche pas ! – **9.** Ne nous disputons pas !

13 **1.** ne te parfume pas – **2.** ne vous asseyez pas – **3.** ne t'arrête pas – **4.** ne nous inscrivons pas – **5.** ne vous reposez pas – **6.** ne t'approche pas

14 **1.** Entrez – **2.** Assieds-toi – **3.** N'oublie pas – **4.** soyez – **5.** Ne va pas / N'allez pas – **6.** ne soyez pas, prenez – **7.** Revenez – **8.** Écrivez – **9.** demande – **10.** levez-vous, habillez-vous – **11.** Approche-toi – **12.** Aie

15 **1.** N'accepte pas, refuse ! – **2.** Ne continuez pas, arrêtez-vous ! – **3.** N'attends pas, décide-toi tout de suite ! **4.** Ne vous levez pas, restez au lit ! – **5.** Ne va pas à la piscine, fais un jogging ! – **6.** Ne restez pas à la maison, allez au restaurant !

16 **1.** Dites la vérité ! – **2.** N'hésitons pas ! – **3.** Ne buvez pas trop de vin ! – **4.** Travaille si tu veux réussir ! – **5.** N'ayez pas peur ! – **6.** Faisons très attention ! – **7.** Ne te lève pas trop tard ! – **8.** Cherchez encore ! – **9.** Ne viens pas trop tard ! – **10.** Sois prudent !

Chapitre 12

Les formes impersonnelles

Observez *page 114*

a. Vrai
b. Vrai
c. Vrai
d. Vrai
e. ce sont

1 **1.** Voici l'adresse de Selma. – **2.** Voilà les clés de l'appartement. – **3.** Voici le numéro de téléphone de mes amis. – **4.** Voilà la loge de la concierge. – **5.** Voici le code de l'immeuble. – **6.** Voilà le parking de la résidence. – **7.** Voilà la voiture de Sophie.

2 **1.** C'est – **2.** C'est – **3.** Ce sont – **4.** Ce sont – **5.** C'est – **6.** Ce sont

3 **1.** Jacques et Lucien sont journalistes. Ce sont des journalistes appréciés. **2.** Carla est étudiante. C'est une étudiante italienne. – **3.** Charles et Arthur sont poètes. Ce sont des poètes français. **4.** Mehdi est écrivain. C'est un écrivain célèbre. – **5.** Soraya est secrétaire. C'est une secrétaire efficace. – **6.** Richard et Claude sont informaticiens. Ce sont des informaticiens compétents. – **7.** Dimitri est chanteur. C'est un chanteur exceptionnel. – **8.** Charlotte et Laurène sont couturières. Ce sont des couturières excellentes.

5 **1.** En général, la danse, c'est joli. – **2.** En général, l'opéra, c'est émouvant. – **3.** En général, le sport, c'est fatigant. – **4.** En général, la montagne, c'est beau. – **5.** En général, la radio, c'est intéressant. – **6.** En général, la poésie, c'est triste.

6 **1.** C'est long ! – **2.** C'est cher ! – **3.** C'est facile ! – **4.** C'est grand ! – **5.** C'est merveilleux ! – **6.** C'est dangereux !

Observez *page 116*

a. Vrai
b. avec un nom au singulier ou au pluriel.
c. Vrai
d. Vrai
e. Vrai

7 **1.** f – **2.** a – **3.** d – **4.** h – **5.** g – **6.** c – **7.** e – **8.** b
1. Dans une ferme, il y a des animaux. – **2.** Dans une forêt, il y a des arbres. – **3.** Dans une ville, il y a des immeubles. – **4.** Dans l'océan, il y a des poissons. – **5.** Sur la plage, il y a du sable. – **6.** Dans le ciel, il y a des nuages. – **7.** Dans un port, il y a des bateaux. – **8.** Dans une maison, il y a des meubles.

8 **1.** il a – **2.** il y a – **3.** il y a – **4.** il a – **5.** Il y a – **6.** il a

9 **1.** Il – **2.** Il fait – **3.** Il fait – **4.** Il – **5.** Il fait – **6.** Il – **7.** Il fait – **8.** Il fait – **9.** Il fait – **10.** Il fait – **11.** Il fait – **12.** Il

11 **1.** a, d, f, g – **2.** b, c, e, h

12 **2.** Elle fait de la guitare. Ils font de la guitare. Elles font de la guitare. – **4.** Elle fait la vaisselle. Ils font la vaisselle. Elles font la vaisselle. – **7.** Elle fait la lessive. Ils font la lessive. Elles font la lessive – **9.** Elle fait un exercice. Ils font un exercice. Elles font un exercice.

13 **1.** il fait froid – **2.** Vous avez froid – **3.** nous avons chaud – **4.** il fait beau et chaud – **5.** il a chaud – **6.** Il fait mauvais – **7.** Tu as chaud – **8.** j'ai froid

14 **1.** Il est tard – **2.** il est midi – **3.** il est minuit – **4.** Il est tard – **5.** Il est tôt – **6.** Il est minuit/Il est tard

15 **1.** a, b, e, f, h, i, j – **2.** c, d, g, k, l

16 **1.** Il ne faut pas oublier les clés chez le gardien. – **2.** Il faut avoir le nouveau code. – **3.** Il ne faut pas laisser les fenêtres ouvertes. – **4.** Il ne faut pas garer la voiture devant l'immeuble. – **5.** Il faut vérifier le courrier. – **6.** Il faut fermer tous les volets. – **7.** Il faut arroser les plantes. – **8.** Il ne faut pas laisser les chaises sur le balcon.

18 **1.** Pour ce voyage, il faut un passeport. – **2.** Pour entrer, il faut un code. – **3.** Pour ce travail, il faut un certificat médical. – **4.** Pour ce spectacle, il faut une réservation. – **5.** Pour louer cet appartement, il faut trois fiches de salaires. **6.** Pour entrer dans ce pays, il faut un visa.

19 **1.** Il est – **2.** Voilà – **3.** Il fait – **4.** Il – **5.** Voici – **6.** Ce sont – **7.** Il y a – **8.** Il fait

20 **1.** Il faut une vie équilibrée. – **2.** Il faut faire du sport. – **3.** Il ne faut pas manger trop de sucre. – **4.** Il faut une alimentation saine. – **5.** Il faut boire beaucoup d'eau. – **6.** Il faut un sommeil régulier. – **7.** Il ne faut pas fumer.

22 **1.** C'est – il est – il est tôt – c'est – **2.** Il y a – c'est – Il faut – **3.** il est tard – Voilà – Ce sont – voilà – **4.** Il – il fait – Il faut – c'est

Chapitre 13

L'expression du lieu

Observez *page 122*

a. à + nom de ville – en + nom de pays féminin / nom de pays commençant par une voyelle ou un *h* muet – au + nom de pays masculin – aux + nom de pays pluriel

b. de + nom de ville/nom de pays féminin – du + nom de pays masculin – des + nom de pays pluriel – d' + nom de pays commençant par une voyelle ou un *h* muet.

1 **1.** Danemark – **2.** Espagne – **3.** États-Unis – **4.** Brésil – **5.** Philippines – **6.** Algérie – **7.** Sénégal

2 **1.** à – **2.** De, d' – **3.** à – **4.** d' – **5.** à – **6.** à – **7.** de – **8.** à

3 **1.** En, en – **2.** Au, en – **3.** Aux, en – **4.** En, en – **5.** En, en – **6.** Au, en – **7.** Aux, en – **8.** Au, en – **9.** Au, en – **10.** En, en – **11.** En, en – **12.** En, en

4 à – en – au – en – au – d' – en – en – au – aux – en – du

Observez *page 124*

a. à – **b.** de – **c.** au – **d.** aux – **e.** du – **f.** des

6 **1.** à la, de la – **2.** au, du – **3.** à la, de la – **4.** aux, des – **5.** à l', de l' – **6.** au, du

7 **1.** au – **2.** à l' – **3.** de l' – **4.** du – **5.** à l' – **6.** aux – **7.** de la

8 **1.** au, du – **2.** aux, des – **3.** à l', de l' – **4.** à l', de l' – **5.** au, du – **6.** à la, de la – **7.** au, du

Observez *page 125*

a. à – **b.** chez

9 **1.** d, j – **2.** a, c, g, i – **3.** b, e, h – **4.** f

10 **1.** *Chez*, à – **2.** à, chez – **3.** chez, au – **4.** à, chez – **5.** à, chez – **6.** à, au, chez

Observez *page 126*

a. du – **b.** des

12 **1.** dans – **2.** dans – **3.** sur – **4.** dans – **5.** sous – **6.** sous – **7.** sur

13 au milieu du village – près de la table – au bord de la table – à côté des magasins / toilettes – loin de l'aéroport / entrée – autour du village

14 **1.** C'est entre le garage et la poste. – **2.** Passez devant la gare. – **3.** J'attends en bas des escaliers. – **4.** Ce n'est pas loin de la station de métro. – **5.** Allez au bout du boulevard. – **6.** Nous habitons derrière l'hôpital. – **7.** L'école est au centre du village. – **8.** Le parc se trouve à côté du cimetière. – **9.** Nous avons rendez-vous en face du cinéma. – **10.** L'école est entre le théâtre et la bibliothèque / entre la bibliothèque et le théâtre.

15 **1.** L'appartement se trouve en face de l'arrêt de l'autobus. – **2.** La cuisine est à côté de la salle de bains. – **3.** J'ai mis les chaises autour de la table. – **4.** Il y a un grand miroir au fond du couloir. – **5.** La porte de mon bureau est à gauche de l'entrée. – **6.** Ma chambre est en haut des escaliers.

17 dans – au bord du – pas loin de – au – sur – de – près de – en – du

18 **1.** de – **2.** de – **3.** chez – **4.** dans – **5.** chez – **6.** au bord de – **7.** du – **8.** en face du – **9.** à

19 **1.** de – **2.** de / en – **3.** dans – **4.** dans – **5.** près de / pas loin de / à côté de / dans – **6.** chez – **7.** au – **8.** en – **9.** en – **10.** dans – **11.** au – **12.** du – **13.** à

Chapitre 14
L'expression du temps

Observez *page 129*

a. Quelle heure est-il ?
b. – Tu as rendez-vous à quelle heure ? – À midi.
c. une heure imprécise
d. en, le, en
e. en, en, au, en

1 **1.** a, d, e, g, h – **2.** b, c, f

2 **1.** en, le – **2.** en, le – **3.** Le – **4.** Le – **5.** en, en – **6.** le, en

3 **1.** en – **2.** au – **3.** le – **4.** En – **5.** en – **6.** le – **7.** En – **8.** en – **9.** en – **10.** le

Observez *page 130*

a. Hier / Passé – Aujourd'hui / Présent – Demain / Futur
b. Faux
c. Samedi prochain / Futur – La semaine dernière / Passé – La semaine prochaine / Futur – Samedi dernier / Passé
d. Vrai
e. Cet après-midi / Aujourd'hui

5 Un moment précis : 1, 3, 4, 7, 9, 10
Une habitude : 2, 5, 6, 8

6 **1.** Le dimanche – **2.** Ce soir – **3.** Samedi soir – **4.** Mardi matin – **5.** Le week-end – **6.** Hier – **7.** Ce midi – **8.** Le mois prochain

Observez *page 132*

a. Vrai
b. derrière le verbe au présent
c. Je ne prends jamais la voiture.

8 **1.** h – **2.** g – **3.** b – **4.** f – **5.** a – **6.** i – **7.** d – **8.** c – **9.** e

9 **1.** Nous allons rarement au cinéma. – **2.** Elle part souvent à la campagne. – **3.** On dîne quelquefois au restaurant. – **4.** Ils passent généralement les vacances à la mer. – **5.** Je déjeune une fois par mois chez ma sœur. – **6.** Nous invitons toujours nos amis à Noël. – **7.** Vous organisez une grande fête une fois par an.

10 **1.** Elles ne visitent jamais les musées. – **2.** Je ne me maquille pas toujours. – **3.** Vous ne venez pas souvent chez moi. – **4.** Tu ne téléphones jamais. – **5.** Nous ne prenons pas toujours la voiture. – **6.** On ne travaille pas tout le temps.

Observez *page 133*

a. Vrai
b. *de* indique le début de l'action ou d'un état, *à* indique la fin d'une action ou d'un état
c. dans : pour une action future
il y a : pour une action passée
depuis : pour une action qui continue
pendant : pour indiquer la durée
jusqu'à : pour indiquer la fin d'une action.

12 **1.** dans – **2.** dans – **3.** il y a – **4.** il y a – **5.** dans – **6.** dans – **7.** il y a – **8.** il y a

13 **1.** depuis, il y a – **2.** il y a, depuis – **3.** depuis, il y a – **4.** depuis, il y a

14 **1.** jusqu'à – **2.** du / de, au / à – **3.** de, à – **4.** jusqu'à – **5.** du / de, au / à, de, à – **6.** jusqu'à

15 **1.** pendant, du, au – **2.** du / de, au / à – **3.** jusqu'à – **4.** pendant – **5.** Pendant, de, à – **6.** du / de, au / à, de, à – **7.** jusqu'à – **8.** pendant

16 demain matin – Il y a – à – cette nuit – vers – toujours

17 **1.** Pendant, du, au, de, à – **2.** En, jusqu'à – **3.** après – **4.** Aujourd'hui – **5.** de, à, du, au – **6.** ce soir

18 **1.** aujourd'hui – **2.** le 26 juin – **3.** Il y a – **4.** il y a – **5.** depuis – **6.** dans – **7.** Demain – **8.** aujourd'hui – **9.** Dans

Chapitre 15

L'expression de la quantité et de l'intensité

Observez *page 136*

a. Vrai – **b.** Vrai – **c.** Vrai – **d.** Vrai

1 **1.** 12 – **2.** 4 – **3.** 40 – **4.** 14 – **5.** 80 – **6.** 84 – **7.** 5 – **8.** 50 – **9.** 15 – **10.** 55 – **11.** 16 – **12.** 6 – **13.** 600 – **14.** 616 – **15.** 60

2 **1.** cinq – **2.** quinze – **3.** cinquante – **4.** cent cinquante – **5.** cent cinquante-cinq – **6.** vingt – **7.** vingt-deux – **8.** deux cents – **9.** deux cent douze – **10.** deux mille deux cent quatre-vingts – **11.** sept – **12.** dix-sept – **13.** soixante-dix – **14.** sept cents – **15.** sept cent sept

3 **1.** vingt-cinq euros et cinquante centimes – **2.** dix-sept euros et quatre-vingt-deux centimes – **3.** quarante-trois euros et soixante-dix centimes – **4.** cent vingt-sept euros et dix-huit centimes – **5.** deux cent trente euros et cinquante et un centimes – **6.** quatre cent quatre-vingt-dix euros et quatre-vingt-douze centimes – **7.** mille six cent cinquante euros et soixante centimes – **8.** cinq mille neuf cents euros

Observez *page 137*

a. un peu de lait – beaucoup de légumes – un kilo de cerises – trop d'huile
b. beaucoup d'œufs – beaucoup de frites – **c.** Vrai

4 **1.** du beurre, une plaquette de beurre – **2.** de l'huile, une bouteille d'huile – **3.** du jambon, une tranche de jambon – **4.** des œufs, une douzaine d'œufs – **5.** des biscuits, un paquet de biscuits – **6.** de la confiture, un pot de confiture – **7.** de la mayonnaise, un tube de mayonnaise – **8.** de l'emmenthal, un morceau d'emmenthal – **9.** du chocolat, une tablette de chocolat – **10.** des fraises, une barquette de fraises

6 **1.** trop de lait – **2.** pas assez de levure – **3.** trop de sucre – **4.** trop de vinaigre – **5.** pas assez d'épices

7 **1.** un peu de concentration, beaucoup de travail – **2.** un peu de travail, beaucoup de progrès – **3.** trop de bavardages, trop de bruit, pas assez d'attention

8 **1.** trop de, pas assez de – **2.** beaucoup de, peu de – **3.** beaucoup d', peu d' – **4.** trop de, trop de – **5.** beaucoup de, pas assez de – **6.** trop d', pas assez de – **7.**trop de, peu d'

9 **1.** Ils mangent trop. – **2.** Vous ne réfléchissez pas assez. – **3.** Ils jouent beaucoup au tennis. – **4.** Je ne dors pas assez. – **5.** Tu n'écoutes pas assez les conseils. – **6.** Elle discute beaucoup avec ses enfants. – **7.** Ils regardent trop la télévision. – **8.** Nous cuisinons beaucoup.

Observez *page 139*

Vrai

10 **1.** Ce film est très drôle. – **2.** Ce livre est très amusant. – **3.** Cette chanson est très émouvante. – **4.** Cet article est très intéressant. – **5.** Cette pièce de théâtre est très triste.

11 **1.** Le gâteau n'est pas assez cuit, laisse-le encore au four dix minutes. – **2.** Je ne suis pas assez riche pour acheter cette voiture.– **3.** Vous ne travaillez pas assez sérieusement pour réussir. – **4.** Il ne court pas assez vite pour dépasser ton score. – **5.** Tu n'es pas assez grand pour traverser la rue tout seul. – **6.** Il ne fait pas assez beau pour aller se promener.

12 **1.** très, trop – **2.** trop, très – **3.** très, trop – **4.** très, trop – **5.** trop, très – **6.** très, trop

13 **1.** Notre directeur est très sympathique. – **2.** Nous avons des relations assez amicales. – **3.** Nous travaillons ensemble depuis très longtemps. – **4.** Il part assez souvent à l'étranger. – **5.** Il organise assez régulièrement des formations. – **6.** Tous les collègues trouvent la direction très sérieuse. **7.** Le personnel apprécie les conditions de travail très agréables.

14 **1.** Oui, je me sens très fatiguée. – **2.** En fait, je ne mange pas assez. – **3.** Je ne dors pas beaucoup. – **4.** Oui, je suis très stressée. – **5.** Oui, j'aime beaucoup ce que je fais.

15 **1.** deux – **2.** beaucoup de – **3.** très – **4.** très – **5.** trop – **6.** huit

16 **1.** assez – **2.** un peu de – **3.** trois – **4.** quatre – **5.** un peu de – **6.** très – **7.** pas assez – **8.** trop – **9.** très

Chapitre 16

L'expression de la comparaison

Observez *page 142*

a.

Supériorité (+)	Infériorité (–)	Égalité (=)
plus long que	moins difficile que	aussi intéressants que
plus tard que	moins tôt que	aussi longtemps que

b. qu'

1 **1.** Mon travail est aussi intéressant. – **2.** Mon appartement est plus petit. – **3.** Ma voiture est aussi rapide. – **4.** Ma maison est moins grande. – **5.** Mes fleurs sont aussi belles. – **6.** Mes voisins sont moins bavards. – **7.** Mon jardin est plus joli.

2 **1.** est moins fort que – **2.** est moins grosse que – **3.** est plus patient que – **4.** est moins âgé qu' – **5.** plus bruyants que – **6.** est plus intelligent qu' – **7.** est moins sympathique que

3 **1.** Elle est aussi jolie que sa cousine. – **2.** Ils ne sont pas aussi beaux que les autres. – **3.** Je ne suis pas aussi riche que vous. – **4.** Elles sont aussi amusantes que leurs amies. – **5.** Tu n'es pas aussi bavard que ta sœur. – **6.** Vous êtes aussi intelligents que nous.

5 **1.** On habite plus loin que vous. – **2.** Tu écris aussi mal que ton frère. – **3.** Il court plus vite que son copain. – **4.** Nous chantons aussi bien que nos amis. – **5.** Elles parlent moins fort que leur professeur – **6.** Je viens plus souvent que mon frère.

6 **1.** plus poliment – **2.** moins fort – **3.** plus lentement – **4.** aussi vite – **5.** moins facilement – **6.** plus près – **7.** aussi bien

Observez *page 144*

a. meilleur – **b.** mieux – **c.** *meilleur* s'accorde avec le nom, *mieux* est invariable.

7 **1.** meilleures – **2.** meilleur – **3.** meilleure – **4.** meilleurs – **5.** meilleures – **6.** meilleure

8 **1.** Le chocolat noir est meilleur que le chocolat blanc. – **2.** Le café noir est meilleur que le café crème. – **3.** La glace à la vanille est meilleure que la glace à la fraise. **4.** Les sandwichs au jambon sont meilleurs que les sandwichs au fromage. – **5.** L'eau plate est meilleure que l'eau gazeuse. – **6.** Les frites sont meilleures que les pâtes.

10 **1.** meilleurs, mieux. – **2.** mieux, meilleure – **3.** meilleure, mieux – **4.** mieux – **5.** mieux, meilleur – **6.** meilleure, mieux

Observez *page 145*

a.

Supériorité (+)	Infériorité (–)	Égalité (=)
plus de ... que	moins de ... que	autant de ... que
... plus que	... moins que	... autant que

b. *de* devient *d'*

11 **1.** Mes amis ont autant de temps libre que moi. – **2.** Vous avez plus de travail que nous. – **3.** Je lis plus de livres que vous. – **4.** Tu vois moins de films que moi. – **5.** Yasmine visite autant d'expositions que Xavier. – **6.** Roland fait moins de sport que son frère.

12 **1.** Il travaille autant que toi. – **2.** Vous pleurez plus que d'habitude. – **3.** Je m'ennuie moins que vous. – **4.** Nous jouons moins que les enfants. – **5.** Tu ris autant que ta sœur. – **6.** On s'amuse plus que l'année dernière.

13 **1.** plus d'écoles – **2.** autant de piscines – **3.** moins de lignes d'autobus – **4.** moins de boulangeries – **5.** autant de pharmacies – **6.** plus de cabines téléphoniques – **7.** autant de salles de cinéma

14 **1.** Elle dort plus que d'habitude. – **2.** Nous lisons plus que vous. – **3.** Il fume moins que son frère. – **4.** Tu parles moins qu'avant. – **5.** Ils voyagent plus que leurs enfants. – **6.** On dépense moins que les autres.

16 moins grand – plus confortable – plus clair – moins bruyante – aussi cher – aussi cher – aussi bien – mieux situé

17 aussi récents – plus confortable – plus de place – moins grande – moins d'essence – plus de bruit – mieux – plus cher – plus de kilomètres

18 plus accueillante – plus âgés – plus d'activités – moins loin – plus souvent – plus de choses – moins – meilleure

Chapitre 17
Les relations logiques

Observez *page 148*

a. *Parce que* s'utilise avec un verbe conjugué, *À cause de* s'utilise avec un nom
b. parce que
c. dans la deuxième partie de la phrase
d. parce qu'
e. à cause du, à cause des

1 **1.** g – **2.** c – **3.** d – **4.** a – **5.** b – **6.** f – **7.** e

2 **1.** Tu vas te coucher parce que tu es fatigué. – **2.** Je bois un verre d'eau parce que j'ai soif. – **3.** Elle achète un sandwich parce qu'elle a faim. – **4.** Nous crions parce que nous avons peur. – **5.** On allume le chauffage parce qu'il fait froid. – **6.** Vous marchez vite parce que vous êtes pressés. – **7.** Ils ouvrent la fenêtre parce qu'ils ont chaud.

3 **1.** J'étudie beaucoup parce que je prépare un examen. – **2.** Nous restons à la maison parce que nous sommes fatigués. – **3.** Je cours parce que je suis en retard. – **4.** Nous préparons nos valises parce que nous partons en voyage. – **5.** Elle dort mal parce qu'elle a trop chaud.

4 **1.** a, d, h – **2.** f, i – **3.** c, g – **4.** b, e

5 **1.** Il y a beaucoup d'accidents de voitures à cause de la vitesse. – **2.** Je ferme la fenêtre à cause du bruit. – **3.** La route est glissante à cause de la pluie. – **4.** Il y a des embouteillages à cause des travaux. – **5.** La route est fermée à cause des inondations. – **6.** Je ne peux pas garer ma voiture à cause de l'autobus.

Observez *page 150*

Vrai.

6 **1.** Je sors pour prendre l'air. – **2.** Il va dans les Alpes pour faire du ski. – **3.** Je fais du camping pour dépenser moins d'argent. – **4.** Nous prenons un taxi pour rentrer de l'aéroport. – **5.** Ils partent en voyage organisé pour rencontrer des gens. – **6.** Vous partez en train pour arriver plus vite. – **7.** Je regarde le plan pour me repérer plus facilement.

7 **1.** Ils prennent des cours pour faire des progrès. – **2.** Elle fait du sport pour être en forme. – **3.** Tu consultes les petites annonces pour trouver un travail. – **4.** Je fais des économies pour acheter un appartement. – **5.** Nous téléphonons pour prendre un rendez-vous. – **6.** Vous allez à la banque pour retirer de l'argent.

Observez *page 151*

a. Faux – **b.** donc – **c.** mais

8 **1.** donc vous allez chez le médecin – **2.** donc il est en forme – **3.** mais je fais beaucoup d'erreurs – **4.** donc on ne peut pas entrer – **5.** donc je suis contente – **6.** mais je n'ai pas compris – **7.** donc elle peut payer

9 **1.** mais, donc – **2.** mais, donc – **3.** donc, mais – **4.** donc, mais – **5.** mais, donc – **6.** mais, donc – **7.** mais, donc

10 **1.** pour, parce que – **2.** parce que, pour – **3.** pour, parce que – **4.** pour, parce que – **5.** parce que, pour – **6.** pour, parce que

11 **1.** pour – **2.** parce que – **3.** à cause d' – **4.** parce qu' – **5.** parce que – **6.** pour – **7.** à cause du – **8.** à cause des

12 **1.** Ils ont eu un accident parce qu'ils ne sont pas prudents. Ils ne sont pas prudents, donc ils ont eu un accident. – **2.** Les magasins sont fermés parce qu'il est 22 heures. Il est 22 heures, donc les magasins sont fermés. – **3.** Le bus a du retard parce qu'il y a de la circulation. Il y a de la circulation, donc le bus a du retard. – **4.** On ne trouve pas de taxi parce qu'il y a une grève. Il y a une grève, donc on ne trouve pas de taxi. – **5.** La route est glissante parce qu'il pleut. Il pleut, donc la route est glissante. **6.** Les vélos roulent bien parce qu'il y a une piste cyclable. Il y a une piste cyclable, donc les vélos roulent bien.

Chapitre 18

La phrase interrogative

Observez *page 154*

a. un point d'interrogation : ?
b. Vrai
c. est-ce qu'

1 Question : 1, 3, 5, 6, 7, 9
Affirmation : 2, 4, 8, 10

2 **1.** Est-ce que – **2.** Est-ce qu' – **3.** Est-ce que – **4.** Est-ce qu' – **5.** Est-ce qu' – **6.** Est-ce que

3 **1.** Est-ce que vous êtes étudiant ? – **2.** Est-ce que vous avez une brochure ? – **3.** Est-ce qu'il reste des places ? – **4.** Est-ce que je peux venir aujourd'hui ? – **5.** Est-ce qu'il y a un cours ce soir ? – **6.** Est-ce que vous avez rempli votre dossier ? – **7.** Est-ce que vous pouvez revenir demain ?

Observez *page 155*

a. une (ou des) personne(s)
b. une (ou des) chose(s)
c. Vrai

d. *Qu'est-ce que* est au début de la phrase. – *Quoi* est après le verbe.
e.

Question sans *est-ce que*	Question avec *est-ce que*
Tu fais quoi ? C'est quoi ?	Qu'est-ce que tu fais ? Qu'est-ce que c'est ?

4 **1.** Qui habite ici ? – **2.** Qui vient ce soir ? – **3.** Qui arrive dimanche ? – **4.** Qui reste à la maison ? – **5.** Qui va se marier ? – **6.** Qui part demain ? – **7.** Qui a un examen ? – **8.** Qui peut traduire ce texte ?

5 **1.** Vous écoutez qui ? – **2.** Il achète quoi ? – **3.** C'est qui ? – **4.** Ils invitent qui ? – **5.** Vous préparez quoi ? – **6.** C'est quoi ? – **7.** Tu invites qui ? – **8.** Elle écrit quoi ?

6 **1.** Qu'est-ce que – **2.** quoi – **3.** Qu'est-ce qu' – **4.** Qu'est-ce que – **5.** quoi – **6.** Qu'est-ce qu' – **7.** quoi – **8.** Qu'est-ce que

7 **1.** Qu'est-ce que vous prenez ? Vous prenez quoi ? – **2.** Qu'est-ce qu'ils demandent ? Ils demandent quoi ? – **3.** Qu'est-ce qu'ils boivent ? Ils boivent quoi ? – **4.** Qu'est-ce qu'elle prépare ? Elle prépare quoi ? – **5.** Qu'est-ce que tu lis ? Tu lis quoi ? – **6.** Qu'est-ce qu'elle écrit ? Elle écrit quoi ? – **7.** Qu'est-ce que vous dansez ? Vous dansez quoi ? – **8.** Qu'est-ce que tu chantes ? Tu chantes quoi ?

Observez *page 157*

a. le temps (moment) : quand
le lieu : où
la manière : comment
la cause : pourquoi
la quantité : combien
b. derrière le mot interrogatif
c.

Question sans *est-ce que*	Question avec *est-ce que*
Vous partez quand ?	Quand est-ce que vous partez ?
On se donne rendez-vous où ?	Où est-ce qu'on se donne rendez-vous ?
Tu as payé combien ?	Combien est-ce que tu as payé ?
On va rentrer comment ?	Comment est-ce qu'on va rentrer ?
Pourquoi il dort ?	Pourquoi est-ce qu'il dort ?

8 **1.** d – **2.** e – **3.** f – **4.** c – **5.** b – **6.** a

9 **1.** Combien – **2.** Où – **3.** Quand – **4.** Pourquoi – **5.** Comment – **6.** Combien – **7.** Pourquoi – **8.** Quand

10 **1.** Quand est-ce que vous venez ? – **2.** Combien ça coûte ? – **3.** Où est-ce qu'il va ? – **4.** Pourquoi est-ce qu'il y a du monde ? – **5.** Comment ça va ? –

6. Quand est-ce que je peux venir ? – 7. Pourquoi tu ne réponds pas ? – 8. Vous vous appelez comment ?

11 1. Comment est-ce qu'elles viennent ? – 2. Combien est-ce qu'on doit payer ? – 3. Quand est-ce que vous arrivez ? – 4. Comment est-ce que tu payes / vous payez ? – 5. Où est-ce que vous habitez ? – 6. Combien de jours est-ce que vous restez ? – 7. Quand est-ce qu'elle revient ?

Observez *page 159*

masculin singulier	quel
féminin singulier	quelle
masculin pluriel	quels
féminin pluriel	quelles

12 1. Quel, f – 2. Quelle, g – 3. quel, b – 4. Quelle, a – 5. quel, d – 6. Quelle, c – 7. quel, e

13 1. quelle – 2. quel – 3. quelle – 4. quelle – 5. Quels – 6. quelle

14 1. quel – 2. quelle – 3. quel – 4. quel – 5. quelle – 6. quelles – 7. quel – 8. quels

Observez *page 160*

a. Vrai
b. Qu'est-ce que tes amis écoutent comme musique ?

15 1. Qu'est-ce que vous voulez comme dessert ? – 2. Qu'est-ce que tu prends comme entrée ? – 3. Qu'est-ce qu'on commande comme vin ? – 4. Qu'est-ce qu'il y a comme plat du jour ? – 5. Qu'est-ce que c'est comme sauce ? – 6. Qu'est-ce que vous avez comme eau minérale ?

16 1. Qu'est-ce que tu mets comme veste ? – 2. Qu'est-ce que vous choisissez comme robe ? – 3. Qu'est-ce que tu emportes comme sac ? – 4. Qu'est-ce qu'elle préfère comme couleur ? – 5. Qu'est-ce qu'ils offrent comme cadeau ? – 6. Qu'est-ce que tu achètes comme parfum ? – 7. Qu'est-ce que vous avez comme chaussures ?

17 1. Qu'est-ce que tu as / vous avez comme voiture ? – 2. Qu'est-ce que tu cherches / vous cherchez comme magazine ? – 3. Qu'est-ce qu'elle met comme parfum ? – 4. Qu'est-ce qu'ils regardent comme film ? – 5. Qu'est-ce que vous écoutez comme musique ? – 6. Qu'est-ce qu'elles portent comme couleurs ? – 7. Qu'est-ce que tu aimes / vous aimez comme bijoux ?

18 1. est-ce que – 2. combien de – 3. Comment – 4. qu'est-ce qu' – 5. comme – 6. quelles – 7. combien de – 8. Comment

20 1. e – 2. g – 3. d – 4. h – 5. b – 6. a – 7. c – 8. f

21 1. Quand – 2. quelle – 3. Combien – 4. Comment – 5. Qu'est-ce qu', comme – 6. Est-ce qu' – 7. Où

22 1. Où est-ce que tu habites ? – 2. Qu'est-ce que tu fais comme études ? – 3. Comment est-ce que tu viens ? – 4. Est-ce que tu es marié ? – 5. Est-ce que tu as des enfants ? – 6. Quand est-ce que tu es arrivé ?

Chapitre 19

La phrase négative

Observez *page 163*

a. Vrai
b. *ne* est placé devant le verbe. – *pas* est placé derrière le verbe.
c. Il ne rentre pas à la maison. – Vous n'avez pas son numéro de téléphone.
d. *ne* devient *n'*

1 1. ne – 2. n' – 3. ne – 4. ne – 5. n' – 6. n' – 7. n'

2 1. Ce n'est pas possible. – 2. Ce n'est pas juste. – 3. Ce n'est pas exact. – 4. Ce n'est pas vrai. – 5. Ce n'est pas bien. – 6. Ce n'est pas bon. – 7. Ce n'est pas facile.

3 1. C'est une bague en or, ce n'est pas une bague en argent. – 2. C'est un chemisier en soie, ce n'est pas un chemisier en nylon. – 3. Ce sont des gants en laine, ce ne sont pas des gants en cuir. – 4. C'est un pantalon à rayures, ce n'est pas un pantalon à carreaux. – 5. C'est une tunique à fleurs, ce n'est pas une tunique à pois. – 6. Ce sont des chaussettes noires, ce ne sont pas des chaussettes bleu marine.

4 1. Je ne suis pas marié. – 2. Il n'est pas divorcé. – 3. Nous n'habitons pas loin d'ici. – 4. Ils n'ont pas d'enfants. – **5.** Tu ne travailles pas. – **6.** On ne fait pas d'études. – **7.** Vous ne fumez pas.

5 **1.** Vous ne sortez pas ce soir ? – **2.** Vous n'arrivez pas ensemble ? – **3.** Tu ne restes pas encore un peu ? – **4.** Vous n'allez pas au théâtre ? – **5.** Tu n'accompagnes pas les autres ? – **6.** Vous n'invitez pas vos voisins ?

6 ne fait pas – ne sortons pas – n'allons pas – n'est pas – n'ai pas – ne fonctionne pas – ne sont pas – ne sais pas – n'as pas

Observez ***page 165***

a. *ne* est placé avant l'auxiliaire – *pas* est placé avant le participe passé
b. Je ne suis pas sortie. – Eric n'est pas venu.

7 **1.** Je n'ai pas fini mon travail. – **2.** Il n'a pas fait ses devoirs. – **3.** Elle n'a pas appris ses leçons. – **4.** Tu n'es pas rentré assez tôt. – **5.** Je ne suis pas allé à la bibliothèque. – **6.** Nous n'avons pas rangé nos affaires. – **7.** Vous n'êtes pas arrivé à l'heure.

8 **1.** Je n'ai pas dîné. – **2.** Tu n'as pas regardé la télévision. – **3.** Je n'ai pas invité mes voisins. – **4.** Nous n'avons pas téléphoné à nos amis. – **5.** Elles n'ont pas lu. – **6.** Vous n'avez pas fait la fête. – **7.** Il n'est pas sorti.

9 **1.** elle n'est pas allée au supermarché – **2.** ils n'ont pas regardé le journal télévisé – **3.** nous ne sommes pas allés chez mes parents – **4.** elle n'a pas acheté les journaux – **5.** il n'a pas travaillé dans son jardin.– **6.** on n'a pas pris le train

10 **1.** n'ai pas écouté, n'ai pas entendu. – **2.** n'avez pas cherché, n'avez pas trouvé. – **3.** n'ont pas regardé, n'ont pas vu. – **4.** n'avons pas appris, n'avons pas répondu. – **5.** n'as pas joué, n'as pas gagné. – **6.** n'a pas étudié, n'a pas réussi – **7.** n'a pas expliqué, n'ont pas compris.

Observez ***page 166***

a. *ne* est placé avant le premier verbe – *pas* est placé avant le deuxième verbe
b. Il ne va pas passer ses examens. – Je ne peux pas répondre.

11 **1.** Je ne veux pas sortir. – **2.** Elle ne doit pas conduire. – **3.** Tu n'aimes pas danser ? – **4.** Il ne faut pas courir. – **5.** Ils ne savent pas nager. – **6.** Vous n'allez pas dormir.

12 **1.** Non, je ne sais pas danser la valse. – **2.** Non, nous ne préférons pas sortir en boîte. – **3.** Non, nous ne voulons pas aller à la piscine. – **4.** Non, je n'aimerais pas chanter dans une chorale. – **5.** Non, je n'aime pas voir les films en V.O. – **6.** Non, je ne veux pas lire ce roman.

13 **1.** Nous ne devons pas fumer dans l'école. – **2.** Il ne faut pas arriver en retard. – **3.** Nous ne devons pas porter de mini-jupes. – **4.** Vous ne devez pas faire de bruit. – **5.** Il ne faut pas parler trop fort. – **6.** On ne doit pas courir dans les escaliers. – **7.** Vous ne devez pas regarder la copie de votre voisin.

14 **1.** ne sais pas chanter. – **2.** ne faut pas fumer – **3.** ne peux pas lire – **4.** n'aime pas voir – **5.** ne veut pas aller – **6.** ne pouvons pas rester

Observez ***page 167***

a. *ne* est placé avant le pronom réfléchi – *pas* est placé après le verbe
b. Tu ne te lèves pas. – Je ne me souviens pas.

15 **1.** Je ne me lève pas tôt. – **2.** Il ne se rase pas. – **3.** Tu ne te maquilles pas. – **4.** Nous ne nous dépêchons pas. – **5.** Je ne me couche pas tard. – **6.** Elle ne se repose pas. – **7.** Ils ne s'amusent pas.

16 **1.** ne te promènes pas. – **2.** ne me souviens pas. – **3.** ne nous reposons pas. – **4.** ne nous couchons pas tard – **5.** ne vous amusez pas. – **6.** ne s'ennuient pas. – **7.** ne se dépêche pas. – **8.** ne te sens pas bien.

17 **1.** ne nous reposons pas – **2.** ne t'assieds pas – **3.** ne s'allonge pas – **4.** ne vous arrêtez pas – **5.** ne s'en va pas – **6.** ne vous installez pas – **7.** ne se réveille pas

Observez ***page 169***

a. déjà / ne... pas encore – toujours / ne... jamais – encore / ne... plus
b. Il ne vote pas encore. – Il ne tousse plus. – Je ne pars jamais en été.

18 **1.** Elle ne sourit jamais. – **2.** Elle ne chante jamais. – **3.** Elle ne rit jamais. – **4.** Elle ne danse jamais. – **5.** Elle ne s'amuse jamais. – **6.** Elle n'est jamais gaie.

19 **1.** e – **2.** c – **3.** a – **4.** b – **5.** d
1. Je ne prends jamais le bus, je me déplace toujours en métro. – **2.** Nous ne regardons jamais la télé le matin, nous préférons écouter la radio. – **3.** Ils ne vont jamais au cinéma en semaine, ils préfèrent sortir le week-end. – **4.** Elle ne travaille jamais tard, elle termine à 17 heures. – **5.** Il ne part jamais en vacances avec ses parents, il voyage avec ses copains.

20 **1.** n'avons pas encore visité – **2.** n'ont pas encore joué – **3.** ne suis pas encore allé – **4.** n'ont pas encore traversé – **5.** n'ont pas encore goûté – **6.** n'est pas encore montée – **7.** n'avons pas encore vu – **8.** n'a pas encore découvert

21 **1.** Non, je ne vis plus chez mes parents. – **2.** Non, elles ne viennent plus dîner tous les soirs. – **3.** Non, il n'a plus sa vieille moto. – **4.** Non, il ne fume plus la pipe. – **5.** Non, il ne pleut plus. – **6.** Non, ils ne sont plus là.

Observez *page 170*

a. Vrai – **b.** Vrai – **c.** Vrai
d. Au passé composé, *personne* est placé derrière le verbe. – **e.** Je ne vois rien. – Nous ne connaissons personne. – Je n'ai rien fait. – Je n'ai rencontré personne.

22 **1.** Rien. – **2.** Rien. – **3.** personne. – **4.** personne. – **5.** Rien. – **6.** rien. – **7.** Rien. – **8.** rien. – **9.** personne.

23 **1.** Non, elle n'attend personne. – **2.** Non, ils ne cherchent personne. – **3.** Non, nous ne recevons personne. – **4.** Non, ils ne connaissent personne. – **5.** Non, elles n'écoutent personne. – **6.** Non, ils n'invitent personne.

24 **1.** Non, il ne comprend rien. – **2.** Non, ils ne répondent rien. – **3.** Non, nous ne demandons rien. – **4.** Non, nous ne faisons rien. – **5.** Non, je n'achète rien. – **6.** Non, je ne bois rien.

25 **1.** Je n'ai entendu personne. – **2.** Vous n'avez rien fait. – **3.** On n'a vu personne. – **4.** Nous n'avons remarqué personne. – **5.** Ils n'ont rien dit. – **6.** Je n'ai rien pris. – **7.** Elles n'ont appelé personne.

26 **1.** Je n'ai pas l'adresse du restaurant. – **2.** Il ne faut pas oublier de réserver. – **3.** Vous n'avez pas encore choisi ? – **4.** Nous n'avons plus de tarte au citron. – **5.** Le restaurant ne sert pas de sodas. – **6.** Il ne va pas prendre de dessert.

27 **1.** Vous n'avez pas de réduction. – **2.** Je ne connais pas les horaires. – **3.** Le buffet n'est pas encore ouvert. – **4.** Le train n'est pas encore entré en gare. – **5.** Il ne faut pas oublier de composter les billets. – **6.** Nous n'avons jamais voyagé en première classe. – **7.** Il n'y a plus de train après 23 heures.

28 **1.** Non, je n'ai pas sorti les poubelles. – **2.** Non, le dîner n'est pas encore prêt. – **3.** Non, la facture de téléphone n'est pas arrivée. – **4.** Non, nous n'avons pas encore terminé nos devoirs. – **5.** Non, le réparateur de télé n'est pas passé. – **6.** Non, je n'ai pas acheté le pain. – **7.** Non, Mme Nolet ne va pas passer ce soir.

Imprimé en France par Mame Imprimeurs à Tours (n° 08032279)
Dépôt légal : mai 2008 - Collection n° 23
Edition 03 - 15/5432/8